CW00386031

L'OR BLEU

DES MÊMES AUTEURS

MAUDE BARLOW

La Bataille de Seattle. Sociétés civiles contre mondialisation marchande, Fayard, 2002.

TONY CLARKE

Main basse sur le Canada ou la tyrannie de la grande entreprise, en collaboration avec Léo-Paul Lauzon, Boréal, 1999.

MAUDE BARLOW
TONY CLARKE

L'OR BLEU

L'eau, le grand enjeu
du XXIe siècle

Traduit de l'anglais par Paule Noyart

Préface inédite

FAYARD

Collection fondée par Georges Liébert
et dirigée par Joël Roman

ISBN : 978-2-01-279299-9

Titre original :
Blue Gold
The Battle Against Corporate Theft
of the World's Water
Édité par Stoddart Publishing

À Kimy Pernia Domico,
infatigable défenseur
des droits autochtones
à l'eau douce,
que les forces
paramilitaires colombiennes
ont fait « disparaître »
le 2 juin 2001.

*Tu nous manques
terriblement.*

Préface

Depuis la parution originale de *L'Or bleu* (actuellement disponible dans vingt-sept pays), le débat sur la diminution des ressources mondiales en eau s'est intensifié.

Les trois géants de l'eau – Suez-ONDEO, Vivendi-Veolia en France et RWE-Thames Water en Allemagne – ont étendu leur empire. Suez et Vivendi contrôlent désormais plus de 70 % du marché mondial et leur chiffre d'affaires n'a cessé de croître. Il y a une dizaine d'années, celui de Vivendi pour le secteur de l'eau était de tout juste 5 milliards de dollars américains ; en 2002 il a atteint plus de 12 milliards. Ces trois multinationales font partie des cent entreprises les plus riches du monde avec, en 2002, un chiffre d'affaires annuel cumulé de presque 160 milliards de dollars et une croissance de 10 % – dépassant ainsi les économies de bien des pays auxquels elles offrent leurs services. Elles disposent également de plus de personnel que la plupart des gouvernements : Vivendi emploie 295 000 personnes dans le monde entier et Suez 173 000.

Dans le même temps, ces entreprises rencontrent des difficultés. La résistance locale féroce, que ce soit dans les pays riches ou pauvres, les contraint à abandonner leurs activités ou à rechercher des financements garantis auprès de la Banque mondiale et des gouvernements locaux pour couvrir le coût de leurs défaillances. La Banque mondiale a triplé le montant des fonds disponibles pour les projets de privatisation d'eau des pays pauvres. Cependant, une étude menée en 2003 par l'International Consortium of Investigative Journalists a révélé qu'au cours des cinq dernières années, la majorité des prêts accordés par la Banque mondiale pour des projets concernant l'eau a été octroyée en échange de la privatisation des systèmes d'eau.

De même, l'industrie de l'eau en bouteille, toujours très peu réglementée, croît à un rythme effréné. Elle amasse aujourd'hui 46 milliards de dollars de profit chaque année, pour seulement 22 milliards il y a à peine trois ans. En moyenne, chaque européen consomme à présent plus de cent litres d'eau en bouteille par an qu'il paie 1 100 fois plus cher que l'eau du robinet. Une telle industrie a besoin d'une importante quantité de plastique : 1,5 million de tonnes par an, qui pour une grande part se retrouvent dans les décharges et dans les cours d'eau où ils intoxiquent le sol et l'eau.

Cependant, l'évolution la plus fulgurante reste celle d'une opposition populaire au contrôle des ressources mondiales en eau par le secteur privé. Des associations locales sont apparues dans le monde entier pour combattre la privatisation des prestations communales en eau, l'exploitation des nappes phréatiques par les grandes compagnies d'eau en bouteille et l'exportation commerciale massive de l'eau à l'extérieur des territoires.

En Afrique, où des millions de personnes meurent chaque jour parce qu'elles n'ont pas accès à l'eau potable, de nombreuses associations se sont formées au sein des communautés locales pour reprendre le contrôle des sources d'eau. Au Ghana, au Mozambique, au Sénégal et en Zambie, des associations de citoyens se battent contre les programmes d'ajustement structurel de la Banque mondiale qui incluent la privatisation de l'eau. En Afrique du Sud, où l'accès à l'eau est inscrit dans la constitution comme un droit fondamental de l'homme, le Forum anti-privatisation (FAP), mouvement populaire massif qui s'est développé au cœur des communes, collabore étroitement avec le Syndicat des travailleurs municipaux d'Afrique du Sud (le SAMWU) afin de protester contre la tarification de l'eau.

En Asie, un groupe d'opposition féroce se développe actuellement contre la privatisation de l'eau, et remporte contre toute attente de nombreuses victoires. Maynilad Water, la filiale de Suez, est en train de fermer ses bureaux de Manille, aux Philippines, suite aux protestations publiques contre une importante hausse des prix. À Jakarta, en Indonésie, de sérieuses revendications de la part des écologistes et des étudiants mettent le gouvernement sous pression à propos d'un contrat conclu avec Suez, lorsque le général Suharto était au pouvoir, pour la gestion des systèmes d'eau de la ville. En Inde, des groupes locaux et des travailleurs du secteur public se battent contre la proposition de privatisation de l'eau de New Delhi, et des villageois de Plachimada et Kerela ont réussi, après deux ans d'intenses protestations, à obtenir un moratoire sur le captage de l'eau par la Hindustan Coca-Cola Company.

Dans la plupart des pays d'Amérique latine, des groupes communautaires luttent pour l'accès à l'eau ou contre la privatisation. Le Brésil prévoit de nationaliser toutes les entreprises du secteur de l'eau. Les Amis de la Terre mènent en ce moment une consultation nationale en Uruguay à propos d'un éventuel référendum sur la privatisation de l'eau. À Buenos Aires, l'opposition publique à Suez a presque conduit à la fermeture de l'entreprise au cours de l'été 2003. Au même moment, quarante-sept organisations populaires de seize pays d'Amérique latine se réunissaient à San Salvador pour lancer un nouveau mouvement nommé RED VIDA qui s'est terminé par une déclaration sur la défense et le droit de l'eau.

En Amérique du Nord, l'opposition à la privatisation de l'eau a fait reculer ou a limité la bonne marche de projets de privatisation majeurs à La Nouvelle-Orléans, Atlanta, Lexington, Chattanooga, Charleston, Toronto et Vancouver. Des associations ont forcé Perrier à abandonner un important projet d'exploitation de l'eau dans le Wisconsin et des combats sont actuellement engagés dans le New Hampshire et dans le Michigan. En 2003, Cadiz, une des plus grandes exploitations agricoles californiennes, qui avait pour objectif de vendre les eaux souterraines du désert Mojave à Los Angeles pour faire du rendement, a abandonné son projet sous la pression d'associations écologistes. L'Alaska Water Exports, qui prévoyait d'exporter des quantités importantes d'eau provenant du Gualala et de la rivière Albion vers San Diego en utilisant des sacs géants pneumatiques, a également fait marche arrière face à l'opposition citoyenne.

En Europe, ATTAC, l'Internationale des services publics (ISP), l'Observatoire de l'Europe des entreprises (CEO), le Global Water Contract, ainsi que les Amis de la Terre international viennent défier les cartels du secteur de l'eau jusque sur leurs terrains de jeu. Comme l'Union européenne promeut outrageusement les intérêts de ses entreprises à travers le monde, en s'appuyant sur l'Accord général sur le commerce des services (AGCS) de l'OMC, ces organisations et d'autres encore mènent des campagnes acharnées contre cet accord pernicieux. Elles fournissent également d'excellentes informations sur les entreprises aux activistes locaux du monde entier.

Ces associations citoyennes se sont rassemblées au troisième forum mondial sur l'eau qui a eu lieu à Kyoto au Japon en mars 2003. Le Conseil mondial de l'eau (WWC) y a tenu le plus important rassemblement jamais organisé sur le problème des ressources mondiales en eau. Sous le projet commun « l'eau c'est la vie », des centaines d'activistes ont participé à des meetings, ont tenu des conférences de presse, ont manifesté et ont exprimé clairement qu'ils ne parviendraient pas au consensus de pro-privatisation désiré et promis par les organisateurs. En fait, sur le site Internet de la WWC, le rapport final révèle un profond clivage au sein du Forum sur le problème de la privatisation de l'eau et du rôle des grandes entreprises dans l'avenir des ressources en eau. Ceci représente une avancée remarquable pour les citoyens qui y ont assisté.

Puis, en janvier 2004, les organisations de soixante-trois pays se sont retrouvées à New Delhi pour lancer un nouveau réseau international afin de lutter pour le droit à l'eau pour tous. La création du Mouvement des peuples du monde pour l'eau a été décidée à l'unanimité pour mettre en place un plan d'action qui comportera : un réseau de soutien pour les organisations luttant pour les droits de l'eau dans le monde ; une convention des Nations unies inscrivant l'eau parmi les droits de l'homme ; des campagnes coordonnées contre l'OMC et la Banque mondiale ; ainsi que des campagnes plus ciblées contre Coca-Cola et Suez – choisis pour leur destruction agressive des communautés et des environnements locaux et parce qu'ils sont déjà la cible de beaucoup de luttes sur le terrain.

Bienvenue dans le monde de l'« or bleu », le combat le plus important de notre temps.

Maude Barlow et Tony Clark
Mai 2007

Remerciements

Nous tenons à exprimer notre immense reconnaissance envers la famille internationale des guerriers de l'eau, qui luttent pour préserver l'or bleu, patrimoine commun de la Nature et de tous les peuples. Ils sont trop nombreux pour que nous puissions les nommer ici, mais ils ont été et resteront pour nous une source de joie et d'inspiration. Nous remercions tout particulièrement Jamie Dunn, de Blue Planet Project et du Conseil des Canadiens, pour son activité inlassable dans l'édification d'un mouvement international pour la préservation de l'eau, et Darren Puscas, de l'Institut Polaris, pour son étude approfondie sur les sociétés transnationales qui font de l'eau une marchandise. Patricia Perdue, du Conseil des Canadiens, nous a accordé son constant soutien, sa bonne humeur et ses encouragements. Nous remercions également Don Bastian, de Stoddart, pour son soutien moral, ainsi que Kathryn Dean, qui nous a prodigué ses conseils dans la révision de cet ouvrage. Enfin, toute notre gratitude va à nos familles qui, grâce à leur compréhension et à leur patience, ont permis à ce livre de voir le jour.

Le site du Conseil des Canadiens qui expose les objectifs de Blue Planet Project est le www.canadians.org.

Maude Barlow et Tony Clarke
Ottawa, Canada, décembre 2001

Introduction

Les bassins hydrographiques sont comme des familles : des degrés d'intimité qui s'emboîtent les uns dans les autres. À l'échelle planétaire, le réseau hydrologique est, comme l'humanité — Serbes, Russes, Indiens Koyukon, Amish, le milliard de vies que compte la Chine —, très perturbé, et on ne sait trop comment lui venir en aide. À mesure qu'on remonte le courant vers chez soi, les liens se font plus étroits. Le grand fleuve est comme la nation, plus ou moins hors de portée. Mais le lac est notre cousin ; la petite rivière, notre sœur ; l'étang, son enfant. Et, pour le meilleur et pour le pire, dans la richesse et la pauvreté, dans la maladie et l'adversité, nous sommes unis à notre lavabo.

MICHEL PARFIT, *National Geographic*

La situation est on ne peut plus claire : la planète est sur le point de manquer d'eau douce. L'humanité pollue, détourne, épuise la source de la vie à un rythme effarant. Chaque jour, l'écart entre l'ampleur de nos besoins en eau et le volume de nos réserves se creuse un peu plus, et des milliers de vies sont menacées. La prolifération des conflits liés à l'eau, aux quatre coins du globe, démontre que les conséquences sociales, politiques et économiques de sa rareté sont désormais un facteur de déstabilisation. Si nous ne changeons pas radicalement nos pratiques, entre la moitié et les deux tiers de l'humanité connaîtront, au cours du prochain quart de siècle, de graves pénuries d'eau.

La catastrophe s'est approchée furtivement. Il y a à peine une dizaine d'années, les études sur l'eau douce étaient laissées à des groupes d'experts — hydrologues, ingénieurs, urbanistes, météorologues et autres spécialistes ayant un intérêt particulier pour ce patrimoine naturel que la plupart des êtres humains tiennent pour acquis. Aujourd'hui, des voix de plus en plus nombreuses sonnent l'alarme. Parmi ces voix, celle du Worldwatch Institute, de l'Institut des ressources mondiales, du Programme des Nations Unies pour l'environnement, de l'International Rivers Network, de Greenpeace International, de Clean Water Network, du Sierra Club et des Amis de la Terre, ainsi que de milliers de groupes communautaires. La crise mondiale de l'eau est peut-être le plus grave péril qui ait jamais menacé la survie de notre planète.

Ce qui est tragique, c'est que cet appel mondial à l'action est lancé à une époque régie par les principes du prétendu « Consensus de Washington », modèle économique fondé sur la prémisse selon laquelle le libre marché constitue le seul et unique choix possible pour l'ensemble du monde. La clé de ce « consensus » est la transformation des « biens communs » en marchandise. Tout est à vendre, même les services sociaux et les ressources naturelles, considérés autrefois comme faisant partie du patrimoine de l'humanité. Partout sur la planète, les États abdiquent leur responsabilité de protéger leurs ressources naturelles et cèdent leur pouvoir d'intervention à des sociétés privées qui s'enrichissent en exploitant ces ressources.

Face à la crise de l'eau douce, sur laquelle on ne peut plus fermer les yeux, les gouvernements et les institutions internationales préconisent une solution inspirée du « Consensus de Washington » : la privatisation et la transformation en marchandise de l'eau douce. Ils clament la nécessité de fixer un prix pour l'eau, de la vendre et de laisser le marché décider de son avenir. Pour eux, le débat est déjà clos. L'eau, selon la Banque mondiale et les Nations Unies, est un *besoin humain*, non un *droit humain*. Il ne s'agit pas d'une simple querelle de mots, mais d'un nouveau concept qu'il est important de saisir. On peut satisfaire un *besoin* humain de diverses manières, surtout si on a de l'argent, mais personne ne peut vendre un *droit* humain.

En mars 2000, lorsque l'eau a été définie comme une marchandise au second Forum mondial de l'eau, à La Haye, les représentants des gouvernements qui participaient à une rencontre parallèle n'ont exprimé aucune opposition véritable. Ce faisant, ces gouvernements ont ouvert la voie qui permettra à des entreprises privées de vendre à profit l'eau à tous les assoiffés du monde. Une poignée de sociétés transnationales, soutenues par la Banque mondiale et le Fonds monétaire international (FMI), ont pris en main l'exploitation des réseaux publics de distribution de l'eau. Elles augmentent ainsi la facture des usagers, qui n'ont d'autre choix que de devenir leurs clients, et tirent profit de la quête désespérée de solutions aux pénuries d'eau dans le tiers-monde. Certains de leurs dirigeants avouent du reste leurs motifs sans la moindre gêne. La diminution des réserves d'eau douce — associée à un affaiblissement des normes en la matière — a créé de formidables possibilités commerciales pour les sociétés d'exploitation de l'eau et pour leurs actionnaires, dont les visées sont claires : l'eau doit être traitée comme tout autre objet de commerce, son utilisation et sa distribution doivent être soumises à la logique du profit.

En même temps, les États cèdent le contrôle qu'ils exerçaient jusqu'alors sur l'approvisionnement en eau douce par le biais d'ententes commerciales, comme la Zone de libre-échange des

Amériques (ZLEA) ou l'Organisation mondiale du commerce (OMC). Ces entités commerciales accordent aux entreprises transnationales un accès sans précédent à l'eau douce des pays signataires. Des sociétés ont déjà entrepris des poursuites judiciaires contre certains États dans le but d'accéder à leurs sources d'eau potable. Protégées par les accords commerciaux internationaux, elles envisagent le transport massif de l'eau en vrac par dérivation ou à l'aide de cargos géants.

Jusqu'ici, les événements ont pris une telle orientation sans que le public soit consulté ou invité à participer au processus de décision. Les autorités gouvernementales et le milieu des affaires ont décidé que le problème était réglé, car selon eux « tout le monde » accepte la transformation de l'eau douce en marchandise. Cependant, personne n'a donné aux citoyens du monde une véritable occasion de débattre des questions fondamentales liées à la commercialisation de l'eau. À qui appartient-elle, pour peu qu'elle appartienne à quelqu'un ? Si l'eau est privatisée, qui l'achètera pour approvisionner la Nature ? Comment les pauvres y auront-ils accès ? Qui a donné aux entreprises transnationales le droit d'acheter des réseaux entiers d'alimentation en eau ? Qui protégera les ressources hydriques si elles deviennent la propriété du secteur privé ? Quel rôle doivent jouer les États dans la gestion de l'eau ? Quelles mesures seront prises pour partager ce trésor avec ceux qui en sont privés ? Qui est le gardien de cet élément vital pour toute la biosphère ? Comment les simples citoyens pourront-ils participer au débat ?

Ce livre propose des solutions qui s'appuient sur un ensemble de principes très différents de ceux du « Consensus de Washington ». Nous croyons que l'eau douce appartient à la Terre ainsi qu'à tous les êtres vivants et que personne n'a le droit de s'approprier cette richesse pour en tirer profit. L'eau fait partie du patrimoine mondial. À ce titre, elle doit à jamais rester du domaine public et être protégée par des lois locales, nationales et internationales rigoureuses. C'est la notion de « bien commun » qui est ici en jeu

— notion exigeant que, par le truchement de nos institutions politiques, nous reconnaissions les besoins de l'humanité et la nécessité de préserver les ressources naturelles pour les générations futures.

L'accès à une eau propre indispensable à la satisfaction des besoins élémentaires fait partie des droits de l'Homme. Cette ressource vitale ne peut devenir une marchandise qu'on vend au plus offrant. Chaque génération doit faire en sorte que l'abondance et la qualité de l'eau ne soient pas compromises par ses activités. Il faut déployer de grands efforts pour rétablir les écosystèmes aquatiques déjà endommagés et pour protéger les autres de toute déprédation. Les collectivités régionales et locales doivent se faire les gardiennes des cours d'eau et définir les principes qui régiront la bonne utilisation de l'eau douce, ressource infiniment précieuse.

Il est indispensable de restructurer entièrement nos sociétés et nos modes de vie de manière à contrer l'assèchement de la surface terrestre. Il nous faut apprendre à vivre dans le respect des écosystèmes aquatiques qu'a créés la Nature pour donner naissance à la vie. Il nous faut abandonner la dangereuse idée selon laquelle il nous est permis de gaspiller sans vergogne les réserves d'eau douce sous prétexte que la technologie pourra un jour réparer les dégâts. Aucune technologie ne pourra jamais « guérir » une planète qui n'a plus d'eau.

Le débat entourant l'utilisation rationnelle et équitable des ressources hydriques est donc loin d'être clos. En réalité, il ne fait que commencer. Dans ce livre, nous racontons l'histoire de la crise mondiale de l'eau. Nous expliquons comment les entreprises s'attaquent au « bien commun » que constitue l'eau et comment les gouvernements et les institutions internationales jouent le rôle de complices dans le vol de l'eau douce. Surtout, nous racontons comment de simples citoyens partout dans le monde se sont mobilisés pour un nouveau combat. Refusant la transformation de l'eau en marchandise, ces citoyens s'emploient à reprendre le contrôle de ce patrimoine commun, devenant ainsi les « gardiens » des réseaux qui alimentent leur milieu de vie. Ces réformateurs et ces combattants sont les héros de cette histoire. Leur courage et leur clairvoyance nous servent de guides. Si nous suivons leur exemple, nous parviendrons peut-être à protéger nos réserves vitales d'eau douce avant qu'il ne soit trop tard.

Projet de traité

TRAITÉ DE PARTAGE ET DE PROTECTION DES RÉSERVES D'EAU DOUCE DE LA PLANÈTE

Nous proclamons que les vérités suivantes sont universelles et indivisibles.

La valeur intrinsèque de l'eau douce de la Terre prime sur sa valeur utilitaire et commerciale et, par conséquent, elle doit être respectée et préservée par toutes les institutions politiques, commerciales et sociales.

L'eau douce de la Terre appartient à la Terre et à toutes les espèces qui l'habitent et, par conséquent, elle ne doit pas être traitée comme un bien que l'on peut acheter, vendre et échanger à des fins lucratives.

Les ressources mondiales en eau douce forment un patrimoine commun, elles sont un bien collectif, un droit fondamental de la personne et, par conséquent, une responsabilité collective.

Alors, attendu que les réserves limitées d'eau douce dans le monde sont consommées, déviées et polluées à un rythme tel que des millions de personnes et d'espèces manquent actuellement d'eau pour leur survie, et

Attendu que les gouvernements du monde n'ont pas réussi à protéger leur précieux patrimoine d'eau douce,

Les nations du monde déclarent que les réserves d'eau douce de la Terre constituent un patrimoine commun que tous les peuples, toutes les collectivités et tous les gouvernements sans exception doivent protéger et entretenir, et déclarent également que l'eau douce ne doit pas être privatisée, transformée en marchandise, vendue ou exportée à des fins commerciales et qu'elle doit immédiatement être exclue de tout accord international ou bilatéral, présent ou futur, en matière de commerce et d'investissement.

Les parties au présent traité — y compris les États et les Nations autochtones signataires — conviennent d'exploiter en fiducie les réserves d'eau douce de la Terre. Les parties signataires reconnaissent la responsabilité et le droit souverains de chaque nation et de chaque État de se faire les gardiens des ressources en eau douce qui se trouvent à l'intérieur de leurs frontières et d'en déterminer la gestion et le partage. Les gouvernements du monde entier doivent immédiatement proclamer que les eaux de leur territoire sont un bien public et adopter un cadre réglementaire vigoureux afin de les protéger. Toutefois, étant donné que les réserves du monde en eau douce forment un patrimoine collectif, aucune institution, aucun État, aucun individu ni aucune entreprise ne peut les vendre à des fins lucratives.

Rédigé par Maude Barlow et Jeremy Rifkin et adopté à l'unanimité par les 800 délégués en provenance de 35 pays présents au Sommet Water for People and Nature, le 8 juillet 2001 à Vancouver.

Première partie

LA CRISE

CHAPITRE PREMIER

ALERTE ROUGE

Pourquoi le monde manque d'eau douce

L'eau a toujours été un symbole très présent dans les contes et légendes d'un grand nombre de cultures anciennes. Contrairement aux populations vivant dans les pays urbanisés et industrialisés du XXIe siècle, la plupart des êtres humains, tout au long de l'histoire, ont compris que leurs ressources en eau n'étaient pas inépuisables et ont fait preuve d'un profond respect pour celles dont ils disposaient. Aux temps bibliques, lorsque Isaac est revenu sur la terre où avait vécu son père, Abraham, les vieux puits qu'il a rouverts étaient si indispensables à la vie qu'ils ont été l'objet de querelles entre sa tribu et les tribus voisines. Le puits de Jacob a été si bien entretenu et protégé qu'on l'utilisait encore de nombreux siècles plus tard, quand Jésus est arrivé sur cette terre.

D'autres cultures, comme la société inuite traditionnelle et les premiers Mésopotamiens, ont accordé une importance tout aussi grande à l'eau, si indispensable à l'existence. L'alimentation des Inuits reposait largement sur la présence d'animaux aquatiques comme les phoques, les morses et les poissons. Leur divinité, Nuliajuk, était une déesse des eaux. Elle régnait avec un sens féroce de la justice, et tout son pouvoir lui venait des eaux. Nuliajuk procurait aux Inuits leur nourriture, issue de la mer, et la glace nécessaire à la construction de leurs igloos. Lorsqu'elle les privait de ces dons, personne ne survivait. Dans l'univers radicalement différent des Mésopotamiens, l'eau était chérie pour des raisons tout aussi évidentes. Avant que ce peuple ne s'établisse dans les vallées fertiles du nord de l'Irak, il vivait dans les plaines arides du sud. Il était parvenu à trouver de l'eau pour cultiver la terre, mais au prix de beaucoup d'efforts et de patience. C'est pourquoi le dieu de l'eau, Enki, était devenu l'une des divinités les plus respectées du panthéon mésopotamien.

À des milliers de kilomètres, en Chine, la menace permanente de la sécheresse a donné naissance au mythe selon lequel un Grand Archer avait abattu neuf des dix soleils afin d'empêcher que la terre ne se dessèche. Dans la Chine traditionnelle, on croyait que l'eau et les autres éléments de la Terre vivaient dans une harmonie qu'il fallait se garder de perturber. Lorsque les cycles normaux de la Nature se déréglaient, les gouverneurs chinois étaient priés de réparer les dégâts. On attendait d'eux qu'ils compensent la perte des récoltes en réduisant les taxes ou en distribuant le grain stocké dans les entrepôts du pays. Aujourd'hui, les cycles de la Nature sont perturbés par les changements climatiques et la mise à mal de presque tous les réseaux hydrologiques de la planète. Mais nos gouvernements, contrairement à ceux qui se sont inspirés de la tradition chinoise, abdiquent leur responsabilité de protéger et de préserver l'eau et confient la gestion du précieux liquide au secteur privé.

L'eau étant indispensable à la vie, la mainmise des entreprises sur les ressources hydriques du monde (y compris les réseaux de distribution) met en danger le bien-être de l'humanité. Tous les écosystèmes dépendent de l'eau et du cycle hydrologique. Les peuples anciens, tout comme ceux qui cohabitent encore aujourd'hui avec les forces naturelles, savaient que supprimer l'eau revient à supprimer l'homme. Seules les cultures modernes « avancées », mues par la cupidité et convaincues de leur suprématie sur la nature, ne savent pas préserver l'eau. Les conséquences de ce mépris sont évidentes partout sur la planète : villes desséchées, désertification, marais détruits, cours d'eau contaminés, enfants et animaux à l'agonie.

La Nature n'est pas toujours bienveillante et, comme la déesse inuite de l'eau, elle ne tolérera pas indéfiniment de tels ravages. Partout se dessinent les signes avant-coureurs de sa révolte. Si nous ne modifions pas bientôt nos rapports avec l'eau et avec les écosystèmes qui la régénèrent, toutes nos richesses et toutes nos connaissances seront réduites à néant. L'eau douce est aussi essentielle à notre survie qu'elle l'était à celle de nos ancêtres. Mais nombreux sont ceux qui ne s'aperçoivent pas de l'épuisement actuel de cette précieuse ressource. La catastrophe les guette, ils ne s'en rendent même pas compte.

Des réserves limitées

Bien souvent, on utilise l'eau comme si elle était inépuisable. On préfère croire que les réserves d'eau douce de la planète sont illimitées. Une telle impression est erronée. La quantité d'eau douce disponible ne représente pas même 0,5 % de toute l'eau présente sur la Terre. Tout le reste est constitué par l'eau salée des mers et des calottes glaciaires et par les eaux souterraines qui nous sont inaccessibles. La situation est alarmante : l'humanité pollue, détourne et épuise les réserves d'eau douce de la planète à un rythme si rapide et si soutenu que toutes les espèces vivantes — y compris l'espèce humaine — se trouvent en danger de mort. Les réserves d'eau douce de notre Terre sont limitées. Non seulement l'eau n'est pas plus abondante aujourd'hui qu'au moment de la formation de la Terre, mais elle ne s'est pratiquement pas renouvelée depuis. On croit que d'infimes quantités d'eau pourraient entrer dans notre atmosphère sous forme de « comètes de neige » provenant des régions périphériques du système solaire. Mais même si cela s'avérait exact, l'apport serait si modeste qu'il ne pourrait jamais résoudre la crise de l'eau.

Le volume total d'eau sur la planète est d'environ 1,4 milliard de kilomètres cubes. La naturaliste E. C. Pielou illustre bien cette donnée : si toute l'eau de la Terre se solidifiait en un grand cube, chaque côté de ce cube mesurerait environ 1 120 kilomètres, soit près de deux fois la longueur du lac Supérieur. Cependant, le volume d'eau *douce* de la Terre n'est que d'environ 36 millions de kilomètres cubes, soit à peine 2,6 % du volume total, et seuls 11 millions de kilomètres cubes d'eau douce, ou 0,77 %, circulent assez rapidement pour être comptabilisés dans le cycle hydrologique. Par ailleurs, l'eau douce ne se renouvelle que grâce aux précipitations, ce qui signifie, en fin de compte, que les êtres humains ne peuvent compter que sur les 34 000 kilomètres cubes d'eau de pluie qui, chaque année, regagnent les mers et les océans via les fleuves et les nappes phréatiques. C'est la seule eau qui soit véritablement « disponible » pour la consommation humaine, car on peut la capter sans risque d'épuiser des réserves limitées.

La pluie joue un rôle crucial dans le cycle hydrologique, au cours duquel l'eau circule constamment entre l'atmosphère et la terre, d'une altitude de 15 kilomètres au-dessus du sol jusqu'à une profondeur de 5 kilomètres sous l'écorce terrestre. L'eau qui s'évapore des océans, des mers et des eaux de surface continentales s'élève dans l'atmosphère et y forme une enveloppe protectrice autour de la planète. Elle s'y transforme en vapeur d'eau saturée, puis en nuages. C'est du refroidissement de ces nuages que naît la pluie. Les gouttes tombent alors sur le sol, s'y infiltrent et s'ajoutent aux eaux souterraines. Celles-ci remontent ensuite à la surface pour donner naissance aux ruisseaux et aux rivières. Puis l'eau de surface et l'eau de mer s'évaporent de nouveau dans l'atmosphère, et le cycle recommence.

La majeure partie de l'eau douce est toutefois stockée dans le sol, soit juste sous la surface, soit plus profondément. Le volume des nappes souterraines est soixante fois plus élevé que celui des eaux de surface. Il existe de nombreux types de nappes, mais ce sont celles qui contiennent l'« eau météorique », c'est-à-dire l'eau qui circule dans le cadre du cycle hydrologique et qui alimente les cours d'eau et les lacs, qui sont les plus importantes pour les êtres humains. Les réservoirs d'eau souterraine, connus sous le nom d'aquifères, sont relativement stables parce qu'ils se trouvent enclos à l'intérieur de masses rocheuses. Un grand nombre d'entre eux constituent des systèmes fermés, car ils ne sont pas alimentés par l'eau météorique. Les puits et les trous de forage creusés dans les aquifères sont des sources d'eau très sûres, car ils s'alimentent à de grands réservoirs. Mais, pour durer, un aquifère doit être réapprovisionné à peu près au même rythme que l'eau en est extraite. Malheureusement, on vide les nappes souterraines à un rythme accéléré afin de compenser la diminution des réserves d'eau de surface.

De multiples menaces

Pour des raisons diverses, les êtres humains exploitent inconsidérément toutes les sources d'eau, parfois jusqu'à leur épuisement. La planète est en pleine explosion démographique. Dans dix ans, l'Inde comptera 250 millions d'âmes en plus, tandis que la population du Pakistan aura pratiquement doublé pour atteindre 210 millions de personnes. En 2025, dans cinq des « points chauds » de la querelle de l'eau — les régions de la mer d'Aral, du Gange, du Jourdain, du Nil, du Tigre et de l'Euphrate —, la population aura augmenté de 45 à 75 %. À ce moment-là, la Chine aura connu une

augmentation de population supérieure à la population entière des
États-Unis, et le monde comptera 2,6 milliards de personnes en
plus — soit une augmentation de 42,6 % par rapport à la population mondiale actuelle de 6,1 milliards. Selon l'Organisation des
Nations Unies pour l'alimentation et l'agriculture (FAO), la production agricole devra augmenter de 50 % pour nourrir tous les
habitants de la planète. De telles contingences feront sans aucun
doute « exploser » les besoins en eau douce. Comme l'explique
Allerd Stikker, de l'Ecological Management Foundation, à Amster-
dam, « le problème est simple : alors que la pluie continentale [une
quantité limitée d'eau] constitue la seule source d'eau douce
renouvelable, la population mondiale ne cesse d'augmenter de
quelque 85 millions d'âmes par an. En conséquence, la quantité
d'eau douce utilisable par personne décroît rapidement ».

Parallèlement, un nombre sans cesse croissant de familles émi-
grent dans les villes, où la densification de la population exerce de
fortes contraintes sur les réserves d'eau et rend l'épuration de
toutes les eaux usées quasiment impossible. Pour la première fois
dans l'histoire, la population urbaine est aussi élevée que la population rurale. Vingt-deux villes dans le monde comptent plus de
10 millions d'habitants. En 2030, d'après les Nations Unies, la
population des villes aura augmenté de 160 % et sera devenue deux
fois plus nombreuse que la population rurale.

En outre, en raison de nombreux facteurs, la consommation
individuelle d'eau douce est en pleine explosion. La consommation mondiale double tous les vingt ans, soit deux fois plus vite que
la population humaine. La technologie et les réseaux d'épuration,
en particulier dans les pays riches et industrialisés, ont amené les
êtres humains à consommer une quantité d'eau nettement supérieure à leurs besoins. Au Canada, un foyer utilise actuellement
500 000 litres d'eau par an. Dans les demeures, chaque cabinet de
toilettes — et beaucoup de maisons en ont plus d'un — engloutit
18 litres d'eau à chaque utilisation. Partout dans le monde, d'énormes quantités d'eau sont gaspillées en raison de fuites dans les

conduites et les canalisations des infrastructures municipales. Et pourtant, en dépit de cette explosion à l'échelon individuel, les ménages et les municipalités ne consomment que 10 % de toute l'eau utilisée.

L'industrie puise une part considérable des réserves mondiales d'eau douce : sa consommation représente 20 à 25 % de la consommation totale. De plus, ses exigences ne cessent de croître. Si la tendance persiste, il est prévu que, en 2025, les besoins en eau de l'industrie auront doublé. Sur plusieurs continents, l'industrialisation massive rompt l'équilibre qui prévalait entre les êtres humains et la Nature, en particulier dans les régions rurales d'Amérique latine et d'Asie, où les agro-industries axées sur l'exportation accaparent l'eau que les petits agriculteurs utilisaient auparavant pour assurer leur autonomie alimentaire. L'Amérique latine et d'autres régions du tiers-monde ont délimité plus de 800 zones franches, où les chaînes de montage assemblent des produits destinés aux consommateurs des pays riches. Ces activités réduisent fortement les réserves locales d'eau.

La plupart des industries florissantes sont d'avides consommatrices d'eau. Il faut 400 000 litres d'eau pour fabriquer une voiture. Les fabricants d'ordinateurs utilisent d'énormes quantités d'eau douce déminéralisée et sont constamment à la recherche de nouvelles sources. Aux États-Unis, la production industrielle nécessitera bientôt plus de 1 500 milliards de litres d'eau et rejettera plus de 300 milliards de litres d'eaux usées par année. Qualifiée autrefois de « propre », l'industrie des technologies a déjà laissé, dans sa courte histoire, un legs de pollution effarant. La Silicon Valley compte plus de sites contaminés régis par le programme « Superfund » de l'Agence de protection de l'environnement des États-Unis (APE) que n'importe quelle autre région américaine et renferme plus de 150 nappes phréatiques polluées par cette industrie. Par ailleurs, près de 30 % des réserves d'eau souterraines dans les environs de Phoenix, en Arizona, sont maintenant contaminées, dont plus de la moitié par l'industrie de la haute technologie.

C'est à l'irrigation pour l'agriculture qu'est consacrée la plus grande quantité d'eau utilisée par les humains, soit les 65 à 70 % restants. Les petits agriculteurs consomment bien une partie de cette eau, surtout dans le tiers-monde, mais des volumes de plus en plus élevés sont réservés à l'agriculture industrielle, qui a la triste réputation de gaspiller l'eau. Ces pratiques agro-industrielles sont subventionnées par les gouvernements des pays riches et par leurs contribuables, ce qui explique l'absence de mesures de conservation de l'eau — comme l'irrigation au goutte à goutte, par exemple. Une grande partie de l'eau incluse dans les 65 % cités plus haut devrait plutôt être comptabilisée dans la production industrielle, puisque les énormes exploitations agricoles modernes n'ont plus rien en commun avec les fermes traditionnelles.

S'ajoutant à l'accroissement de la population et à l'augmentation de la consommation individuelle, la pollution à grande échelle des eaux de surface menace les réserves d'eau douce non polluée. Le déboisement planétaire, la destruction des marais, le déversement de pesticides et de fertilisants dans les cours d'eau et le réchauffement de la planète ont tous de terribles répercussions sur les fragiles réseaux hydrologiques (voir le chapitre 2). L'endiguement et la dérivation de cours d'eau, qui entraînent des surconcentrations de mercure et la prolifération de maladies transmises par l'eau, constituent une autre source de pollution. De telles activités laissent leur empreinte aux quatre coins du globe. En 1950, le nombre de grands barrages dépassait à peine les 5 000. Il est aujourd'hui de 40 000, tandis que le nombre de cours d'eau aménagés pour la navigation a grimpé de moins de 9 000 en 1900 à près de 500 000. Dans l'hémisphère nord, l'homme maîtrise et exploite les trois quarts du débit des principaux fleuves afin de fournir de l'électricité aux villes.

La surexploitation des principaux réseaux fluviaux de la planète menace une autre source limitée d'eau douce. « Le Nil en Égypte, le Gange en Asie du Sud, le fleuve Jaune en Chine et le

Colorado aux États-Unis font partie des fleuves sur lesquels on a construit un tel nombre de barrages, dont on a tellement modifié le cours et dont les eaux ont été captées à un rythme tel qu'il arrive que très peu d'eau parvienne finalement à leur embouchure », déclare Sandra Postel, de Global Water Policy Project, dont le siège social se trouve à Amherst, dans le Massachusetts.

En fait, le Colorado est si souvent « sollicité » dans les sept États traversés qu'il n'a pratiquement plus d'eau à donner à la mer. Le débit du Rio Grande et celui du Colorado risquent de diminuer respectivement de 75 % et 40 % au cours de ce siècle. En 2001, pour la première fois dans l'histoire, les eaux du Rio Grande n'ont pas atteint le golfe du Mexique.

Au cours des dernières années, le niveau des Grands Lacs a également baissé de façon catastrophique. En 2001, au port de Montréal, le niveau du fleuve accusait une baisse de plus d'un mètre par rapport à la moyenne saisonnière, et celui des lacs Michigan et Huron était en baisse de 57 centimètres. Le débit du Saint-Laurent est grandement perturbé par le niveau hydrostatique des Grands Lacs. Selon certaines sociétés vouées à la protection de l'environnement, un jour viendra où les eaux du Saint-Laurent ne se déverseront plus dans l'océan Atlantique.

Une planète qui se dessèche

Une étude rigoureuse menée par Michal Kravčík, ingénieur en hydrologie, et son équipe de scientifiques de l'ONG slovaque People and Water démontre dans les moindres détails à quel point les activités humaines portent atteinte aux sources d'eau douce. Michal Kravčík, membre éminent de l'Académie des sciences de la Slovaquie, a étudié les effets de l'urbanisation, de l'agriculture industrielle, du déboisement, de l'asphaltage et de la construction d'infrastructures et de barrages sur les réseaux hydrologiques de la Slovaquie et des pays environnants. Ses conclusions sont pour le moins inquiétantes. La destruction des milieux aquatiques ne crée pas seulement une crise de l'approvisionnement en eau pour les humains et les animaux, elle diminue de façon dramatique la *quantité réelle* d'eau douce disponible sur la planète.

Michal Kravčík décrit le cycle hydrologique d'une goutte d'eau. Cette dernière doit d'abord s'évaporer d'une plante, du sol, d'un marécage, d'un cours d'eau, d'un lac ou de la mer, puis retombe sur terre, avec d'autres gouttes, sous forme de précipitations. Si la goutte d'eau tombe sur une forêt, un lac, un brin d'herbe, un pré ou un champ, elle s'allie à la nature et réintègre le cycle hydrologique, car elle est facilement absorbée par le sol et la végétation. Mais si elle tombe sur une rue ou sur un immeuble en région urbaine, elle n'est pas absorbée par le sol et retourne directement à la mer. Ce qui signifie que le volume d'eau présent dans le sol et les rivières diminue, tandis qu'une moindre quantité d'eau s'évapore de la terre. Un pays enclavé reçoit donc moins de pluie, car l'eau, au lieu de pénétrer dans le sol ou de ruisseler vers les cours d'eau, s'écoule jusqu'à l'océan.

« Le cycle hydrologique, nous dit Michal Kravčík, est équilibré quand le volume d'eau provenant des fleuves et se jetant dans les océans est égal au volume d'eau qui s'évapore des océans et retombe sur les continents grâce aux systèmes de précipitations. » Mais comme nous venons de le voir, il y a parfois diminution de la quantité d'eau qui s'infiltre dans le sol. Cette baisse de la capillarité est souvent causée par une urbanisation excessive. Lorsque la pluie tombe sur les rues et les immeubles plutôt que sur les forêts et sur le sol, elle ne peut pénétrer dans la terre et va gonfler les fleuves et les océans. Et la précieuse eau douce se transforme alors en eau salée.

L'équipe de recherche de Michal Kravčík a découvert une autre réalité alarmante. À mesure que la surface de la terre est recouverte de béton et d'asphalte, et donc dépouillée de ses forêts, de ses zones marécageuses, de ses sources et de ses ruisseaux, l'eau des précipitations demeure de moins en moins dans les bassins hydrographiques, où elle est nécessaire, et s'écoule en plus grande quantité vers la mer, où elle devient salée. C'est comme si la pluie tombait sur une immense coupole, sorte de parapluie formé d'asphalte et de zones sans arbre : la terre qui se trouve en dessous reste sèche et l'eau ruisselle vers le périmètre. Alors que les « domiciles » de l'eau, forêts et marais, captent la pluie et la neige, les zones asphaltées et les terres dénudées ne peuvent la retenir. Cette eau glisse alors à la surface et fuit vers l'océan. Selon Michal Kravčík, détruire des régions qui retiennent l'eau constitue une infraction grave. Et il ajoute : « Le droit de domicile de la goutte d'eau est un droit fondamental. »

Afin d'appuyer cette théorie sur des données quantitatives, son équipe de scientifiques a étudié le pays de Michal Kravčík, la Slovaquie, petite nation de l'Europe centrale qui s'est lancée dans une urbanisation intensive en un laps de temps très court. Ce qui était autrefois un pays rural et campagnard a été transformé en État « moderne », et ses réseaux hydrologiques ont été radicalement modifiés afin de permettre cette transformation. Les chercheurs ont démontré clairement que les interventions humaines dans les bassins hydrographiques slovaques ont provoqué un écoulement plus rapide de l'eau de pluie vers la mer. En fait, ils ont été en mesure d'évaluer la quantité d'eau perdue en raison de la construction d'édifices, de terrains de stationnement, de routes et d'autoroutes. Chaque année, en Slovaquie, disparaissent environ 250 millions de mètres cubes d'eau douce — soit 1 % de toute l'eau des bassins hydrographiques slovaques. En outre, depuis la Seconde Guerre mondiale, les précipitations annuelles ont diminué de 35 % dans ce pays! L'urbanisation a en effet entraîné la disparition de nombreuses zones où les gouttes de pluie se rassemblaient — comme les marais et les étangs — et d'où elles s'évaporaient pour retomber de nouveau en pluie sur les terres qui en avaient besoin.

Les chercheurs se sont livrés à des extrapolations afin de se faire une idée des conséquences qu'aurait un tel phénomène à l'échelle

planétaire. Leurs conclusions sont terrifiantes. Le monde entier
s'urbanise et on y construit des routes et des édifices à un rythme à
peu près similaire à celui adopté en Slovaquie. Résultat : les continents perdent environ 1 800 milliards de mètres cubes d'eau douce
par an, ce qui provoque une hausse annuelle du niveau des océans
de 5 millimètres. Si cette tendance persiste, les continents perdront,
au cours de ce siècle, près de 180 000 milliards de mètres cubes
d'eau douce, soit à peu près l'équivalent du volume d'eau présent
dans tout le cycle hydrologique.

L'équipe de Michal Kravčík a par ailleurs lancé un avertissement en ce qui concerne le nombre croissant de « taches brû-
lantes » sur la planète, ces endroits où l'eau a déjà disparu. Dans un
proche avenir, l'« assèchement » de la Terre provoquera une baisse
considérable des précipitations et un réchauffement de la planète,
qui auront pour conséquence des conditions climatiques
extrêmes : diminution de la protection assurée par l'atmosphère,
rayonnement solaire plus fort, réduction de la biodiversité, fonte
des calottes glaciaires, inondation de vastes territoires, désertification galopante et, pour finir, selon les termes de Michal Kravčík,
« un effondrement global ».

En outre, une étude publiée en novembre 2001 par la Scripps
Institution of Oceanography de l'Université de la Californie à San
Diego (partiellement subventionnée par la NASA) a révélé que les
émissions de particules polluantes produites par les humains pourraient également miner le cycle hydrologique de la Terre. Les particules en suspension dans l'air, sulfates, nitrates, suie et poussière
minérale qui résultent de l'utilisation de combustibles fossiles
réduisent la quantité de lumière solaire qui pénètre dans l'océan. Il
s'ensuit qu'une moindre quantité d'eau s'évapore dans l'atmosphère et que la pluviosité diminue. Par conséquent, en interceptant
les gouttes de pluie, ces particules abaissent le volume des précipitations dans les régions polluées. C'est la conclusion à laquelle sont
arrivés les 150 scientifiques de haut niveau de San Diego.

De l'eau à tout prix

Comment s'étonner, lorsqu'on voit à quel rythme les réserves d'eau douce de surface se polluent ou s'épuisent, de l'avidité avec laquelle les collectivités, les agriculteurs et les industries pompent les eaux qui coulent librement sous la surface de la Terre ou qui sont retenues dans les nappes aquifères? On estime que 1,5 milliard de personnes (un quart de la population mondiale environ) dépendent des nappes phréatiques pour leur consommation d'eau potable. La plus grande partie de l'Asie, incluant les deux pays les plus peuplés du monde, la Chine et l'Inde, puise 50 à 100 % de son eau douce dans les nappes phréatiques. Quelques pays, comme la Barbade, le Danemark et les Pays-Bas, sont presque entièrement dépendants de cette source d'eau. Environ un tiers de l'eau utilisée en France, au Canada et au Royaume-Uni provient des nappes aquifères, et 50 % des Américains doivent la puiser dans les nappes phréatiques. Dans la mesure où le captage des eaux souterraines pour la consommation quotidienne s'est considérablement accru partout dans le monde, l'appauvrissement des nappes aquifères constitue aujourd'hui un problème grave dans la plupart des régions à agriculture intensive et a même atteint un niveau critique dans beaucoup de grandes villes.

La taille des aquifères varie énormément. Pour qu'une nappe souterraine puisse être considérée comme un aquifère, nous dit la naturaliste E. C. Pielou, elle doit renfermer un volume d'eau assez important et se trouver dans un milieu suffisamment perméable pour que l'eau puisse en être extraite à un débit adéquat. Un aquifère est soit *confiné* (recouvert de roches ou de sédiments empêchant l'eau de remonter à la surface), soit *non confiné* (donc saturé, ce qui permet à l'eau stockée de monter jusqu'au niveau hydrostatique, où une conduite peut être mise en place dans la nappe sans avoir à traverser des couches rocheuses ou des sédiments durcis). La méthode de détection des nappes souterraines la plus courante consiste à creuser des puits ou des trous de forage dans le sol. Les puits existent depuis des siècles, mais le pompage intensif des eaux souterraines n'a pu commencer qu'à la fin du XXe siècle, grâce à la production d'électricité et d'équipements peu coûteux.

Dans de nombreuses régions du monde, l'irrigation par pompage a d'abord été accueillie comme une bénédiction car elle a permis aux agriculteurs de cultiver la terre toute l'année. Elle a aussi rendu possible la Révolution verte en Asie. Cette expérience à grande échelle, très controversée, a été mise en application dans un grand nombre de pays du tiers-monde — y compris l'Inde —, afin que chaque hectare de terre donne un rendement accru. La monoculture a alors remplacé la polyculture, et de grandes quantités de pesticides et d'engrais chimiques ont été épandus. Malgré la hausse spectaculaire du rendement agricole, la Révolution verte est aujourd'hui dénoncée car elle a détruit la biodiversité tout en augmentant la pollution d'origine chimique. Elle s'appuyait en outre sur une irrigation intensive qui obligeait les agriculteurs à rivaliser entre eux pour acquérir une eau qu'ils partageaient et recueillaient auparavant selon des méthodes traditionnelles. La Révolution verte a aussi rendu obsolètes les moyens utilisés autrefois pour lutter contre les inondations et la sécheresse et pour répartir l'eau équitablement. Bref, en s'appuyant trop lourdement sur un usage intensif d'eau, de pesticides et d'engrais chimiques, la Révolution verte a semé les graines de sa propre déroute.

Les nappes souterraines se caractérisent également par le fait qu'elles sont invisibles. Les agriculteurs ne se rendent compte de l'épuisement d'un aquifère que lorsqu'ils manquent soudain d'eau. En outre, une extraction inconsidérée provoque non seulement le tarissement de réserves, mais aussi une baisse considérable du niveau hydrostatique dans toute la région avoisinante. Lorsque le rythme d'extraction dépasse celui du renouvellement, le pompage devient de plus en plus coûteux, et l'eau est de plus en plus polluée par les minéraux dissous. Mais les dégâts ne s'arrêtent pas là : comme les nappes souterraines constituent la principale source d'eau des rivières, des fleuves et des lacs, le niveau de ces eaux de surface peut également baisser lorsque les aquifères se vident graduellement. Le débit des fleuves décroît, les étangs et les marais disparaissent, et l'eau salée envahit alors les aquifères vidés qui se trouvent dans les zones côtières. La qualité de l'eau autour des capitales de l'Indonésie et des Philippines, par exemple, s'est brutalement détériorée en raison de la pénétration d'eau salée dans les nappes souterraines. Dans certains cas, les aquifères vides s'effondrent sur eux-mêmes, surtout lorsqu'ils s'étendent sous d'importantes régions urbaines. Autrement dit, l'épuisement des aquifères réduit de façon permanente la capacité de la terre à stocker l'eau.

La pollution des réserves d'eau souterraine s'est également aggravée à cause de l'expansion des activités manufacturières, minières et pétrolières à l'échelle mondiale. On a pu lire dans *World Resources,* publication du Programme des Nations Unies pour l'environnement, que, lorsque des pays du tiers-monde se lancent dans une industrialisation rapide, des métaux lourds, des acides et des polluants organiques persistants (POP) contaminent les aquifères, qui sont souvent l'unique source d'eau locale.

Chaque année, dans la seule province de l'Alberta, plus de 204 milliards de litres d'eau provenant en majeure partie des aquifères sont injectés dans les puits de pétrole afin d'y augmenter la pression et d'en accroître la productivité. La quantité d'eau douce utilisée suffirait à satisfaire les besoins des 70 000 résidents de Red Deer pendant vingt ans. Ce qui est tragique, c'est que, une fois les gisements épuisés, l'eau qui reste piégée à l'intérieur est perdue pour l'homme et pour la Nature, car elle contient de hautes concentrations de minéraux et de polluants issus des activités d'extraction du pétrole.

Récemment, des sociétés pétrolières et le gouvernement canadien ont investi des sommes énormes dans l'exploitation, dans le nord de l'Alberta, d'un site de sables bitumineux qui a la taille du Nouveau-Brunswick. Selon certaines estimations, ce site contient environ un tiers des réserves de pétrole connues dans le monde — plus que celles de l'Arabie Saoudite. Mais l'opération consistant à extraire le pétrole des sables bitumineux exige l'utilisation d'incroyables quantités d'eau, ce qui a déjà entraîné une réduction du débit des cours d'eau dans la région. Selon Jamie Linton, expert canadien en eau, cette opération pollue l'eau à un tel degré que celle-ci doit être stockée indéfiniment dans des bassins à résidus. En outre, les sables bitumineux les plus profonds ne peuvent être récupérés que par le forage de puits horizontaux et par l'injection de vapeur à grande profondeur. Cette méthode d'extraction exige l'emploi de neuf barils d'eau pour produire un baril de pétrole. Des scientifiques prévoient une grave pénurie d'eau dans la région.

L'extraction du méthane contenu dans les couches de houille impose elle aussi l'obligation de retirer d'énormes quantités d'eau extrêmement saline des aquifères confinés dans les mêmes couches de houille. Un puits moyen dépouille chaque jour les aquifères de 60 000 litres d'eau environ — une eau saline qui s'écoule dans les fleuves et les rivières, où elle détruit la vie aquatique. Au Montana, on projette pourtant de forer, au cours des dix prochaines années, entre 14 000 et 40 000 puits de méthane. On estime que l'exploitation de 24 000 puits nécessiterait le pompage d'environ 1,3 milliard de litres d'eau hors des nappes souterraines, ce qui abaisserait, en dix ans, le niveau des aquifères de près de 10 mètres et provoquerait une pollution saline massive dans la région.

L'augmentation exponentielle de la consommation d'eau à de telles fins a amené l'Institut des ressources mondiales à émettre l'avis suivant : « Les besoins en eau dans le monde vont sans doute constituer l'un des problèmes les plus critiques du XXIe siècle [...]. Dans certains cas, l'extraction d'eau est si énorme, par rapport aux réserves, que l'eau de surface se raréfie très rapidement et que les nappes souterraines s'amenuisent plus vite qu'elles ne se renouvellent grâce aux précipitations. » En termes d'économie domestique, on pourrait dire que, au lieu de vivre des *revenus* que nous en tirons, nous consommons irréversiblement notre *capital* d'eau douce. Et que, dans un avenir très proche, nous serons en *faillite* d'eau douce.

Une Amérique à sec

Bien que les Américains considèrent souvent le manque d'eau douce comme un problème propre au tiers-monde, ils doivent depuis peu y faire face eux-mêmes. Aux États-Unis, l'irrigation s'effectue, dans une proportion de 21 %, par un pompage des nappes souterraines à un rythme qui excède la capacité de renouvellement des aquifères, ce qui signifie que certains d'entre eux, comme l'aquifère d'Ogallala, dans le Midwest, s'épuisent rapidement. En conséquence, les agriculteurs de la région sont maintenant aux prises avec une sécheresse grave et le tarissement des puits. Aux États-Unis, les coûts liés à la perte de terres arables consécutive à l'épuisement des aquifères dépassent, chaque année, les 400 milliards de dollars américains.

L'aquifère d'Ogallala est la masse d'eau souterraine la plus connue au monde. C'est la plus vaste réserve d'eau douce en Amérique du Nord. Elle couvre plus d'un demi-million de kilomètres carrés dans la Grande Prairie américaine. Elle s'étend de la partie septentrionale du Texas au Dakota du Sud et semble contenir environ 4 000 milliards de tonnes d'eau — soit 20 % de plus que le lac Huron. Bien que la nappe soit faite d'eau fossile — c'est-à-dire enfermée depuis des milliers d'années à une grande profondeur et se renouvelant très peu —, elle est pompée sans relâche par l'intermédiaire de 200 000 puits qui irriguent 3,3 millions d'hectares de terres agricoles, soit un cinquième de toutes les terres irriguées des États-Unis. À un rythme d'extraction de 50 millions de litres d'eau à la minute, la réserve d'Ogallala s'épuise 14 fois plus vite qu'elle ne se reconstitue. Depuis 1991, son niveau a chuté chaque année d'au moins un mètre — ce qui donne un volume d'eau phénoménal si l'on multiplie cette hauteur par la superficie de la nappe. Selon certaines estimations, plus de la moitié du volume d'eau initial de cet aquifère a déjà disparu.

Le tarissement de l'aquifère d'Ogallala est sans doute le signe le plus spectaculaire de la pénurie d'eau qui s'annonce aux États-Unis, mais de nombreuses autres régions du pays se dépossèdent tout autant de leur eau par gaspillage. La situation en Californie, par exemple, est catastrophique. Ses aquifères s'assèchent, le fleuve Colorado est exploité sans répit et le niveau hydrostatique sous la vallée de San Joaquin a baissé, à certains endroits, de 10 mètres au cours des cinquante dernières années. L'exploitation abusive des nappes souterraines de la Grande Vallée a également entraîné une perte de 40 % de la capacité totale de stockage de tous les réservoirs de surface construits par l'homme dans cet État. Le Département des ressources hydriques de la Californie prévoit qu'en 2020 — à moins que l'on ne découvre d'autres réserves — l'État connaîtra un manque d'eau douce dont l'ampleur équivaudra presque à la quantité d'eau consommée actuellement dans l'ensemble des zones urbaines.

La population continue d'augmenter à un rythme effréné dans les régions désertiques du Sud-Ouest américain, pratiquement dépourvues d'eau. En Arizona, la population a décuplé au cours des soixante-dix dernières années et atteint maintenant 4 millions. Plus de 800 000 personnes vivent à Tucson et dans les agglomérations voisines. Jusqu'à tout récemment, l'alimentation en eau de cette ville était entièrement tributaire des nappes souterraines. Mais le surpompage s'étant intensifié, la profondeur des puits est passée de 150 à 450 mètres, et les autorités municipales ont commencé à importer de l'eau du fleuve Colorado et à acheter les terres agricoles de la région pour en extraire l'eau, ce qui a mis fin à la culture de nombreuses terres arables. À Phoenix, où l'expansion municipale progresse au rythme de plus de 4 000 mètres carrés à l'heure, le niveau hydrostatique a baissé de 120 mètres à l'est de la ville. À Albuquerque (Nouveau-Mexique), on prévoit que, si les prélèvements dans les nappes souterraines continuent au rythme actuel, le niveau hydrostatique aura encore baissé de 20 mètres en 2020 et que les principales villes de la région manqueront d'eau dans les dix à vingt années qui suivront.

Même dans les faubourgs de la pluvieuse Seattle, la demande est largement supérieure aux réserves, et le manque d'eau s'y fera sentir dans vingt ans. À El Paso (Texas), où le climat est beaucoup plus sec, toutes les sources hydriques actuelles auront vraisemblablement disparu en 2030. Dans le nord-est du Kansas, la pénurie est si alarmante que les représentants de l'État envisagent la construction d'un pipeline à partir du Missouri — rivière déjà soumise à un pompage excessif. Tout aussi éprouvé est l'énorme aquifère situé dans une formation de grès qui s'étend sous la frontière entre l'Illinois et le Wisconsin, source d'approvisionnement en eau de millions de personnes, incluant les populations de Chicago et de Milwaukee. Un siècle de pompage a diminué inexorablement le volume de cette réserve souterraine et, depuis quelques décennies, des scientifiques surveillent avec inquiétude la baisse du niveau hydrostatique. Leur message est clair : si l'extraction d'eau souterraine n'est pas réduite, la nappe aura bientôt disparu.

Plus à l'est, au Kentucky, plus de la moitié des 120 comtés de l'État ont manqué d'eau au cours de l'été 2001. Et Long Island, sur la côte de l'Atlantique, puise son eau dans un aquifère à bassin fermé qui s'épuise rapidement et qui est contaminé par des effluents industriels. Pendant ce temps, le débit de l'Ipswich (Massachusetts) s'amenuise, tandis que des villes de la côte Est, comme Philadelphie et Washington — où l'eau est de très mauvaise qualité —, sont en quête de réserves dans d'autres régions afin de s'assurer leur approvisionnement à long terme.

Comme dans l'aquifère d'Ogallala, on puise dans le réseau d'aquifères de la Floride à un rythme beaucoup plus rapide que celui de leur renouvellement naturel. Bien que ce réseau couvre une superficie de 200 000 kilomètres carrés et qu'il dépasse les frontières de la Floride, son niveau baisse dangereusement : on en extrait quelque 6,6 millions de litres à la minute ! En Floride même, le niveau hydrostatique a tellement chuté que l'eau de mer a envahi les aquifères de l'État. On ne peut qu'être scandalisé en apprenant que le gouverneur Jeb Bush n'hésite pas à appuyer une proposition visant à recueillir des eaux de surface et à les injecter, non traitées et contaminées par des impuretés de toutes sortes, dans les aquifères épuisés.

Le Mexique à bout de ressources

Au sud de la frontière américaine, le problème s'aggrave. Mexico était jadis une oasis de verdure. Cette cité aztèque, nommée Tenochtitlán, était une ville insulaire entourée de lacs et reliée au continent par trois chaussées. Sillonnée d'un enchevêtrement de canaux, d'aqueducs, de digues et de ponts, elle était agrémentée de jardins flottants et pourvue de thermes. Mais les conquérants espagnols qui l'ont envahie en 1521 ont démantelé les beaux palais aztèques, détruit les digues et réduit à l'esclavage une partie des habitants, à qui ils ont fait combler et drainer les lacs environnants. Les ordres étaient clairs : Mexico, la capitale de la Nouvelle-Espagne, devait ressembler à une grande cité espagnole, non à Venise. Les forêts protectrices entourant la région ont été abattues.

Pendant cinq siècles, le nombre d'habitants de Mexico est resté stable. En 1845, la ville ne comptait que 240 000 âmes. Puis, soudainement, la population s'est mise à augmenter et a dépassé le million en 1930. Aujourd'hui, elle atteint le chiffre ahurissant de 22 millions. Une planification urbaine médiocre n'a produit, à Mexico, qu'une mer de béton, qui recouvre les vieux réseaux de drainage et les eaux souterraines. Près de 40 % de l'eau courante se perd à cause de fuites dans des infrastructures construites il y a un siècle, maintenant en ruines. Lorsqu'il pleut, l'eau n'a d'autre endroit où aller que les énormes réseaux souterrains où elle se mélange à celle des égouts. C'est cette mixture douteuse qui est pompée pour irriguer les terres agricoles proches de la ville.

Les ressources hydriques souterraines de la région sont exploitées sans relâche. Mexico dépend aujourd'hui de ses aquifères pour 70 % de son alimentation en eau douce, mais le rythme d'extraction est de 50 à 80 % supérieur au rythme de renouvellement des nappes. Près d'un tiers de l'eau doit être pompé, parfois sur une distance de 300 kilomètres, avant de parvenir dans une région qui s'élève à 2 300 mètres au-dessus du niveau de la mer. Mexico est presque en pénurie d'eau. Les experts affirment que la ville aura complètement épuisé ses ressources au cours des dix prochaines années.

Depuis des décennies, la ville s'enfonce dans le sol parce que l'eau des poches souterraines a été remplacée par de l'air. Ce phénomène, bien connu de ceux qui vivent près des mines de charbon ou des puits de pétrole, porte le nom de « tassement ». À Mexico, il ne peut que s'accentuer car le sous-sol de la ville est poreux comme une éponge. La capitale du Mexique a été la première ville au monde à connaître le phénomène de tassement résultant d'un pompage continu. Plus les habitants de Mexico boivent d'eau, plus leur ville s'enfonce. Les canalisations et les vieux égouts sont écrasés, les trésors architecturaux se fissurent et menacent de s'effondrer. La ville s'enlise dans la boue depuis des décennies. Aujourd'hui, elle sombre au rythme de 50 centimètres par an.

La crise ne touche pas seulement la vallée de Mexico. Dans l'État de Sonora, au nord-ouest du pays, des années de sécheresse ont laissé la région aussi sèche qu'un os. Le réservoir Batuc, créé il y a trente-cinq ans par la construction d'un barrage sur la rivière Moctezuma, est maintenant vide. Il a fait place à un site macabre, celui du cimetière et de la chapelle qui avaient été submergés au moment des travaux. Au nord, tout au long de la frontière entre le

Mexique et les États-Unis, les zones franches industrielles connues sous le nom de *maquiladoras* exploitent des millions de jeunes Mexicains qui, pour des salaires de misère, travaillent dans des conditions révoltantes. L'eau potable y est si rare qu'elle doit être livrée toutes les semaines par camions ou par chariots dans de nombreuses agglomérations. Ciudad Juárez, dont la population augmente au rythme de 50 000 âmes par année, n'a presque plus d'eau, et le niveau des aquifères confinés où la ville s'approvisionne baisse d'à peu près un mètre et demi par an. À ce rythme, la ville sera entièrement privée d'eau d'ici à vingt ans.

Le Moyen-Orient en crise

Presque tous les pays du Moyen-Orient font face à une crise de l'eau d'une envergure sans précédent. Dans la Péninsule arabique, le pompage des nappes souterraines est près de trois fois plus rapide que leur renouvellement. Au rythme actuel des prélèvements, l'Arabie Saoudite, qui dépend de ses aquifères pour 75 % de son approvisionnement, risque l'épuisement total de ses réserves dans les cinquante prochaines années. Dans l'espoir d'assurer son autosuffisance alimentaire, le pays a subventionné les agriculteurs afin qu'ils puisent eux-mêmes leur eau, mais cela a entraîné des dépenses très élevées. Pour chaque tonne de céréales récoltée, 3 000 tonnes d'eau ont été utilisées — soit trois fois le volume normal. L'épuisement des aquifères a mis fin au projet. En Iran, les citoyens endurent la plus forte pénurie d'eau des dernières décennies. L'agence officielle de presse, l'IRNA, a révélé que les fermes iraniennes sont en déficit de 1,2 milliard de mètres cubes d'eau. De graves sécheresses amplifient cette crise.

En Israël, au cours des vingt-cinq dernières années, l'extraction d'eau a excédé le rythme de renouvellement des nappes de 2,5 milliards de mètres cubes. Et 13 % du volume d'eau de l'aquifère côtier est pollué par l'eau de mer et les engrais chimiques. Selon les fonctionnaires du pays, Israël connaîtra, en 2010, un manque d'eau de quelque 360 millions de mètres cubes. Déjà, en juillet 2001, le gouvernement israélien affirmait que le pays faisait face à la crise de l'eau « la plus grave et la plus alarmante » de son histoire et que trois années de sécheresse successives l'avaient forcé à envisager l'interdiction d'arroser les pelouses. Le commissaire des eaux, Shimon Tal, a mis le pays en garde et prévenu ses concitoyens qu'ils allaient devoir « se mettre au régime sec » jusqu'à l'ouverture annoncée des usines de dessalement de l'eau de mer.

Israël tire près de la moitié de son eau du lac Kinneret (lac de Tibériade), alimenté par le Jourdain, mais les eaux de ce lac ont connu de fortes baisses au cours des dernières années et commencent à être contaminées par l'eau salée. L'autre moitié de l'eau douce du pays provient essentiellement de deux aquifères — situés respectivement sous le massif montagneux et dans la partie orientale — qui fournissent l'eau aux habitants et aux agriculteurs des colonies de peuplement litigieuses de Cisjordanie et de la vallée du lac Houla. Dans cette vallée, qui appartenait à la Syrie avant la guerre de 1948, le développement massif de l'agriculture basé sur l'exploitation des aquifères a mis à sec les sources hydriques. Dans son ouvrage intitulé *L'Eau,* Marq de Villiers décrit cette catastrophe. Les marais ont été asséchés, le niveau hydrostatique a commencé à baisser, les ruisseaux et les sources se sont taris. Devant faire face à la salinisation de l'eau, consécutive aux dépôts de sel qui se sont accumulés lorsque des réseaux hydrologiques ont été épuisés, les agriculteurs ont décidé de se tourner vers des cultures résistantes au sel, mais sans succès. Les aquifères se sont asséchés et le sol s'est effondré — tout comme à Mexico. Quelques-unes de ces cavités étaient si énormes que des maisons entières y ont été englouties.

La Palestine et la Jordanie sont en proie à une dévastation similaire. Les habitants de la bande de Gaza, où la croissance de la population est l'une des plus fortes au monde, s'approvisionnent presque exclusivement à des nappes souterraines. Cependant, on a détecté la présence d'eau salée de la Méditerranée à plus d'un kilomètre et demi de la côte, et quelques experts prévoient que les nappes seront bientôt entièrement salines. En Jordanie, où le Jourdain constitue l'unique source d'eau de surface, le niveau de ce fleuve a baissé lorsque les Israéliens ont commencé à en détourner les eaux afin de réaliser leurs projets d'irrigation dans le sud d'Israël. Le niveau du Jourdain est aujourd'hui huit fois plus bas qu'il y a cinquante ans, ce qui a forcé la Jordanie à puiser abondamment dans son réseau d'aquifères. L'eau des nappes phréatiques du pays est extraite à un rythme 20 % plus rapide que celui de leur renouvellement. Parmi les autres conséquences tragiques du détournement des eaux du Jourdain, il faut compter son impact sur la mer Morte. Comme l'explique la section moyen-orientale de l'association Les Amis de la Terre, le niveau de ce plan d'eau a baissé de plus de 25 mètres au cours des trois dernières décennies, et ce rétrécissement s'accélère. La mer Morte se meurt. Son bassin sud, en totalité asséché, a été transformé en site industriel, et de dangereuses cavités d'effondrement sont apparues tout le long de la côte.

Ailleurs en Jordanie, un réseau aquifère souterrain d'une grande importance symbolique pour les citoyens de ce pays a été dévasté. L'oasis d'Azraq, au fin fond du désert jordanien, a été pendant des siècles un endroit de repos pour les animaux, les oiseaux migrateurs et les êtres humains — un merveilleux sanctuaire pourvu d'eau en abondance et alimenté par plus de dix sources souterraines. Cette oasis était si vitale pour le pays qu'elle a été classée, en 1977, parmi les points d'eau faisant partie du patrimoine mondial. Il y a vingt ans, les Jordaniens, en grand manque d'eau, ont néanmoins commencé à en pomper dans l'Azraq pour acheminer 900 mètres cubes d'eau à l'heure vers Amman, la capitale. En quelques années, un grand nombre de puits ont été creusés, et les Jordaniens y ont puisé près de trois fois cette quantité d'eau douce, soit le double de ce que permet le renouvellement du bassin. Comme l'a écrit en 1993 Alanna Mitchell, du *Globe and Mail*, l'oasis est devenue un dépotoir poussiéreux lacéré de profondes crevasses d'où s'élève une chaleur torride.

Malheureusement, les hommes ne semblent tirer aucune leçon de ces catastrophes. La Libye, qui a épuisé toutes ses sources d'eau douce traditionnelles et surexploité ses aquifères côtiers, a décidé, il y a une dizaine d'années, d'extraire l'eau de l'aquifère subsaharien qui s'étend sous une partie de son territoire, mais aussi sous des régions du Tchad, de l'Égypte et du Soudan. Connue sous le nom de nappe aquifère « nubienne », cette réserve d'eau douce est l'une des plus étendues de la planète. À la même époque, au coût approximatif de 32 milliards de dollars américains, la Libye a fait appel à un énorme conglomérat sud-coréen pour la construction d'un pipeline de 1 860 kilomètres afin de récupérer l'eau douce des aquifères du bassin de Kufra, dans le Sahara, et de la distribuer aux exploitations agricoles et aux villes du nord du pays. L'ouvrage est quasiment terminé et près de 1 000 puits pompent aujourd'hui l'eau des nappes souterraines du désert.

Plus d'un milliard de mètres cubes d'eau en sont extraits chaque année. Lorsque le pipeline sera achevé, le volume d'eau pompé de l'aquifère sera d'environ 40 milliards de mètres cubes par an — soit le débit d'un grand fleuve. Le chef de l'État libyen, le colonel Kadhafi, a qualifié cet ouvrage ambitieux de « Grand Fleuve artificiel » et de « Huitième Merveille du monde ». Au rythme de pompage actuel, la nappe sera vide dans quarante ou cinquante ans, ce qui lèsera non seulement la Libye, mais tous les pays environnants.

Le « miracle » chinois

Les rapports les plus alarmants sur la crise de l'eau douce viennent sans doute du pays le plus peuplé de la planète. La Chine, qui possède près d'un quart de la population mondiale, ne dispose que de 6 % de l'eau douce de la Terre. Partout les puits se vident mystérieusement, le niveau hydrostatique baisse, les cours d'eau et les lacs s'assèchent. De grands puits industriels s'enfoncent de plus en plus profondément dans le sol pour extraire l'eau restante — et des millions d'agriculteurs constatent ensuite que leurs puits se sont asséchés. La moitié occidentale de la Chine est surtout faite de déserts et de montagnes, et la majeure partie des citoyens de ce pays de 1,2 milliard d'âmes s'approvisionnent en eau dans plusieurs grands fleuves qui ne peuvent répondre à leur demande. En 1972, par exemple, pour la première fois dans l'histoire, les eaux du fleuve Jaune n'ont pas atteint la mer, et ce durant 15 jours. Depuis, la période pendant laquelle le fleuve n'alimente plus la mer s'allonge d'année en année. En 1997, son cours s'est même interrompu pendant 226 jours. Ce scénario se répète pour tous les autres fleuves chinois.

Le niveau hydrostatique de la plaine du nord — le grenier à blé du pays — baisse de 1,5 mètre par an, et les aquifères de huit régions de la Chine septentrionale sont surexploités. Les deux tiers des six cents villes du nord du pays font déjà face à de graves pénuries d'eau, à l'instar de plus de la moitié de toute la population chinoise. Et bien que l'eau utilisée antérieurement par des millions d'agriculteurs ait été détournée vers Pékin par suite d'une décision gouvernementale, le niveau hydrostatique sous la capitale a baissé de 37 mètres au cours des quatre dernières décennies. La crise de l'eau anticipée à Pékin est si grave que des experts se demandent maintenant si le siège du gouvernement chinois ne devra pas être déplacé.

Ces pénuries surviennent à un moment où des estimations prudentes laissent entendre que la consommation industrielle d'eau pourrait passer de 52 milliards à 269 milliards de tonnes par année au cours des deux prochaines décennies. En outre, la hausse de leurs revenus permet maintenant à des millions de Chinois de se doter de douches et de toilettes à chasse d'eau. Le Worldwatch Institute affirme que la Chine sera le premier pays au monde à devoir restructurer son économie pour faire face à la pénurie d'eau.

Le Worldwatch Institute signale aussi qu'une chute vertigineuse des réserves d'eau destinées aux agriculteurs pourrait menacer la sécurité alimentaire mondiale. Dans un proche avenir, la Chine connaîtra de graves déficits céréaliers parce que l'agriculture est aujourd'hui privée d'eau au profit des utilisateurs avides que sont l'industrie et les citadins. Les planificateurs chinois ont estimé que toute quantité d'eau utilisée dans l'industrie engendre 60 fois plus de revenus que lorsqu'elle est consacrée à l'agriculture. Cette estimation n'a fait qu'encourager les dirigeants politiques à détourner de plus en plus de sources rurales vers les sites industriels en pleine expansion. Mais si la Chine connaissait une diminution de sa production céréalière, la demande de blé d'importation qui en découlerait pourrait dépasser les capacités mondiales actuelles d'exportation. La Chine survivrait sans doute à de telles pénuries pendant un certain temps : son économie florissante et son énorme excédent commercial lui fourniraient les liquidités nécessaires pour acheter du blé. Cette demande croissante provoquerait néanmoins une hausse des prix du blé importé, entraînerait des bouleversements sociaux et politiques dans un grand nombre de villes du tiers-monde et menacerait la sécurité alimentaire mondiale.

Un désastre qui s'amplifie

Le même scénario se répète dans un grand nombre de pays et de régions du globe. La plupart des pays africains ne disposent que de réserves d'eau limitées, qui s'amenuisent davantage en raison des sécheresses, de la pollution et de l'accroissement démographique. L'Afrique, où s'étend le plus vaste désert de la planète, le Sahara, continue à souffrir de la désertification. Et pourtant, les grands aquifères non renouvelables qui s'étendent sous le Sahara sont et seront exploités dans le cadre du programme d'extraction poursuivi en Libye par le colonel Kadhafi. La réduction de ces aquifères atteint déjà 10 milliards de mètres cubes par an, et ce chiffre ne fera qu'augmenter jusqu'à l'achèvement de ce programme.

Selon Marq de Villiers, 22 pays africains — la Guinée-Bissau, la Guinée, la Sierra Leone, São Tomé et Principe, le Mali, le Niger, le Nigeria, le Cameroun, le Congo, la République démocratique du Congo, l'Angola, le Lesotho, le Swaziland, le Burundi, le Mozambique, Madagascar, l'Ouganda, le Kenya, l'Éthiopie, la Somalie, Djibouti et l'Érythrée — sont incapables de fournir une eau salubre à la moitié de leur population. Cependant, c'est l'Inde qui se livre à la plus grande surexploitation annuelle de ses nappes souterraines. Presque partout dans ce pays l'extraction est effectuée à un rythme deux fois supérieur à celui du renouvellement naturel, ce qui provoque une baisse des aquifères de 1 à 3 mètres par an. Ce sont les États du Pendjab et de l'Haryana — les greniers à blé de l'Inde — et l'État du Gujarat, au nord-ouest, qui sont le plus durement touchés, puisque 90 % des puits accusent une forte baisse de niveau. Dans l'État du Tamil Nadu, le niveau hydrostatique a baissé de près de 30 mètres en trente ans et beaucoup d'aquifères se sont asséchés. À Jodhpur, dans le Rajasthan, les réseaux d'alimentation en eau se sont littéralement effondrés lorsque la nappe phréatique se trouvant sous la ville a été drainée jusqu'à l'assèchement. Au Pendjab et au Bangladesh, la baisse du niveau hydrostatique est encore plus prononcée qu'en Chine, en dépit du fait que ces régions subissent des inondations chaque année. Selon l'Institut international de gestion des ressources en eau, un quart de la récolte de blé en Inde pourrait être perdu dans un avenir proche en raison de l'épuisement des aquifères.

Alerte rouge

D'après les Nations Unies, 31 pays font actuellement face à des pénuries d'eau. Plus d'un milliard de personnes n'ont pas accès à une eau potable, tandis que près de 3 milliards ne bénéficient pas d'installations sanitaires. En 2025, la population mondiale aura augmenté de 2,6 milliards d'individus, mais les deux tiers d'entre eux connaîtront un manque d'eau terrible, et le troisième tiers, une pénurie totale. La demande en eau sera alors supérieure de 56 % aux réserves.

Les habitants des pays industrialisés du Nord imaginent difficilement qu'ils pourraient un jour manquer d'eau. Ils bénéficient de réserves stables, dans lesquelles ils puisent sans compter. Mais ils doivent comprendre que, au rythme actuel de consommation, ils finiront par manquer d'eau. Cette hausse continuelle de la consommation, provoquée par l'industrialisation, l'agriculture intensive et la croissance démographique, épuise rapidement les ressources hydriques. La surexploitation des aquifères, l'urbanisation massive et une pollution constante ponctionnent le capital hydrique de la planète que nous devrions plutôt nous efforcer de préserver. Au chapitre suivant, nous verrons que la disparition des marais et des zones humides, les effluents toxiques et les autres causes de déprédation environnementale menacent également les précieuses réserves mondiales d'eau douce. On n'insistera jamais assez sur la gravité de la crise de l'eau qui sévit sur notre Terre. La sonnette d'alarme s'est déclenchée. L'entendrons-nous à temps ?

CHAPITRE 2

PLANÈTE EN DANGER

La crise mondiale de l'eau met en péril la Terre
et toutes les espèces

L'écologiste David Suzuki a exposé son concept de « destruction exponentielle de l'environnement » dans les conférences qu'il a prononcées partout dans le monde. Les problèmes écologiques, dit-il, n'évoluent pas de façon linéaire — c'est-à-dire un pas à la fois. Personne n'est capable d'envisager tous ces problèmes en même temps, ni même la plupart d'entre eux. Un écosystème peut être attaqué de mille manières différentes et par mille ennemis différents. Mais puisque l'attaque ne progresse pas de façon linéaire, cet écosystème peut paraître en bon état un jour et être détruit le lendemain. Il ne s'agit pas d'une progression arithmétique, c'est-à-dire additive, mais bien géométrique, c'est-à-dire multiplicative.

Suzuki illustre son propos par une anecdote. Il demande à son auditoire d'imaginer un lac sur lequel flotte un nénuphar. Puis il lui explique que les nénuphars sont magnifiques tant et aussi longtemps qu'ils ne sont pas trop prolifiques. S'ils ne se multiplient pas indûment, le lac pourra coexister avec eux en harmonie. Mais s'ils finissent par le couvrir entièrement, ils le priveront d'oxygène et le lac mourra. Prenons un lac et un nénuphar, dit Suzuki. Dans soixante jours, ce nénuphar se sera reproduit de façon exponentielle, si bien que ses congénères auront recouvert toute la surface du lac et que ce dernier mourra étouffé. Mais à quoi ressemblera le lac au cinquante-neuvième jour ? Eh bien, il ne sera qu'à moitié recouvert de nénuphars et se portera bien, en apparence, du moins.

Si la destruction de l'environnement se déroulait de façon linéaire, on disposerait d'autant de temps pour réparer les dégâts qu'il en a fallu pour les causer. Tous les jours, on pourrait dénombrer les problèmes et évaluer les risques. Mais lorsque la destruction est exponentielle, l'effet cumulatif de toutes les attaques frappe d'un seul coup, et parfois sans avertissement.

S'il appliquait cette analyse à la crise de l'eau, David Suzuki pourrait dire que, en ce qui concerne les ressources hydriques, la planète se trouve au cinquante-neuvième jour.

Les réseaux **hydro**logiques sont d'une richesse aussi démesurée que l'est leur **fragilité**. Bien qu'ils n'occupent, par rapport à la Terre et aux océans, qu'une petite partie de la surface du globe, ils abritent un nombre d'espèces plus élevé par unité de surface que les autres milieux : 10 % de plus que les nappes continentales et 150 % de plus que les océans. En fait, 12 % de toutes les espèces animales, dont 41 % de toutes les espèces de poissons connues, vivent dans l'ensemble des eaux douces qui représentent moins de 1 % de la surface de la Terre. Mais durant les dernières décennies, au moins 35 % de toutes les espèces de poissons d'eau douce ont disparu, ou sont aujourd'hui en voie d'extinction. Certains systèmes fauniques d'eau douce ont même entièrement disparu. En Amérique du Nord, les animaux aquatiques courent cinq fois plus de risques d'extinction que les animaux terrestres.

Plus inquiétant encore est le taux de destruction des espèces. Dans la revue *Science,* publication très réputée, on a pu lire que les taux d'extinction calculés récemment sont de cent à mille fois plus élevés qu'avant l'apparition de l'homme, et que si des espèces non menacées actuellement s'éteignent d'ici à la fin de ce siècle, leur disparition entraînera une hausse accélérée des taux d'extinction, qui seraient alors de mille à dix mille fois supérieurs à ce qu'ils étaient avant l'apparition de l'homme. Selon le biologiste Jonathan Coddington, de la Smithsonian Institution, que Janet Abramovitz cite dans son article intitulé « Sustainable Freshwater Ecosystems » (« Écosystèmes d'eau douce durables »), la planète s'apprête à connaître un « amoindrissement de sa biodiversité », c'est-à-dire que le taux de la destruction des espèces et des écosystèmes sera plus élevé que le taux auquel la Nature en crée de nouveaux.

Cette catastrophe ne « survient » pas sans raison. Elle résulte pour une bonne part de l'accumulation des agressions humaines contre les réseaux hydrologiques de la planète — agressions qui sont commises quotidiennement.

Ruissellements toxiques : égouts et produits chimiques

Les milliers d'usines, de fermes industrielles et de villes qui déversent ou laissent s'écouler dans l'eau douce des pesticides, des engrais et des herbicides (incluant des nitrates et des phosphates), des bactéries, des déchets médicaux, des produits chimiques et des résidus radioactifs engendrent une pollution qui représente une menace plus grave encore pour les espèces. Tous ces déchets ajoutent à l'eau des matières organiques et des substances nutritives excédentaires, comme l'azote et le phosphore, qui favorisent la formation d'algues, lesquelles dépouillent l'eau de son oxygène. Ils y introduisent également des agents pathogènes, comme le cryptosporidium, ainsi que des sédiments qui altèrent l'habitat des espèces. Le taux de consommation d'oxygène des algues est qualifié de « demande bio-chimique d'oxygène » (DBO). La DBO sert notamment à mesurer le taux de pollution de l'eau. L'ensemble du processus est dénommé « hypertrophisation » ou « eutrophisation galopante ».

Quelques agents polluants arrivent dans l'eau par voie aérienne, provenant des cheminées d'usines et des tuyaux d'échappement des véhicules. Les pluies acides résultent de la dissolution de certains de ces gaz industriels, comme les oxydes de soufre et d'azote, dans l'eau des précipitations. En s'accumulant dans les eaux de surface, elles tuent toutes les espèces vivantes qui s'y trouvent. Dans de nom-breux lacs canadiens, elles ont provoqué la disparition de 40 % des espèces de poissons. Mais les pluies acides, explique la naturaliste E. C. Pielou, ne sont pas la seule cause de l'acidification des eaux de surface. Les eaux usées acides provenant des mines de charbon et de minerais métalliques produisent des sulfures, qui servent à la fabri-cation industrielle d'acide sulfurique. Ces sulfures se mélangent également à l'oxygène et à l'eau, et l'acide sulfurique qui en résulte s'écoule sur le sol et gagne les lacs et les cours d'eau.

Les agents polluants s'introduisent de diverses manières dans les nappes souterraines. Réservoirs à essence fissurés, décharges et dépotoirs municipaux, fosses septiques fendues, déversements accidentels de pétrole, résidus miniers, effluents d'élevage, pesti-cides et même le sel répandu sur les routes sont autant de sources de pollution. Ils forment le *lixiviat,* ou *percolat,* qui pénètre dans les nappes souterraines avec la pluie. Les aquifères non confinés sont très vite contaminés, car les agents polluants peuvent y pénétrer plus facilement et se répandre dans toute la nappe phréatique. Cer-tains agents polluants, comme l'essence, sont plus légers que l'eau et restent à la surface de l'aquifère ou des rivières souterraines. De là, ils laissent échapper, dans un panache de pollution, de la ben-zine et d'autres produits chimiques. Des liquides polluants lourds peuvent également s'introduire dans le même aquifère et se déposer au fond.

Quelques-uns de ces polluants lourds sont extrêmement toxiques. Ainsi, les 200 litres de trichloréthylène, un solvant industriel huileux, que contient un seul fût devraient être dilués dans 60 milliards de litres d'eau pour que le produit devienne inoffensif. L'oxyde de méthyle et de tert-butyle (MTBE), additif de l'essence au méthanol, est un autre polluant lourd extrêmement dangereux. Personne n'ignore que quelques gouttes de MTBE peuvent contaminer un aquifère de taille moyenne. On a pourtant retrouvé ce produit chimique dans plus de dix mille puits en Californie.

Selon le magazine *National Geographic*, près d'un demi-milliard de kilos d'herbicide et d'insecticide sont utilisés chaque année aux États-Unis, et la majeure partie de ces produits s'écoule dans les réseaux hydrologiques. C'est à cause de la présence de ces polluants que près de 40 % des rivières et des fleuves américains sont devenus infréquentables pour les baigneurs et les pêcheurs. Et leur eau est bien entendu impropre à la consommation. Quant aux espèces aquatiques, poissons et autres, elles y sont devenues porteuses de déchets toxiques. Aujourd'hui, 37 % des poissons d'eau douce sont en danger d'extinction, 64 % des écrevisses et 40 % des amphibiens sont en péril, et 67 % des moules d'eau douce ont disparu ou sont en voie de disparaître. « Des écosystèmes s'effondrent dans chaque bassin fluvial de l'Ouest », ont déclaré les représentants du groupe de travail du Sierra Club sur le fleuve Colorado.

Tout le long de la frontière entre les États-Unis et le Mexique, des ouvriers sous-payés fabriquent, dans les *maquiladoras,* ou zones franches, des biens destinés aux marchés mondiaux. Ces régions sont bourrées de déchets d'origine humaine et industrielle, mais seulement un tiers des eaux usées et des égouts se déversant dans les cours d'eau sont traitées. Un groupe écologiste a rebaptisé cette frontière le « *Love Canal* de 3 400 km ».

---

* *Le « Love Canal » est un site de déchets toxiques de la ville de Niagara Falls, dans l'État de New York. Le site, au départ, était un canal, construit en 1890 par*

Dans *The Corporate Planet,* Josh Karliner décrit la destruction des réseaux hydrologiques de la région. La rivière New, qui coule de la Basse-Californie, au Mexique, jusqu'à la vallée Impériale, aux États-Unis, est contaminée par plus de 100 produits chimiques toxiques différents. Les inspecteurs de la santé publique américains ont demandé aux habitants de ne pas s'approcher de ses eaux mortelles, ni même de ses berges. Une étude gouvernementale a révélé que 75 % des usines des *maquiladoras* déversent leurs déchets toxiques directement dans les fleuves et les rivières. Et pourtant, des familles vivent près de ces cours d'eau, dont les berges sont contaminées par les effluents industriels toxiques et par les détritus, et jonchées de carcasses d'animaux morts d'avoir bu l'eau polluée.

Des réseaux hydrologiques empoisonnés

La plus grande partie des réseaux hydrologiques est aujourd'hui touchée par toute la gamme des problèmes découlant de la pollution toxique industrielle, et il semble que ces problèmes ne soient pas près de se résoudre. Selon l'Organisation des Nations Unies pour le développement industriel (ONUDI), les activités industrielles exigeront vraisemblablement deux fois plus d'eau en 2025, tandis que la pollution va sans doute quadrupler. Les eaux usées non traitées contaminent les réseaux hydrologiques aux quatre coins de la planète. Aujourd'hui encore, 90 % des eaux usées produites dans le tiers-monde sont déversées telles quelles dans les

Suite de la note de la page 55

William Love, entrepreneur local désireux de construire un barrage pour produire de l'énergie hydroélectrique. Son projet ayant échoué, Love a vendu son canal à une entreprise de produits chimiques. Le site a été abandonné en 1950 par suite des plaintes de résidants. (N.d.T.)

fleuves et les rivières. Le lac Victoria, en Afrique, est en danger car plusieurs villes du Kenya, de la Tanzanie et de l'Ouganda y déversent des millions de litres d'eaux usées et de déchets industriels. Les réserves de poissons des fleuves Sénégal et Niger sont pratiquement épuisées. En Chine, 80 % des principaux fleuves sont si contaminés que le poisson ne peut plus y vivre. Tous les jours, 40 millions de tonnes de déchets industriels et d'eaux usées sont déversées dans le Yang-tseu-kiang. Les eaux du fleuve Jaune sont si polluées qu'elles ne peuvent même plus servir à l'irrigation. Et tous les fleuves chinois sont souillés par une concentration effrayante de déchets humains.

Le Gange et le Brahmapoutre, en Inde, fourmillent également de bactéries et accusent une concentration élevée de matières fécales d'origine humaine et animale. Près de 200 millions de litres d'eaux usées provenant des égouts de Delhi sont déversés chaque jour dans le Yamuna. Ce fleuve est aujourd'hui irrémédiablement souillé, tout comme le Damodar, qui étouffe sous les boues toxiques produites par les industries situées sur ses berges. On trouve en Inde les eaux les plus polluées d'Asie — après la Chine. À Bombay, Madras et Calcutta, les côtes sont putrides. Quant au fleuve sacré qu'est le Gange, où des millions de gens viennent se purifier chaque année, c'est un égout à ciel ouvert.

Au Japon, la pollution de l'eau provient des solvants à forte teneur en chlore utilisés par certaines industries. À Jakarta, Bangkok et Manille, d'innombrables effluents liquides et déchets solides sont jetés dans les cours d'eau et provoquent des maladies, comme le choléra, la typhoïde et d'autres affections d'origine hydrique. Le fleuve Mékong, qui prend sa source en Chine et coule à travers le Myanmar (l'ancienne Birmanie), le Laos, le Cambodge et des régions de la Thaïlande et du Viêt-nam, suffoque sous les déchets industriels et humains.

Un nombre ahurissant de fleuves et de lacs en Europe de l'Est sont écologiquement morts ou dangereusement pollués. Les trois quarts des fleuves polonais sont si contaminés par les produits chimiques, les eaux usées et les effluents agricoles que leurs eaux ne

peuvent même pas servir à des fins industrielles. Il en est de même
des fleuves de la République tchèque et de la Slovaquie. Sofia, la
capitale de la Bulgarie, manquait tellement d'eau en 1995 que ses
citoyens n'étaient autorisés à ouvrir le robinet que tous les deux ou
trois jours. Près de la moitié des réseaux de distribution d'eau
potable et d'épuration des eaux usées de Moscou sont inopérants
ou en mauvais état et, selon le Conseil de sécurité russe, 75 % de
l'eau des lacs et des fleuves est impropre à la consommation.

Ailleurs en Europe, des fleuves ne répondent plus à la demande.
Le niveau des 33 cours d'eau principaux d'Angleterre ne cesse de
baisser en raison de prélèvements excessifs. Certains ont perdu les
deux tiers de leur profondeur moyenne. Il y a un siècle, 150 000 saumons étaient pêchés chaque année dans les seules parties du Rhin
situées aux Pays-Bas et en Allemagne. En 1958, le saumon avait
totalement disparu de ce fleuve. Le développement urbain a volé au
Rhin 90 % de ses plaines inondables, et c'est sur ses berges que sont
concentrées 20 % de toutes les usines chimiques du monde. Le
fleuve coule à travers les régions les plus populeuses et les plus
industrialisées d'Europe, et une grande quantité d'effluents continuent à être déversés dans ses eaux. Au sud-est, le « Beau Danube
bleu » charrie de véritables cargaisons de phosphates et de nitrates,
dont les volumes ont respectivement sextuplé et quadruplé au
cours des vingt-cinq dernières années — ce qui a eu des effets
extrêmement fâcheux sur les pêcheries et le tourisme. Et tous ces
fleuves transportent ces effluents dangereux vers la mer ; une
grande partie aboutit dans la Méditerranée, y créant un milieu propice au développement d'espèces envahissantes et d'algues mortelles. Depuis quelques années, *Caulerpa taxifolia* prolifère dans la
Méditerranée au rythme de quatre hectares par jour et menace
maintenant la vie marine sur toute la côte.

Même l'eau de pluie est désormais polluée en Europe. Des
chercheurs de l'Institut fédéral suisse des sciences et des technologies de l'environnement ont révélé récemment que l'eau de pluie
qui tombe sur le continent est si saturée de pesticides toxiques

qu'une grande partie en est maintenant impropre à la consommation. Tout comme en Amérique du Nord, la plupart des eaux embouteillées proviennent de sources contaminées par des effluents industriels et des déchets d'origines animale et humaine.

Au Canada, pays riche et pourvu d'abondantes réserves d'eau douce, plus de mille milliards de litres d'eaux usées sont déversés chaque année dans les cours d'eau. Un tel volume couvrirait les 7 800 kilomètres de l'autoroute Transcanadienne sur une profondeur de 20 mètres — soit la hauteur d'un édifice de six étages. Dans les pays industrialisés comme le Canada, les eaux usées ne contiennent pas que des déchets humains. Dans une étude publiée en 2001, le Sierra Legal Defence Fund expose le problème. « L'information que nous divulguons, écrivent les chercheurs dans un article intitulé "The National Sewage Report Card Number Two", est particulièrement inquiétante quand on considère *ce que sont vraiment* les eaux usées : un mélange nauséabond d'eau, d'excréments humains, de graisse, de diluant à peinture, d'antigel, d'huile à moteur et de nombreux déchets toxiques industriels et domestiques. » Même traités, les déchets peuvent rester toxiques. Le traitement peut tuer les coliformes d'origine fécale, dont la variété la plus connue est la terrifiante bactérie *Escherichia coli,* ou *E. coli,* mais il ne peut neutraliser certains produits chimiques toxiques présents dans les eaux usées. Une étude publiée en juillet 2001 par le ministère de l'Environnement du Québec a révélé que les eaux déversées dans les lacs et les cours d'eau demeurent « extrêmement toxiques » même après un assainissement hautement perfectionné. On a retrouvé des pesticides, des déchets industriels, de l'arsenic et des métaux dans l'eau « traitée » rejetée dans le Saint-Laurent. Les auteurs de l'étude font observer que « dans l'ensemble, plus de 85 % des échantillons prélevés dans les eaux usées de toutes sources contiennent les substances suivantes : ammoniaque, phosphore, aluminium, arsenic, baryum, mercure, BPC, dioxines chlorées, furannes, agents surfactants (nettoyants chimiques), hydrocarbures aromatiques polycycliques (HAP) et autres déchets organiques et inorganiques ». Plus d'un échantillon sur cinq provenant des eaux traitées qui sont déversées dans le Saint-Laurent est contaminé à un tel degré qu'une truite arc-en-ciel qui y serait plongée mourrait immédiatement. Au cours d'une étude analogue effectuée en Ontario, plus de la moitié des truites introduites dans le récipient contenant l'échantillon d'eau ont péri. Et l'étude de 2001 du Sierra Club révèle que « les eaux municipales contiennent en général plus de 200 produits chimiques synthétiques », dont des BPC, qui rendent l'eau impropre à la consommation. Ainsi que le notent les chercheurs, « une seule goutte d'huile à moteur peut contaminer 25 litres d'eau. Un gramme de biphényle polychloré (BPC), substance utilisée dans la fabrication d'un nombre incalculable de produits — des cosmétiques aux pesticides —, suffit à rendre un milliard de litres d'eau impropres à toute vie aquatique ».

Même s'il est patent que les produits chimiques synthétiques contaminent l'eau des réseaux hydrologiques et la rendent impropre à la consommation, les quantités déversées dans l'environnement n'ont pas pour autant été réduites. En fait, l'utilisation des produits chimiques a explosé au cours des dernières décennies. Chaque année, les usines du monde entier fabriquent près de 2 000 milliards de dollars américains de produits chimiques, et une grande partie de ces substances se retrouvent dans notre eau. Dans les zones franches du Mexique, par exemple, la fabrication de produits chimiques toxiques a triplé depuis l'adoption de l'ALENA, en 1994. Chaque année, les 1 200 usines de la Basse-Californie, sur la côte ouest du Mexique, produisent 36 000 tonnes de résidus toxiques. Le comté de San Diego en produit encore plus : 160 000 tonnes en l'an 2000. Il n'est donc pas étonnant que les Nord-Américains hébergent, dans leur organisme, au moins cinq cents produits chimiques qui étaient inconnus avant la Première Guerre mondiale.

Un autre péril chimique qui menace les bassins hydrographiques provient des effluents issus des usines de pâte à papier qui s'écoulent dans les lacs et les rivières. Ces usines utilisent d'énormes quantités d'eau et rejettent leurs effluents dévoreurs d'oxygène dans les cours d'eau, qui ne tardent pas à être envahis par les algues. La plupart des usines se servent de produits chimiques pour défibrer le bois et fabriquer du papier. Les dioxines et les furannes — les effluents les plus dangereux que produit le blanchiment au chlore — se classent parmi les agents toxiques les plus meurtriers et contaminent aussi bien les eaux de surface que les eaux souterraines. Les usines de pâte à papier, nombreuses au Canada, sont responsables de la production d'une bonne moitié de tous les effluents chimiques déversés dans les eaux douces du pays.

Longtemps, on a pu croire que l'agriculture et l'élevage, contrairement à l'industrie forestière, avaient des effets relativement bénins sur l'environnement. Ce n'est certainement plus le cas aujourd'hui. Les fermes ont pris des dimensions industrielles ; leur cheptel est devenu énorme, si bien que les animaux sont maintenant entassés dans des enclos d'alimentation et des étables-usines. On peut imaginer la quantité monumentale de fumier ainsi produite — plus de 130 fois le volume des déchets humains produits aux États-Unis. À lui seul, le Texas rejette chaque année 127 milliards de kilos de fumier — soit 18 kilos par habitant. En Amérique du Nord, des millions de litres de fèces animales liquéfiées sont stockés dans des bassins à ciel ouvert qui émettent plus de 400 composés volatils dangereux dans l'atmosphère. Ces « cités sans égouts » produisent un tel volume de fumier que celui-ci ne peut être stocké ni éliminé sans risques. Certaines mégaporcheries produisent une quantité de fumier équivalant au volume de déchets humains d'une ville de 360 000 habitants.

Le lisier provenant de ces déchets bourrés d'antibiotiques pénètre en quantité astronomique dans les eaux souterraines et de surface. Dans certains cas, il suinte ; dans d'autres, il se répand. Selon David Brubaker, du Center for a Livable Future de l'Université Johns Hopkins, les 380 000 litres de lisier déversés dans les eaux du Minnesota en 1998 ont tué 700 000 poissons. Dans l'Indiana, en 1997, on a compté plus de 2 000 déversements de ce genre. Au cours de l'été 2000, en Caroline du Nord, plus de 100 bassins ont été détruits par l'ouragan Mitch, qui a transformé une grande partie de l'État en un bourbier toxique. Le même été, du lisier de porc a suinté de la mégaporcherie Great Lakes Swine Farm située à Palmyra (Ontario) et a coulé dans le lac Ontario. En Californie, le lisier toxique des fermes-usines coule dans l'aquifère d'Ogallala déjà bien mal en point. Les boues toxiques se fraient également un chemin vers les eaux après avoir été pulvérisées sur les cultures, pratique de plus en plus courante. Au Canada, on répand même les déchets humains sur les champs !

Même si les exploitations agricoles cessaient de produire ces volumes stupéfiants de déchets concentrés, il faudrait encore qu'elles règlent le problème des concentrations massives d'azote qu'elles injectent dans l'environnement au cours de leur production vivrière. L'agriculture intensive a recours à des concentrations si élevées d'engrais azotés que cette pratique a perturbé l'équilibre en azote de la Nature et pollué les sources d'eau. À l'état naturel, l'azote est une molécule inoffensive qui constitue 79 % de l'air que l'on respire. Comme l'expliquent les chercheurs de l'Institute for Agriculture and Trade Policy de Minneapolis, les principales sources d'azote, avant la domination de l'homme sur les écosystèmes, étaient biologiquement naturelles, et la Terre était en mesure de recycler continûment cette substance chimique. Il n'existait que très peu d'azote excédentaire. Mais l'utilisation massive d'engrais azotés et d'azote produits en usine a introduit dans l'environnement deux fois plus d'azote qu'il n'en existait auparavant.

La multiplication du volume d'azote présent dans l'eau et dans les cycles du sol a terriblement dégradé les écosystèmes de la planète. L'azote excédentaire dans l'eau a fait baisser la proportion d'oxygène, ce qui a perturbé le métabolisme et la croissance des espèces auxquelles cet élément est indispensable. Le manque d'oxygène provoque l'hypoxie. Les effets nocifs des engrais synthétiques pour les réseaux hydrologiques du Midwest sont terrifiants. Une grande quantité des nitrates pulvérisés sur les cultures ne restent pas là où on les déverse, mais s'écoulent dans le Mississippi, en passant par les affluents de ce fleuve et par les rivières. Ces engrais azotés poursuivent alors leur route dans le courant du fleuve pour aboutir dans le golfe du Mexique, où s'est formée une zone morte de 18 000 kilomètres carrés — soit la superficie du New Jersey. Nulle espèce ne peut y survivre.

Les engrais chimiques sont une source de pollution notoire, mais d'autres additifs, apparemment inoffensifs, sont tout aussi destructeurs — comme les sacs en plastique et les médicaments délivrés sur ordonnance. Il faut mille ans à un sac en plastique pour se décomposer dans le sol et quatre cent cinquante ans pour se décomposer dans l'eau. Et on en fabrique chaque année par centaines de milliards. On trouve ces sacs partout dans le monde, dans les lacs, les fleuves et les rivières; ils obstruent les marais et les réseaux de drainage, tuant toute vie aquatique. Quant aux médicaments, ils laissent filtrer des substances chimiques et des hormones dans les réseaux publics de distribution d'eau, portant ainsi atteinte à la santé de personnes auxquelles ils n'étaient pas destinés. Chris Metcalfe, expert en eau à l'Université Trent de Peterborough (Ontario), déclare que 50 à 70 % de tous les médicaments passent en chacun de nous. Dans les échantillons d'eau analysés, il a trouvé une haute concentration de naproxène, anti-inflammatoire destiné aux êtres humains et aux animaux, et de carbamazépine, médicament utilisé autrefois dans le traitement de l'épilepsie et prescrit aujourd'hui pour soigner la dépression. Des scientifiques allemands ont découvert, dans les réseaux de distribution d'eau de l'Allemagne et d'autres pays européens, des composés entrant dans la fabrication de médicaments comme l'acide acétylsalicylique (l'aspirine), les antidépresseurs, les antihypertenseurs, l'ibuprofène et les bêta-bloquants. Des analyses effectuées en Allemagne et au Canada ont également révélé la présence, dans les réserves d'eau des deux pays, de grandes quantités d'œstrogènes provenant des pilules anticonceptionnelles.

Les Grands Lacs à l'agonie

Formés lors de la fonte des glaciers commencée il y a quelque 20 000 ans, les Grands Lacs contiennent 20 % de l'eau douce de la planète, ce qui fait d'eux le plus grand réseau hydrologique du monde. Ces lacs sont si vastes et si profonds que les précipitations ne renouvellent que les eaux correspondant aux 75 centimètres de leur surface — ce qui correspond à 1 % de leur volume total. Pourtant, des concentrations élevées de dioxines, de biphényles polychlorés (BPC), de furannes, de mercure, de plomb et de nombreuses substances chimiques nocives ont été détectées dans tous les lacs, à toutes les profondeurs. La plupart de ces substances, résidus des activités industrielles et urbaines, sont apparues dans ces eaux au cours des cinquante dernières années. Elles y sont parvenues par les nappes souterraines contaminées, les rivières et les fleuves pollués, et même l'air.

Chaque année, 50 à 100 millions de tonnes de déchets dangereux envahissent les bassins hydrographiques avoisinants, dont 25 millions de tonnes de pesticides. La Commission mixte internationale, chargée par le Canada et les États-Unis de surveiller la gestion des Grands Lacs, a révélé qu'il y avait actuellement dans ces eaux une sérieuse accumulation de déchets radioactifs provenant des centrales nucléaires. Pour sa part, l'Agence de protection de l'environnement des États-Unis affirme que, sur la centaine de milliers de sites de la région qui rejettent des déchets industriels contenant des produits chimiques dangereux, plus de 2 000 contaminent directement les eaux souterraines.

Un grand nombre de ces matières toxiques ne se décomposent jamais. Selon un processus dénommé *bioaccumulation,* elles remontent la chaîne alimentaire à des concentrations de plus en plus élevées à chaque niveau. À la fin de cette chaîne — c'est-à-dire dans l'alimentation humaine —, la concentration de matières toxiques peut être un million de fois plus élevée qu'à son début. Selon le ministère de l'Environnement du Canada, une personne qui mange une truite provenant du lac Michigan absorbe, en un seul repas, plus de BPC qu'elle n'en ingérerait si elle buvait de l'eau du lac pendant toute sa vie.

Du fait que les Grands Lacs servent de dépotoirs aux industries, moins de 3 % seulement de leurs rives sont encore propices à la vie aquatique et à la baignade — et leur eau ne peut être consommée. Les services américains de la protection de la nature ont identifié 100 espèces et 31 communautés écologiques à risque dans l'ensemble des Grands Lacs, tout en faisant remarquer que la moitié d'entre elles n'existent nulle part ailleurs. En outre, les eaux polluées de ces lacs polluent les cours d'eau qu'ils alimentent et mettent ainsi en péril la faune qui y vit. Parmi les victimes figurent les bélugas du Saint-Laurent, dont l'organisme est rempli de substances chimiques toxiques provenant des Grands Lacs.

Les Grands Lacs perdent eux aussi de l'eau, en partie à cause de l'épuisement des nappes phréatiques. Environ 50 % du volume d'eau des lacs du côté américain et 20 % du côté canadien proviennent des nappes d'eau souterraines. La rivalité féroce opposant ceux qui veulent s'en emparer draine une source d'eau vitale pour les Grands Lacs. En outre, le réchauffement de la planète fait de terribles dégâts. Le lac Supérieur est à son plus bas niveau depuis 1926. La couche de glace hivernale des lacs, autrefois très étendue, diminue chaque année depuis l'hiver 1993-1994. Des scientifiques de Great Lakes United, groupe écologiste rassemblant des Canadiens et des Américains, prévoient que, si le réchauffement de la planète continue au rythme actuel, la température des Grands Lacs grimpera de 9 °C au cours des cent prochaines années et que leur niveau baissera d'un mètre, même de 2,50 mètres dans le cas du lac Michigan. Au rythme actuel, dans moins de quarante ans, l'apport d'eau des Grands Lacs dans le Saint-Laurent aura diminué d'un quart, et ce grand fleuve, à son tour, ne parviendra vraisemblablement plus à la mer.

Les eaux des Grands Lacs sont également menacées par le forage pétrolier sur leurs berges. Le gouvernement de l'État du

Michigan, par exemple, a l'intention d'accorder des concessions pour le forage de neuf grands puits sur les rives du lac Huron et de vingt sur celles du lac Michigan — en dépit des mises en garde lancées par les écologistes des deux côtés de la frontière quant aux effets à coup sûr désastreux de telles activités. Depuis 1995, l'Ontario a tout aussi tranquillement émis des permis de forage pour des puits plus petits, à raison d'une vingtaine par an, faisant fi des avertissements répétés de marées noires.

Au fil du temps, les Grands Lacs se sont trouvés de plus en plus menacés par la disparition des vastes marais qui jouxtaient autrefois leurs berges, jouant le rôle de zones tampons contre le mauvais temps et les protégeant des vagues. Ces barrières naturelles ont été saccagées sans pitié au profit de l'industrie et de l'urbanisation. De nos jours, 20 % seulement des marais originels existent encore, et ils diminuent au rythme effarant de 8 000 hectares par an. Les forêts qui couvraient naguère la région ont été largement décimées. Il ne reste que 1 % des forêts de pins de Weymouth qui parsemaient autrefois la moitié de la région. Aucun autre système ne peut les remplacer dans leur rôle essentiel : le contrôle de l'érosion et l'élimination des agents polluants. Les Grands Lacs souffrent de la disparition de ces zones de protection.

L'assèchement des marais

Dans toute l'Amérique du Nord, les marais mettent un frein à l'érosion, donnent asile aux poissons et aux amphibiens et procurent des aires de repos aux oiseaux migrateurs. Ils constituent l'habitat de 95 % de tous les poissons d'élevage du continent et offrent un sanctuaire à plus de la moitié des espèces d'oiseaux en voie d'extinction. Selon la société Audubon, ils sont aussi importants que les forêts tropicales, car ils nourrissent et abritent un aussi grand nombre d'espèces. Les marais sont comme des éponges, ils absorbent le trop-plein de pluie et de neige fondue qui, sans eux, provoquerait des inondations. En outre, ils fonctionnent comme des reins, filtrant la saleté, les pesticides et les engrais chimiques avant que ces substances ne ruissellent jusqu'aux lacs et aux fleuves. Une fois l'eau purifiée, les marécages et les marais servent d'aires de stockage pour l'eau douce. En termes strictement économiques, chaque hectare de marais vaut 58 fois plus qu'un hectare d'océan, puisque les marais protègent les espèces en voie d'extinction et les poissons d'élevage.

Le bon sens exigerait qu'une source d'eau douce aussi précieuse soit protégée. Au lieu de cela, près de la moitié des marais ont été rayés de la carte depuis un siècle. En Asie, plus de 5 000 kilomètres carrés de marécages sont détruits chaque année au profit de l'urbanisation, du développement industriel et de l'irrigation. Un hectare de marais disparaît toutes les minutes aux États-Unis, pays qui a déjà perdu plus de la moitié de ses zones humides — marais, étangs, tourbières et marécages. La Californie a perdu 95 % des siennes, et la Floride en plein développement industriel est responsable de la disparition d'une surface de marais plus vaste que le Massachusetts, le Delaware et Rhode Island réunis. En conséquence, les populations d'oiseaux migrateurs et d'oiseaux aquatiques sont passées de 60 millions d'individus en 1950 à 3 millions aujourd'hui. Les marais, jadis protecteurs de la diversité biologique, sont maintenant dévastés. On peut dire que leur disparition préfigure la lente extinction de la nature sauvage et d'un grand nombre d'espèces.

Au Canada, l'expert en eau Jamie Linton a décrit l'inquiétante histoire des mauvais traitements infligés aux réseaux hydrologiques. Dans une étude destinée à la Fédération canadienne de la faune, il fait observer que le Canada atlantique a perdu 65 % de ses marais et que le sud de l'Ontario, les Prairies et le delta du fleuve Fraser, dans le sud de la Colombie-Britannique, ont vu disparaître respectivement 70, 71 et 80 % de leurs zones humides. Les marais restants ne couvrent plus que 14 % des terres. Les autres ont dû céder leur place à l'urbanisation galopante et à l'agriculture intensive.

Le déboisement

Les forêts jouent elles aussi un rôle capital dans la protection et la purification des sources d'eau douce. Elles absorbent les agents polluants avant qu'ils ne ruissellent dans les lacs et les cours d'eau et, tout comme les marais, empêchent les inondations, en particulier dans les pays du Sud sujets à des cycles très fluctuants de sécheresse et de fortes précipitations. Lorsque les forêts sont exploitées de façon non durable, l'intégrité des bassins hydrographiques locaux est menacée ou détruite. En revanche, lorsque les coupes sont faites avec sagesse et clairvoyance ou que les arbres sont laissés à eux-mêmes, les forêts peuvent continuer à jouer leur rôle de soupapes de sécurité pour les fleuves et leurs bassins hydrographiques.

La forêt tropicale amazonienne, réputée pour la diversité de sa faune et de sa flore, joue elle aussi un rôle de zone tampon écologique pour l'Amazone et les terres avoisinantes. Ce grand fleuve s'étend sur 6 500 kilomètres, des Andes à l'océan Atlantique. Il contient un cinquième de toute l'eau douce qui se déverse dans les océans et offre un habitat à 3 000 espèces de poissons — plus qu'aucun autre fleuve au monde. Pendant la saison sèche, les forêts bordant le fleuve sont relativement sèches elles aussi, mais lorsque la pluie survient (elle tombe pendant cinq à sept mois par année), le niveau du fleuve peut monter de neuf mètres. Sans zone de protection, un tel volume d'eau balaierait le sol des berges dans le fleuve et la région serait dévastée. Les plantes et les arbres de la forêt tropicale amazonienne, adaptés à leur submersion partielle ou totale pendant une bonne partie de l'année, constituent un parfait obstacle à l'érosion. Selon le climatologue brésilien Luiz Carlos Molion, ces forêts inondées interceptent près de 15 % de l'eau de pluie dans la région et servent d'éponges protectrices, car elles absorbent d'énormes volumes d'eau pendant la saison des pluies. Molion ajoute que leur destruction aurait pour conséquence la projection au sol de 4 000 mètres cubes par hectare et par année, provoquant une érosion massive qui balaierait le sol dans le fleuve Amazone.

Bien que la déforestation déséquilibre gravement l'écosystème, les arbres sont abattus à un rythme de plus en plus accéléré. Dans le tiers inférieur du bassin de l'Amazone, 15 à 20 % seulement des forêts inondées subsistent encore, tandis que 17 millions d'hectares de forêt tropicale sont détruits chaque année. Sur ces 17 millions d'hectares, 6 millions sont saccagés au Brésil. En quelques décennies, les États de Pará et de Maranhão, dans le nord du pays, ont perdu des forêts qui couvraient une superficie de la taille de la Grande-Bretagne. Les autorités locales disent que les forêts de ces deux États pourraient, dans quelques années, être entièrement décimées. Au Chili, l'abattage à des fins d'exportation est devenu abusif. De récentes études mettent le pays en garde : si des mesures ne sont pas prises, ses forêts auront complètement disparu en 2025.

À l'autre bout du continent, le Canada, qui possède près de 13 % des forêts de la planète, fait preuve d'une négligence tout aussi impensable. L'exploitation forestière ne fait qu'y augmenter au fil des ans, et le pays perd plus d'un million d'hectares annuellement, soit un hectare toutes les trois secondes. En outre, la coupe se fait au plus grand mépris des méthodes permettant de préserver la forêt. Comme l'explique Elizabeth May, du Sierra Club du Canada, environ 90 % de l'abattage en forêt sont des coupes à blanc et près de 90 % des régions exploitées chaque année sont des forêts de peuplement ancien. Ces régions sont pourtant systématiquement dévastées. Quand une forêt située dans un bassin hydrographique subit une coupe à blanc, un afflux soudain de sédiments peut détruire un écosystème aquatique en quelques minutes : les sédiments recouvrent le lit d'un lac ou d'un ruisseau et étouffent tous les organismes qui vivent au fond de l'eau. Et les glissements de terrain fréquemment provoqués par les coupes à blanc charrient souvent des agents polluants qui aboutissent dans les cours d'eau non encore contaminés.

En août 2001, le Programme des Nations Unies pour l'environnement a publié une sévère mise en garde à l'intention des citoyens du monde dans un rapport intitulé *An Assessment of the Status of the World's Remaining Closed Forests* (*Une évaluation de l'état des dernières forêts denses du monde*). Dans cette étude, le Programme dresse la liste des dernières forêts du monde dont le couvert est suffisamment dense pour protéger les bassins hydrographiques et la vie qu'ils abritent. Un cinquième de la planète seulement est encore recouvert de forêts durables, et seule une faible partie de ces forêts est protégée par les gouvernements. Ce qui est plus regrettable encore, c'est que la dévastation des dernières forêts se poursuit. Le pronostic de Klaus Toepfer, directeur général du Programme des Nations Unies pour l'environnement, est on ne peut plus clair : « À défaut d'un changement dans l'attitude des peuples et des gouvernements, les forêts denses qui subsistent encore, de même que la biodiversité qui leur est associée, sont vouées à disparaître au cours des prochaines décennies. »

Le réchauffement de la planète

La plupart des scientifiques sont arrivés à un consensus en ce qui concerne le phénomène connu sous le nom de « réchauffement de la planète », ou changement climatique. Au cours de la seconde moitié du siècle dernier, les gaz contribuant à l'effet de serre — gaz carbonique, méthane, oxyde d'azote et chlorofluorocarbures (CFC) — se sont diffusés dans l'atmosphère en quantités énormes, ce qui a eu des conséquences désastreuses. L'homme a non seulement dénudé la planète de ses forêts et provoqué ainsi un réchauffement de la surface terrestre, mais il a aussi surchargé l'atmosphère de gaz à forte capacité de rétention de la chaleur en utilisant inconsidérément des combustibles fossiles. Le résultat était prévisible : une planète plus chaude.

Selon le Groupe d'experts intergouvernemental des Nations Unies sur l'évolution du climat, la température mondiale moyenne a grimpé de 0,6 °C par rapport à la moyenne de l'époque préindustrielle. Si les émissions de gaz continuent à augmenter au rythme actuel, les concentrations de gaz à effet de serre pourraient, en 2080, être deux fois plus fortes qu'elles ne l'étaient en moyenne à l'époque préindustrielle — c'est-à-dire plus élevées qu'elles ne l'ont été depuis des millions d'années. Cette augmentation ferait monter la température mondiale moyenne de 2,5 °C et celle au-dessus des blocs continentaux de 4 °C. Ces hausses peuvent paraître minimes, mais il ne faut pas oublier qu'il y a 14 000 ans une hausse de la température de 4 °C à la surface de la Terre a suffi à mettre fin à la période glaciaire. Déjà, le niveau des océans monte en raison de la fonte des calottes polaires. Des scientifiques ont révélé que le siècle le plus chaud du dernier millénaire a été le XXe siècle ; la décennie la plus chaude du dernier millénaire, les années 90 ; l'année la plus chaude de cette décennie, l'an 2000 — et que 2001 a été plus chaude encore. Le niveau des océans a monté de 10 centimètres au cours du XXe siècle, essentiellement durant la seconde moitié.

Dans *The Ecologist*, Simon Retallack et Peter Bunyard écrivent : « Les conséquences [du réchauffement de la planète] sur la vie terrestre sont incommensurables. À cause de la hausse des températures, l'énergie accrue qui en résulte exerce une forte influence sur les systèmes climatiques de la Terre et entraîne davantage de phénomènes météorologiques violents. Tempêtes, inondations, sécheresse, tourbillons de poussière, élévation du niveau des mers, érosion des littoraux, pénétration d'eau salée dans la nappe phréatique, perte de récoltes, agonie des forêts, inondation des îles basses et propagation de maladies endémiques comme la malaria, la dengue et la bilharziose sont à prévoir si l'utilisation des combustibles fossiles n'est pas progressivement éliminée. [...] Partout dans le monde, l'agriculture devra faire face à de graves perturbations et des économies nationales pourraient s'effondrer. Des millions et des millions de réfugiés écologiques devraient alors fuir l'avancée des mers ou celle des déserts qu'ils laisseraient derrière eux dépouillés de toute végétation. Ce sont là les sinistres perspectives d'avenir de la planète. Les conseillers scientifiques du gouvernement du Royaume-Uni ont révélé que des millions de personnes sont d'ores et déjà condamnées à mourir à cause des effets du réchauffement de la planète qui se sont déjà déclenchés. »

L'effet du réchauffement sur les sources d'eau douce constitue un élément crucial de ce scénario. Les marais, déjà en danger, seront dévastés par des sécheresses plus fréquentes. Selon le Hadley Centre, groupe d'experts environnementaux très écouté du Royaume-Uni, la hausse du niveau des mers aura provoqué, en 2080, la perte de 40 à 50 % des marais côtiers dans le monde. Les grands bancs de vase laissés à découvert après chaque marée, de même que les marais salants et les dunes de sable des Pays-Bas, de l'Allemagne et du Danemark, qui sont autant d'aires de repos pour les oiseaux migrateurs, sont directement menacés. Les marais méditerranéens, les deltas du Nil en Égypte, de la Camargue en France, du Pô en Italie et de l'Èbre en Espagne et au moins 13 000 hectares de côtes anglaises, habitats vitaux pour les espèces sauvages, sont également en péril. Sur d'autres continents, le changement climatique pourrait provoquer la disparition des mangroves de la côte ouest-africaine, de l'Asie de l'Est, de l'Australie et de la Papouasie-Nouvelle-Guinée, qui protègent les lacs et les cours d'eau et préservent les milieux de frai des poissons d'eau douce.

Étant donné que le réchauffement du climat mondial élève la température à la surface de la Terre, les eaux du sol nécessaires au cycle de l'eau douce s'évaporent plus vite. Les eaux de surface (celles des lacs et des cours d'eau) s'évaporent elles aussi à un rythme plus rapide et le manteau nival nécessaire au réapprovisionnement des réserves d'eau douce devient de plus en plus mince. Autrement dit, lorsque la neige fond hors saison, elle s'évapore au lieu de s'écouler dans les ruisseaux et les rivières qui alimentent les lacs. Ces lacs posent eux aussi des problèmes lorsqu'ils ne gèlent plus sur toute leur surface. L'eau s'évapore moins vite lorsque le lac est recouvert d'une couche de glace, ce qui permet à une plus grande quantité d'eau de pénétrer dans le sol. Lorsque le gel est moins étendu, une grande partie de cette eau se perd dans l'atmosphère. De façon similaire, lorsque les glaciers issus de la période glaciaire fondent, les réseaux hydrographiques qu'ils alimentent perdent de l'eau. Au Canada, le glacier qui alimente la Bow (Alberta) fond si rapidement que, dans cinquante ans, il n'y aura sans doute plus d'eau dans cette rivière, sauf peut-être lors d'une crue subite occasionnelle.

Le réchauffement a également un effet négatif sur le *temps de séjour* de l'eau dans un lac. Aucune eau n'est statique, mais toute molécule d'eau reste à un endroit donné pendant une certaine période de temps. Le *temps de séjour,* ainsi que l'explique la naturaliste E. C. Pielou, représente la période de temps moyenne pendant laquelle toute molécule d'eau reste dans un lac. On calcule cette période en divisant le volume d'eau du lac par la vitesse à laquelle l'eau s'en évapore. Dans le nord-ouest du Canada, le changement climatique a déjà eu un effet dramatique sur le *temps de séjour* de l'eau dans un grand nombre de lacs. Dans une étude sur le sujet, il est dit que les précipitations dans la région sont passées de 1 000 à 650 millimètres par an et que les températures supérieures à la moyenne accéléraient l'évaporation de l'eau des lacs. En conséquence, le *temps de séjour,* dans un des lacs étudiés, est passé de 5 à 18 ans en quinze années. Cela signifie que le lac se renouvelle quatre fois moins vite qu'il ne le faisait à peine quelques années auparavant.

Des scientifiques affirment que le réchauffement de la planète est la plus grande cause de pénurie d'eau douce dans le monde. En outre, ils prévoient une baisse des niveaux hydrostatiques dans tous les grands lacs et fleuves de la planète. Les experts du Hadley Centre sont convaincus que le réchauffement aura, en 2050, provoqué la désertification de presque tout le bassin de l'Amazone. Et selon Nigel Arnell, de l'Université de Southampton en Angleterre, le réchauffement à lui seul aura pour conséquence que, cette année-là, 66 millions de personnes supplémentaires seront exposées au manque d'eau et que 170 millions de personnes de plus subiront de graves pénuries.

Les espèces envahissantes

L'invasion de l'habitat aquatique par des espèces étrangères, ou « exotiques », représente également une menace pour la faune d'eau douce, comme pour les lacs et les cours d'eau qui la nourrissent. Bien que cet envahissement ne résulte pas directement de la pollution, il constitue une forme de pollution dont la dangerosité n'a cessé de croître à mesure que la mondialisation et le libre-échange faisaient augmenter les risques que certaines espèces soient transportées dans des régions où leur présence peut être néfaste. Janet Abramovitz, du Worldwatch Institute, explique dans un rapport que les espèces exotiques s'attaquent aux poissons autochtones, occupent leurs milieux de frai et introduisent de nouvelles maladies dans leur habitat, tout en occultant parfois le dépérissement de l'écosystème. Un lac artificiellement peuplé peut contenir un grand nombre de poissons, mais si les nouveaux venus ne font pas partie de la chaîne alimentaire naturelle, il est fort possible que le reste de la faune originelle du lac ou du cours d'eau soit en déclin. Les exemples d'invasion d'espèces exotiques abondent. La rivalité entre des poissons exotiques et les poissons autochtones dans le lac Victoria, en Afrique, a provoqué l'extinction de

200 espèces de cichlidés et en menace 150 autres. L'introduction de la perche du Nil aux fins de la pêche commerciale a pratiquement éliminé la population de poissons autochtones dans ce lac.

Les cas les mieux étudiés, cependant, concernent les Grands Lacs d'Amérique du Nord. Il y a deux siècles, chacun de ces cinq lacs possédait sa propre communauté aquatique florissante. En 1900, 82 % des prises commerciales appartenaient à des espèces autochtones. En 1966, ces espèces ne représentaient plus que 0,2 % des prises, les 99,8 % restants étant des espèces exotiques qui, pour la plupart, décimaient les espèces locales. Janet Abramovitz précise que quelques poissons exotiques ont été introduits pour la pêche récréative, mais que la majorité d'entre eux sont arrivés par les canaux construits par l'homme ou dans le sillage des bateaux. La lamproie a presque supprimé les prises annuelles de touladis, ou truites grises, dans les lacs Michigan et Huron, et la moule zébrée (*Dreissena polymorpha*), arrivée de la mer Caspienne en 1988 dans le lest d'un bateau, est en train d'engorger tous les principaux lacs tributaires du bassin des Grands Lacs, éliminant de ce fait le plancton dont se nourrissent les moules d'eau douce et les poissons autochtones. En fait, l'état des Grands Lacs illustre de façon dramatique les menaces qui guettent l'eau douce. Ils subissent les conséquences de l'assèchement des marais, de la déforestation, de l'envahissement des espèces exotiques, du réchauffement de la planète et d'une pollution toxique massive. Le résultat est une réduction catastrophique de la biodiversité.

L'irrigation excessive et l'agriculture non durable

Là où les ressources hydriques ont déjà diminué, les êtres humains ont souvent recours à l'irrigation. À première vue, cette solution peut paraître valable, mais les effets à long terme de nombreuses méthodes d'irrigation sont alarmants. Sandra Postel, de

Global Water Policy Project, a étudié ces méthodes partout dans le monde et à travers l'histoire et a découvert que l'irrigation n'était pas toujours souhaitable, loin s'en faut. Même si elle permet de nourrir des milliards de personnes et fait fleurir le désert, l'irrigation intensive porte en elle les germes de sa propre destruction. Lorsque l'eau est utilisée pour les cultures vivrières dans une région aride, le sol doit être labouré plus souvent et il se fragmente alors en particules qui s'envolent au vent, ne laissant derrière elles qu'une croûte desséchée. La situation s'aggrave lorsque la terre est massivement irriguée sans drainage adéquat. Toute eau contient du sel, et l'eau d'irrigation qui n'est pas bien drainée laisse un résidu salin. Ce sel s'accumule et finit par rendre le sol impropre à l'agriculture. S'ajoutant à la sécheresse induite par l'homme, la salinisation a causé de graves problèmes en Chine, en Inde, au Pakistan, en Asie centrale et aux États-Unis. Elle a endommagé un cinquième des terres cultivables dans le monde et, chaque année, oblige des agriculteurs à abandonner un million d'hectares de terres arables.

Dans *Pillar of Sand,* ouvrage publié en 1999, Sandra Postel suit l'expansion de l'irrigation dans le monde. En 1800, les terres irriguées ne totalisaient que 8 millions d'hectares. Aujourd'hui, la surface des zones irriguées est trente fois plus grande. Aux États-Unis, la superficie des terres irriguées a doublé au cours des trente dernières années. L'humanité tire 40 % de son alimentation de ces terres, mais l'irrigation épuise les aquifères. L'aquifère d'Ogallala, dans l'ouest des États-Unis, sert à l'arrosage d'un cinquième des terres cultivées aux États-Unis. En Chine, les régions irriguées ont gagné 2,5 % dans les cinquante dernières années et les nappes souterraines procurent actuellement presque 20 % de l'eau nécessaire à près de 50 millions d'hectares de champs cultivés. Pour répondre à une demande d'eau qui n'a fait que croître au cours des quarante dernières années, la Chine a creusé plus de 2 millions de puits. Il y a aujourd'hui, dans le monde, environ 230 millions d'hectares de terres irriguées — 6 millions il y a deux siècles. Ces chiffres sont suffisamment éloquents pour traduire la pression énorme qui s'exerce sur les ressources d'eau douce. Les gros consommateurs d'eau dans ce secteur — la Chine, les États-Unis, l'Inde et le Pakistan — possèdent en fait plus de la moitié des terres irriguées du globe et font tous face à des problèmes croissants de sécheresse, de désertification, d'érosion de la couche arable et de manque d'eau.

Dans un rapport publié en juin 2001, l'Organisation des Nations Unies pour l'alimentation et l'agriculture déclare qu'un milliard de personnes vivent dans des contrées arides où les terres surexploitées ne peuvent plus produire suffisamment de nourriture. La désertification frappe maintenant 3,6 milliards d'hectares de terre dans plus de 100 pays et la situation ne fait que se détériorer. Dans quelques cas extrêmes d'irrigation massive, des réseaux hydrologiques entiers ont été asséchés. Le lac Tchad, par exemple, une des dernières grandes masses d'eau d'Afrique centrale, a rétréci de plus de 90 % depuis 1960, principalement à cause de l'irrigation. La baisse de niveau rapide des eaux déjà peu profondes de ce lac et l'épuisement de ses réserves de poissons pourraient susciter des tensions politiques entre les quatre pays qui se partagent ses eaux : le Soudan, le Tchad, le Nigeria et le Cameroun. Jadis, le lac Tchad était si grand qu'il était, croit-on, une des sources du Nil. Mais ses principales sources de renouvellement, le fleuve Chari et son affluent le Logone, largement exploités dès le début des années 1980 en vue de l'irrigation, sont presque à sec. La situation est d'autant plus critique que la zone connaît sa troisième décennie sans les pluies annuelles de la mousson. Cette sécheresse, ajoutée à l'érosion de la couche arable causée par une agriculture intensive, a transformé cette région, où un lac et son environnement existaient autrefois dans toute la majesté de leur bel équilibre écologique, en une véritable terre brûlée.

En 1999, le fleuve Zayandeh Roud, dans le nord de l'Iran, s'est également asséché en raison de pratiques d'irrigation abusives. Il était la source de vie des habitants d'Ispahan, au centre de l'Iran. Sa disparition a jeté une centaine de milliers d'agriculteurs dans la misère et n'a laissé aux vieux ponts et aux viaducs qu'un lit de

poussière à enjamber. Ces pratiques d'irrigation qui ont transformé un jardin en désert ont semé les germes de leur propre destruction. Les exploitations agricoles autrefois si prospères *et* les ressources hydriques ont maintenant disparu.

Mais le cas le plus tragique est celui de la mer d'Aral, dont le
bassin est partagé entre l'Afghanistan, l'Iran et cinq pays de l'ex-
Union soviétique. Ce lac intérieur salé, jadis le quatrième au
monde en superficie, était généreusement alimenté par deux
grands fleuves, l'Amou-Daria et le Syr-Daria. Après la Révolution
russe, les planificateurs du pouvoir central en Union soviétique ont
décidé d'irriguer les plaines d'Asie centrale et les déserts de l'Ouz-
békistan et du Kazakhstan avec de l'eau détournée de ces fleuves
afin de faire pousser du coton pour l'exportation. Un énorme système basé sur la mécanisation de l'agriculture a été créé, reposant
sur une irrigation massive et un vaste épandage de pesticides et
d'herbicides. Pendant une certaine période, le plan s'est déroulé de
façon acceptable d'un point de vue économique : l'Union soviétique est devenue, entre 1940 et 1980, le deuxième producteur
mondial de coton. Mais l'expérience s'est révélée catastrophique
pour sa prospérité à long terme, pour l'environnement et pour les
habitants de la région.

La mer d'Aral a perdu 80 % de son volume et l'eau qui lui reste
est dix fois plus salée qu'auparavant. Les marais avoisinants ont
rétréci de 85 %. Presque tous les poissons et les espèces d'oiseaux
aquatiques ont été décimés ; l'industrie de la pêche s'est effondrée.
Sans l'influence modératrice de la mer, les températures dans la
région sont devenues plus extrêmes encore et la saison propice aux
cultures est maintenant écourtée. Chaque année, le vent soulève
entre 40 et 150 millions de tonnes d'une mixture salée toxique provenant du lit de mer desséché et la dépose sur les champs cultivés.
Des millions de « réfugiés écologiques » ont fui la région. Les
familles qui s'accrochent à leur lopin de terre risquent de s'ajouter
à la liste déjà longue des personnes atteintes d'un cancer, en partie
à cause de l'usage de pesticides. En outre, une île maintenant

déserte, qui avait servi de site aux travaux de recherche et aux essais en matière d'armes biologiques, sera bientôt reliée au continent en raison de la baisse des eaux. Dès lors, les microbes aussi bien que les enceintes de confinement ne seront plus séparés de la terre habitée. Dans un article publié en 1987, les planificateurs du gouvernement ont prononcé l'arrêt de mort de la mer d'Aral : « Puisse la mer d'Aral mourir en beauté, ont-ils écrit. Elle est devenue inutile. »

Même si la crise n'a pas atteint de telles proportions en Amérique du Nord, la sécheresse, l'érosion des sols et le manque d'eau y font de sérieux ravages. Afin de retracer l'histoire de la sécheresse dans les Prairies canadiennes, Peter Leavitt et Gemai Chen, biologistes à l'Université de Regina (Saskatchewan), ont analysé des échantillons de sédiments provenant du lit de certains lacs. Ils pensaient ainsi être en mesure de prévoir les sécheresses à venir. Leur conclusion : « La probabilité que les Prairies subissent une sécheresse grave dans les trente prochaines années est très élevée. » David Schindler, le plus grand expert canadien dans le domaine de l'eau douce, est également de cet avis. En raison du réchauffement de la planète, les Prairies pourraient devenir un désert de poussière, et le lac Manitoba risque de s'assécher.

Afin de lutter contre le danger qui menace, les agriculteurs et les politiciens canadiens étudient la possibilité de procéder à une irrigation intensive, mais les experts les mettent en garde, car une telle pratique pourrait provoquer de graves pénuries d'eau, sans compter les problèmes propres à toutes les terres irriguées du monde. En guise d'exemples probants, ils rappellent ce qui s'est passé en Californie, où des milliards de dollars ont été dépensés pour détourner des fleuves à quelque 900 kilomètres de leurs sources vers le Midwest américain, où des déserts verdissent grâce à l'eau volée à la Nature, et dans les Grandes Plaines — le grenier à blé de l'Amérique —, où le sol est labouré jusqu'à épuisement.

Les Grandes Plaines constituaient jadis un vaste réservoir naturel de substances nutritives et de minéraux. C'est vers 1850 que la première charrue a retourné le sol, dont les richesses enfouies depuis des millions d'années ont attiré des gens affamés de tous les coins du monde. Mais les méthodes utilisées plus récemment — agriculture intensive et recours aux fertilisants et aux pesticides chimiques — ont été dévastatrices. Un labourage excessif a exposé le sol aux aléas climatiques; chaque hectare perd 17,5 tonnes de couche arable par an. Un tiers de cette couche arable ainsi qu'une bonne moitié des substances nutritives qui fertilisaient jadis les terres agricoles des Grandes Plaines n'existent plus.

Il n'empêche que le recours aux méthodes agricoles récentes est encouragé par le gouvernement américain. Ce dernier dispense 28 milliards de dollars par an en subventions et en réductions d'impôts aux fermiers de la région qui utilisent ces méthodes destructrices. Comment les agriculteurs pourraient-ils résister à une telle manne? Les Américains disent que les fermiers « cultivent le gouvernement ». Il semble que les sommes allouées à ces derniers soient proportionnelles aux dégâts causés par leurs dangereuses méthodes et par les quantités massives d'eau qu'ils gaspillent. En Californie, les fermiers paient rarement plus de 20 % du prix réel de l'eau destinée à l'irrigation. C'est pourquoi, au lieu de pratiquer des cultures plus appropriées à une région semi-aride, ils font pousser du coton. Ils cultivent aussi la luzerne, qui nourrit les bœufs de boucherie. Or 15 000 tonnes d'eau sont nécessaires pour produire une tonne de bœuf et presque autant pour produire une tonne de coton, alors que la culture du blé et celle du soja n'exigent que 2 % de ce volume. Mais le gouvernement américain continue néanmoins de subventionner ces cultures, payant ainsi les fermiers pour gaspiller l'eau et éroder les sols. Le même scénario se reproduit à peu près partout dans le monde. L'Institut des ressources mondiales affirme que les deux tiers de toutes les terres agricoles de la planète se sont dégradés au cours des cinquante dernières années, et qu'un grand nombre de pratiques préjudiciables aux exploitations agricoles ont des effets désastreux sur les réseaux hydrologiques de la planète.

Barrages et réservoirs

Pour faire face à la demande croissante d'eau douce, un grand nombre de gouvernements ont autorisé la construction de nouveaux barrages et le détournement de fleuves et de rivières. Les peuples des premières civilisations, des Romains aux Mayas, ont édifié des aqueducs et aménagé des systèmes d'irrigation. Le premier barrage dont l'histoire fait mention a été construit en Égypte, il y a 4 500 ans. Il était fait de terre, comme tous les barrages jusqu'à l'invention du béton. Mais la haute technologie a supplanté définitivement les voies de canalisation naturelle de l'eau et présidé à la construction de mégastructures permanentes, grâce auxquelles l'énergie des grands cours d'eau est mise à profit.

Au XXe siècle, 800 000 petits barrages et 40 000 ouvrages plus importants (d'une hauteur de plus de quatre étages) ont été construits. Plus d'une centaine de ces ouvrages colossaux dépassent les 150 mètres. La grande majorité de ces barrages ont été érigés à partir de 1950 et se retrouvent surtout en Chine, aux États-Unis, en ex-Union soviétique, au Japon et en Inde. De leur construction a résulté l'exploitation de 60 % des fleuves du monde. Aux États-Unis, 2 % seulement des fleuves et des rivières sont exempts de tout barrage et s'écoulent librement ; au Canada, on a détourné de leur bassin d'origine un plus grand nombre de rivières que partout ailleurs dans le monde — et la marge est considérable. Globalement, les réservoirs de retenue ont entraîné l'inondation de près d'un million de kilomètres carrés de terre et contiennent un volume d'eau six fois plus important que celui de tous les fleuves du monde.

Les barrages sont érigés pour diverses raisons : produire de l'hydroélectricité, faciliter la navigation, créer des réservoirs pour les villes et l'irrigation, et maîtriser les crues. Mais le grand barrage, qui fut un des symboles du pouvoir de l'homme sur la nature, suscite un discrédit de plus en plus répandu au fur et à mesure que se manifestent ses effets destructeurs sur l'environnement. Comme le résume si bien Patrick McCully dans *Silenced Rivers*, ouvrage écrit en 1996, le défaut des réservoirs, c'est qu'ils submergent d'immenses terres et que l'inondation d'un milieu végétal terrestre crée un habitat propice à la bactérie qui absorbe le mercure présent dans le sol. Les poissons peuvent ensuite ingérer ce mercure, qui entre ainsi dans la chaîne alimentaire, phénomène qui porte le nom de *bioaccumulation*. Le mercure devient alors beaucoup plus toxique pour la personne qui l'absorbe dans la nourriture que sous sa forme originelle. Les Cris du nord du Québec ont maintenant un taux de mercure très élevé dans leur organisme. En mangeant du poisson pêché dans les eaux qui ont été détournées pour la construction du barrage hydroélectrique de la baie James, 64 % d'entre eux ont ingéré cette substance toxique en quantités très élevées. L'empoisonnement au mercure peut causer la cécité, la stérilité et des lésions cérébrales.

Les réservoirs de barrage contribuent également au réchauffement de la planète. La submersion et la décomposition de la végétation provoquent le rejet d'énormes quantités de gaz carbonique et de méthane dans l'atmosphère — deux des principaux gaz à effet de serre. Un réservoir qui alimente une centrale hydroélectrique produit parfois une quantité de gaz à effet de serre aussi abondante que celle libérée par une génératrice fonctionnant au charbon. Selon Patrick McCully, l'inondation à grande échelle la plus spectaculaire du monde s'est produite en Amérique du Sud. La construction du barrage Brokopondo, dans le Surinam, a submergé 1 500 kilomètres carrés de forêt tropicale — soit 1 % de la superficie totale du pays. La décomposition des matières organiques présentes dans le réservoir peu profond a gravement désoxygéné l'eau et provoqué des émissions de sulfure d'hydrogène, gaz corrosif à l'odeur nauséabonde, en quantités si massives que les ouvriers ont dû porter un masque au cours des deux années suivant le remplissage du réservoir, en 1964.

Il faut aussi noter que le poids énorme de l'eau qui occupe un bassin non destiné à la contenir déforme la croûte terrestre, ce qui provoque parfois des tremblements de terre. Il est maintenant clairement établi que quelque 70 barrages ont causé de légers séismes. En fait, le déplacement de ces masses d'eau au moyen de la technologie humaine a un effet sur la rotation de la Terre. Les géophysiciens pensent que les barrages ont légèrement modifié la vitesse de la rotation du globe et la forme de son champ de gravitation.

Les barrages et les réservoirs ont une incidence dramatique sur les écosystèmes. Une couche massive de sédiments recouvre le lit des rivières et des fleuves et bloque les voies qu'emprunte l'eau. C'est d'ailleurs essentiellement en raison du dépôt de ces sédiments que tant de fleuves n'arrivent plus à la mer. Et dans la mesure où les barrages augmentent la superficie de l'eau exposée au soleil, en particulier dans les pays chauds, ils provoquent l'évaporation d'une immense quantité d'eau. Chaque année, dans le monde, près de 170 kilomètres cubes d'eau s'évaporent des réservoirs, ce qui représente presque un dixième du volume total de l'eau douce utilisée pour les principales activités humaines. En raison de cette évaporation, une quantité anormale de sel se dépose, et la salinité plus élevée des grands fleuves du monde détruit marais et marécages, y saccage la vie aquatique et rend le sol environnant impropre à l'agriculture.

Les poissons sont eux aussi des victimes, en particulier ceux qui migrent, comme les saumons : lorsque ces derniers arrivent devant un barrage, ils essaient de le franchir, mais ils ne peuvent bondir assez haut pour passer cet obstacle et un grand nombre d'entre eux meurent. Le débit réduit du fleuve, en aval du barrage, détruit l'habitat des poissons, tout comme le font les eaux plus chaudes privées d'oxygène. Avant qu'un barrage ne soit construit sur le fleuve Columbia, 2 millions de poissons le remontaient chaque année pour aller frayer. Ce nombre a aujourd'hui diminué de moitié. Après la construction du barrage Pak Mun, en Thaïlande, les 150 espèces de poissons qui vivaient dans le fleuve Mun ont pratiquement disparu. À l'issue de cinq années de travaux et d'études, les scientifiques de l'Alliance mondiale pour la nature ont déclaré à la Commission mondiale des barrages, patronnée par les Nations Unies : « Nous [en] concluons [...] que ce sont surtout les barrages qui menacent et qui minent la biodiversité en eau douce. »

Pays industrialisés et pays non industrialisés sont piégés dans un réseau de lacs toxiques et de terres agricoles désertifiées et dans un gaspillage d'eau qui menacent la vie et le bien-être de leurs citoyens. Des gouvernements bien intentionnés ont voulu améliorer les conditions de vie de tous en investissant dans des projets de drainage de marais et de construction de barrages, mais ils ont en fait établi les fondations d'un système qui se retourne contre ceux-là mêmes qu'il est censé servir. Puisqu'on connaît aujourd'hui les effets nuisibles, et même catastrophiques, de telles pratiques, il est devenu impératif de les abandonner. Malheureusement, s'ajoutant à l'inertie qui gagne parfois les individus confrontés à la nécessité de changer leurs habitudes, des gouvernements aveugles et mal intentionnés et des entreprises cupides ont uni leurs forces afin de poursuivre des objectifs basés d'abord et avant tout sur le profit — accélérant ainsi la contamination et le gaspillage de l'eau douce. Il ne fait aucun doute que les gouvernements et les entreprises paieront un jour le prix de leurs déprédations. Mais d'ici là, un grand nombre de citoyens en souffriront.

CHAPITRE 3

MOURIR DE SOIF

*La crise mondiale de l'eau douce menace
l'humanité tout entière*

La crise mondiale de l'eau a un effet dévastateur sur la qualité de vie de milliards de citoyens du monde piégés entre deux réalités indissociables : la rareté de l'eau et sa pollution. En fait, l'aggravation de cette crise est devenue une véritable question de vie ou de mort pour un nombre croissant d'êtres humains. L'eau douce se retrouve au centre d'une rivalité féroce et d'une lutte acharnée au sein des sociétés et des classes sociales ainsi qu'entre les nations.

Les *maquiladoras,* zones franches industrielles qui s'étalent sur les 3 400 kilomètres de la frontière séparant le Mexique des États-Unis, sont des cloaques à ciel ouvert. Les fleuves et les rivières de la région sont si pollués que seulement 12 % des habitants ont accès à une eau potable. La plupart vivent dans des maisons dépourvues de système d'évacuation des eaux usées. Dans les bidonvilles qui entourent ces zones, où les baraques sont faites de carton et de fer-blanc, la précieuse eau potable est livrée par camion une fois par semaine. Pour le million d'habitants qui ont afflué sur ces lieux au cours des cinq dernières années, l'absence d'eau est devenue le symbole de leur misère. Quant à l'eau dont ils disposent, elle est porteuse de maladies et provoque des diarrhées graves. Si les habitants boivent l'eau potable qu'on leur livre, l'eau que les autorités locales leur distribuent leur sert encore pour la cuisine, les ablutions et l'irrigation des cultures — contaminant ainsi les fruits et légumes récoltés.

La crasse qui règne dans les *maquiladoras,* leurs eaux mortifères et une pauvreté sordide poussent des milliers de jeunes Mexicains à fuir leur pays. Chaque nuit, des malheureux courent vers la frontière pour essayer d'entrer illégalement aux États-Unis, où ils espèrent trouver une vie meilleure. Les points de passage sont dangereusement pollués. Une autoroute à six voies sépare des villes comme Tijuana et Juárez de la piste poussiéreuse et désolée où les candidats à l'émigration se rassemblent au crépuscule. Une berge bétonnée mène à un canal, profond de 65 centimètres, où s'écoule lentement un mélange de boue chimique et d'eaux usées. De l'autre côté s'élève un mur de ciment vertical qui est surmonté d'une grosse clôture de fils barbelés et électrifiés et qu'éclairent de puissants projecteurs. L'odeur, tout au long du point de passage, est insupportable : excréments humains et animaux, aiguilles et préservatifs usagés, déchets de toutes sortes se décomposent dans la petite rivière fangeuse et puante que les hommes doivent traverser pour passer de l'autre côté. Les produits chimiques et les déchets pénètrent dans leurs chaussures. Qu'ils atteignent les États-Unis ou se fassent épingler par les patrouilles de sécurité américaines, ils auront dû patauger dans ce canal de boue et devront y passer à nouveau s'ils s'obstinent à fuir leur misère.

Ceux qui n'ont pas trouvé de travail dans les *maquiladoras* se rassemblent près du point de passage pour vendre des tacos, des préservatifs, de la drogue et… des sacs en plastique. Même les plus misérables des candidats à cette immigration illégale sont prêts à se défaire de quelques sous si précieux pour pouvoir envelopper leurs pieds dans des sacs en plastique afin de les protéger de l'eau empoisonnée.

Des eaux mortifères

La moitié des habitants de la planète ne dispose pas d'installations ou d'appareils sanitaires de base. Chaque fois qu'ils boivent un verre d'eau, ils ingèrent des substances que Anne Platt, du Worldwatch Institute, appelle des « tueurs hydriques ». Il n'est donc pas surprenant que 80 % des maladies dans les pays pauvres du Sud se propagent par la consommation d'eau contaminée. Les statistiques donnent pour le moins à réfléchir : 90 % des eaux usées dans le tiers-monde continuent à être déversées, sans avoir été traitées, dans les rivières et les fleuves ; des agents pathogènes et la pollution d'origine hydrique tuent 25 millions de personnes chaque année ; un enfant meurt toutes les huit secondes d'avoir bu de l'eau contaminée ; chaque année, la diarrhée tue près de 3 millions d'enfants, ce qui équivaut au quart des décès enregistrés dans ce groupe d'âge. La qualité de plus en plus mauvaise de l'eau douce est responsable de la réapparition, dans de nombreuses régions du monde où ces maladies avaient été pratiquement éradiquées, des cas de malaria, de choléra et de typhoïde. Et ces maladies prolifèrent lorsque la population est dense, les installations sanitaires inexistantes ou insuffisantes, et la pauvreté endémique. De 1990 à 1992, le nombre de malheureux atteints de choléra est passé de 100 000 à 600 000 dans le monde. Ces chiffres ont continué à grimper au cours de la décennie, bien que de façon moins marquée.

En 1991, un cas de pollution a déclenché une poussée épidémique de choléra au Pérou. Cette année-là, un bateau chinois avait déversé ses eaux usées dans une baie de Lima. Trois semaines plus tard, le choléra avait gagné toute la côte, causant de fortes diarrhées, une grave déshydratation et parfois la mort. Au cours de l'année suivante, près de 3 000 Péruviens sont décédés des suites de la maladie. Deux ans plus tard, l'épidémie avait contaminé les réserves d'eau de toute l'Amérique latine, à l'exception de deux pays, et frappé 500 000 personnes.

En Afrique, les habitants sont exposés à un grand nombre de maladies d'origine hydrique. On estime que 200 000 personnes souffrent de schistosomiase, ou bilharziose, maladie parasitaire causée par les larves de la bilharzie, que l'on trouve souvent dans l'eau d'irrigation provenant des barrages. Elle provoque la cirrhose et des lésions intestinales graves. Dix-huit millions d'Africains sont victimes de l'onchocercose, ou « cécité des rivières », dont l'agent infectieux est une mouche noire qui se reproduit dans les fleuves pollués. Pendant la guerre civile au Soudan, en 1997, des milliers de personnes fuyant les combats ont été hébergées dans des camps de réfugiés, où elles ont bu de l'eau putride infectée par des trypanosomes, dont l'agent transmetteur est la mouche tsé-tsé. Ces parasites du sang provoquent une maladie grave, communément dénommée *maladie du sommeil.*

Certains germes pathogènes — le cryptosporidium, la bactérie *E. coli,* le giarda — prolifèrent rapidement par suite d'un traitement insuffisant des eaux. Ces maladies calamiteuses, qui semblent revenir en force, sont causées par de trop fortes infiltrations dans l'eau de substances provenant de déjections animales et humaines. Dans certains cas, elles sont le résultat d'une surpopulation dans des espaces trop limités, où les gens vivent juste à côté de leurs sources d'eau non traitée. Une famille africaine est parfois obligée de déféquer près de son puits. Si elle a du bétail, les animaux font de même. Un enfant d'un bidonville philippin n'a souvent d'autre choix que de faire ses besoins près du réservoir d'eau de sa famille. Et il arrive que des villages entiers boivent de l'eau d'un fleuve ou d'une rivière qui charrie des eaux usées.

Dans d'autres cas, ce sont les compressions budgétaires gouvernementales qui nuisent à la qualité de l'eau potable. Au Canada, le gouvernement de la province de l'Ontario a procédé à des coupes sombres dans le budget du ministère de l'Environnement. Les infrastructures destinées à l'épuration de l'eau douce en ont souffert. En outre, des experts chevronnés en analyse de l'eau ont été licenciés. Les analyses, auparavant effectuées par des spécialistes gouvernementaux, ont été confiées à des laboratoires privés. En 1999, une étude du gouvernement fédéral a révélé qu'un tiers des puits ruraux de l'Ontario étaient contaminés par la bactérie *E. coli*. En juin 2000, au moins sept personnes, dont un bébé, ont perdu la vie parce qu'elles avaient bu l'eau distribuée par la municipalité de Walkerton.

En Afrique, dans les années 1980 et 1990, les remboursements de plus en plus élevés de la dette extérieure ont forcé de nombreux pays à réduire les services d'assainissement et d'approvisionnement en eau qu'ils offraient à leurs concitoyens. Il ne s'agit là que de quelques-uns des pays du tiers-monde qui consacrent encore aujourd'hui 70 % de leur budget national au remboursement de leur dette au Fonds monétaire international et à la Banque mondiale. Les tragédies qui ont découlé de cette situation ont été décrites en détail par Peter Gleick, du Pacific Institute for Studies in Development, Environment and Security, organisme qui rassemble un groupe d'experts très respectés en matière de problèmes d'origine hydrique et dont le siège social se trouve en Californie. À Nairobi, au cours des années 1980, les investissements pour l'eau ont baissé de 90 % en cinq ans seulement. Au Zimbabwe, 25 % des pompes à eau en milieu rural sont tombées en panne lorsque le gouvernement a réduit de moitié les fonds nécessaires à leur entretien. En 1995, le taux de dysenterie à Kinshasa a grimpé soudainement lorsque les sommes nécessaires à la chloration ont été épuisées. Les cas de choléra et les décès y ont augmenté de façon dramatique.

La récente épidémie de choléra qui a éclaté en Afrique du Sud résulte directement de la décision du gouvernement de couper l'eau aux familles qui ne pouvaient pas payer leur facture. Plus de

100 000 habitants de la province de Kwazoulou Natal ont attrapé le choléra. Cette terrible maladie a entraîné la mort de 220 personnes en dix mois à partir du moment où, en août 2000, le gouvernement sud-africain, obéissant à la Banque mondiale, a commencé à appliquer un programme de « récupération des coûts » et à refuser eau et services sanitaires à plusieurs milliers de citoyens qui, jusque-là, en bénéficiaient gratuitement.

Quelques maladies causées par la pollution s'attaquent autant, et parfois davantage, aux citoyens des pays industrialisés du Nord qu'aux habitants du tiers-monde. Dans les deux hémisphères, l'ingestion de plomb a été associée à une baisse des facultés cognitives et à des troubles du comportement chez les enfants. Dans le sous-continent indien, 6 millions de personnes ont été empoisonnées par du fluorure. Le mélange de sous-produits désinfectants ménagers et industriels et du chlore ajouté à l'eau est responsable de certains cancers mortels. L'arsenic est associé aux cancers de la vessie, de la peau et des poumons. Au cours de la dernière décennie, des concentrations élevées de ce poison ont été détectées au Bangladesh, où une pompe à eau sur cinq était contaminée à l'arsenic. Cette contamination n'était cependant pas liée au rejet de déchets toxiques : obligés de puiser de plus en plus profondément en raison de la pollution et du tarissement de certaines nappes souterraines, les consommateurs buvaient une eau naturellement empoisonnée par de l'arsenic.

L'Agence de protection de l'environnement des États-Unis estime que plus de la moitié des puits du pays sont contaminés par des pesticides et des nitrates. Les pesticides, les produits chimiques comme le perchloréthylène, les BPC et les dioxines s'accumulent dans les tissus adipeux des animaux, des poissons et des êtres humains et peuvent déclencher des cancers. Le groupe américain Physicians for Social Responsability explique que l'ingestion de fortes concentrations de nitrates provenant des puits peut causer, chez les nourrissons, une affection portant le nom de méthémoglobinémie, mortelle dans 8 % des cas. Le Women Environmental

Network, en Angleterre, affirme que 8 % des enfants du pays souffrent de troubles du système nerveux et de pertes de mémoire en raison de leur exposition aux dioxines et aux BPC, et l'Organisation mondiale de la santé a déclaré que l'utilisation croissante de pesticides tue 40 000 personnes chaque année.

Quelques maladies sont associées à un mauvais entretien des conduites d'eau. La moitié des habitants des pays industrialisés du Nord, et beaucoup plus dans les pays pauvres, sont porteurs de la bactérie *Helicobacter pylori*, qui provient des dépôts visqueux s'accumulant dans les conduites d'eau. Cette bactérie cause des ulcères et des cancers de l'estomac, où elle se loge. Elle est très présente dans l'eau des puits non chlorée et dans les réserves d'eau des pays du tiers-monde.

Un accès inégal

Il n'existe aucun endroit sur Terre où un être humain pourrait se mettre à l'abri de la crise de l'eau. Même les États-Unis, pays si prospère, sont touchés. Selon le National Resources Defense Council, quelque 53 millions d'Américains — soit près d'un cinquième de la population — boivent au robinet une eau contaminée par du plomb, des bactéries fécales ou d'autres agents polluants dangereux. Selon l'Agence de protection de l'environnement des États-Unis, l'incidence des maladies causées par la pollution des eaux souterraines a augmenté de 30 % entre 1995 et 1998.

Bien entendu, ce sont les pauvres de ce monde qui sont le plus durement frappés — tant par les maladies d'origine hydrique que par les pénuries d'eau. Un rapport du Conseil économique et social des Nations Unies transmis à la Commission des Nations Unies sur le développement durable affirme que les trois quarts de la population exposée à des conditions de stress hydrique — soit 26 % de la population mondiale — vivent dans des pays du tiers-monde. En 2025, selon la Commission, le nombre de citoyens des pays à faibles revenus qui seront victimes de stress hydrique représentera 47 % de la population du globe. On sait déjà que la grande majorité des mégalopoles dans lesquelles plus de 50 % des citoyens n'ont pas accès à une eau propre sont situées dans le tiers-monde et que les taux de croissance démographique les plus élevés se retrouvent dans leurs quartiers pauvres. On estime que, en 2030, plus de la moitié de la population de ces immenses agglomérations urbaines habitera dans les bidonvilles environnants et ne disposera d'aucun approvisionnement en eau ni d'aucun service d'évacuation des eaux usées et des ordures.

On dit souvent que l'explosion démographique est une « bombe hydrique » qui ne tardera pas à éclater. Il s'agit là d'une très plausible éventualité. Chaque année, 80 millions de personnes s'ajoutent à la population mondiale et doivent partager avec elle des réserves d'eau douce qui ne font que diminuer. Comme le fait remarquer Riccardo Petrella, expert en eau, un examen simpliste des données brutes pourrait encourager certains à attribuer toute la responsabilité de la situation au tiers-monde, où a lieu cette explosion démographique, et à négliger le fait que les citoyens des pays du Nord consomment beaucoup plus d'eau douce — et d'autres biens, du reste — que les habitants du tiers-monde.

Le cinquième le plus riche de la population mondiale consomme 86 % de tous les biens produits. Selon Petrella, un nouveau-né en Occident, ou un bébé d'une famille riche du Sud, consomme 40 à 70 fois plus d'eau qu'un enfant du Sud sans accès à l'eau. Les Nord-Américains utilisent 1 280 mètres cubes d'eau par personne et par année ; les Européens, 694 mètres cubes ; les Asiatiques, 535 mètres cubes ; les Sud-Américains, 311 mètres cubes ; et les Africains, 186 mètres cubes. Bien que l'Européen moyen consomme deux fois moins d'eau que l'Américain moyen, sa consommation est encore très élevée par rapport à celle des citoyens des pays non industrialisés. Le paradoxe, dans tout cela, c'est que les

Européens, ainsi que le soulignent les Nations Unies, dépensent 11 milliards de dollars américains par an en crème glacée, c'est-à-dire 2 milliards de dollars de plus que la somme nécessaire pour fournir de l'eau propre et des égouts fonctionnels et salubres à la population mondiale.

L'écart entre les niveaux de consommation au Nord et au Sud reflète certes le fait que certaines régions de la planète disposent de réserves d'eau douce plus abondantes que d'autres, mais cette explication ne suffit pas. Les Australiens, par exemple, qui occupent le continent le plus aride du globe, utilisent 694 mètres cubes d'eau par personne et par an — la même quantité que les Européens — parce que leur culture basée sur la consommation les pousse à gaspiller d'énormes volumes d'eau. Par contre, la Chine, qui a presque autant d'eau douce que le Canada, est considérée comme un pays en crise en raison des demandes importantes de sa population et de la pollution de ses eaux de surface.

Ce sont les pays du Nord qui portent la responsabilité de cette disproportion dans la consommation d'eau dans le monde, notamment en raison des habitudes individuelles qui y règnent. Les citoyens des pays les plus riches tiennent cette ressource pour acquise ou ont les moyens de l'acheter, même si elle est chère. Et leur mode de vie les pousse à consommer des quantités astronomiques d'eau : lavage fréquent du véhicule récréatif, arrosage abondant des pelouses et des terrains de golf, remplissage des piscines, utilisation de toilettes engloutissant 18 litres d'eau chaque fois que la chasse est tirée. Un autre facteur important de disparité entre pays riches et pauvres réside dans l'usage massif de l'eau à des fins industrielles. La mondialisation a fait surgir usines et fabriques partout dans le monde, mais la plupart se trouvent encore dans le Nord. Et la présence d'industrie est synonyme de consommation d'eau massive. Si c'est l'agriculture qui consomme l'énorme majorité de l'eau dans le tiers-monde, l'industrie en utilise autant que l'agriculture en Amérique du Nord et deux fois plus en Europe. Les ressources hydriques des pays dits « développés » ne sont pas encore aussi rares que celles du tiers-monde, mais leur gaspillage se poursuit sans relâche en raison d'un mode de vie basé sur une consommation à outrance.

Les Nord-Américains et les Européens se sont engagés sur une pente qui va les mener tout droit à des pénuries d'eau. Les ressources, sur leurs continents, semblent abondantes, mais elles ne sont pas illimitées, et le rythme actuel de la consommation ne peut que conduire à l'épuisement des réserves, surtout si les pays non industrialisés tentent d'adopter le mode de vie nord-américain. Si cette tendance se poursuit, nous vivrons bientôt sur une planète en manque d'eau propre. Pour avoir un aperçu de ce que l'avenir nous réserve, il suffit d'observer ce qui se passe dans le tiers-monde. Dans les pays très peuplés d'Asie, d'Afrique et d'Amérique latine, les accumulations de déchets d'origines animale et humaine, auxquels s'ajoutent ceux des fermes industrielles, exposent de plus en plus de personnes au choléra et aux maladies mortelles causées par la bactérie *E. coli*. La plupart des gouvernements de ces pays n'ont même pas les moyens d'acheter le chlore nécessaire à l'assainissement de leur eau. Et dans les collectivités où l'on puisait dans les aquifères à l'aide de pompes manuelles en raison de la pollution des eaux de surface, les déchets humains et chimiques qui suintent dans ces aquifères y ont rendu l'eau impropre à la consommation. En Chine, 80 % de la population boit de l'eau contaminée. En Papouasie-Nouvelle-Guinée, un quart des habitants vivent dans des conditions critiques parce qu'ils ne disposent pas d'eau propre, bien que leur contrée soit riche en eau. En Inde, 70 % de la population ne disposent pas d'un système de drainage adéquat. À Manille, aux Philippines, les pénuries d'eau frappent 40 % des habitants ; dans la plupart des villes du tiers-monde, l'eau est souvent rationnée et les citoyens ne peuvent en obtenir que quelques heures par jour ou quelques jours par semaine.

Plus que d'autres peuples, les Africains ont toujours souffert de la mauvaise qualité de leur eau. Sur les 25 pays, d'après l'ONU, qui disposent de très peu d'eau salubre, 19 font partie du continent africain. Par ailleurs, c'est aussi sur ce continent que se rencontre le plus haut taux de mortalité associé aux diarrhées graves, ainsi que la plus forte incidence de la malaria et d'autres maladies d'origine hydrique. L'eau, à Nairobi, est si rare que les habitants des bidonvilles ont commencé à se raccorder aux principales conduites d'évacuation des eaux usées. Pour près de 15 millions de Sud-Africains, la source d'eau la plus proche est à plus d'un kilomètre. Selon Water Policy International, l'ensemble des Sud-Africaines parcourent chaque jour une distance équivalant à 16 allers et retours Terre-Lune pour quérir de l'eau !

Les privilèges des bien nantis

Bien que les inégalités en matière d'eau doivent être mises en parallèle avec celles qui existent entre pays industrialisés et pays non industrialisés, des disparités existent également à l'intérieur de chaque société. Dans les pays pauvres, les plus démunis paient leur eau plus cher que les riches. L'eau municipale, subventionnée par l'État, est distribuée à domicile aux riches. Quant aux membres de la classe moyenne, ils peuvent installer chez eux un petit réservoir destiné à recevoir l'eau livrée par camion ou faire creuser un puits (les mieux nantis de la classe moyenne peuvent même, lorsque le niveau d'eau commence à baisser, faire creuser un nouveau puits plus profond). Par contre, les pauvres doivent remplir leurs bidons aux réservoirs des distributeurs d'eau privés, et cette eau leur coûte 100 fois plus cher que celle livrée aux riches par les municipalités. Anne Platt, du Worldwatch Institute, signale que les familles faisant partie des 20 % les plus riches au Pérou, en République dominicaine et au Ghana sont respectivement trois, six et douze fois plus susceptibles de bénéficier d'un approvisionnement en eau courante à la maison que les familles faisant partie des 20 % les plus pauvres.

À Lima, au Pérou, les pauvres vont jusqu'à donner trois dollars à un distributeur privé pour obtenir un mètre cube d'eau, qu'ils doivent recueillir dans un seau ou un bidon et qui est souvent contaminée. Les mieux nantis, par contre, ne paient le mètre cube d'eau traitée que 30 cents et n'ont qu'à ouvrir le robinet. Les habitants des quartiers pauvres de Tegucigalpa, la capitale du Honduras, consacrent des sommes beaucoup plus substantielles à l'eau livrée par les camions-citernes d'entreprises privées que celles qu'ils devraient verser à l'État pour qu'il installe l'eau courante chez eux. À Dhaka, au Bangladesh, des squatters achètent leur eau douze fois plus cher que celle fournie par les services publics locaux. Et à Lusaka, en Zambie, les familles à faibles revenus consacrent, en moyenne, la moitié du budget familial à l'eau.

Les bien nantis d'un pays et les touristes riches qui s'y rendent ont eux aussi un accès très privilégié à l'eau douce. En 1994, lorsque l'Indonésie a été frappée par une longue sécheresse et que les puits des habitants se sont asséchés, chaque terrain de golf de Jakarta a néanmoins continué à recevoir, pour satisfaire les touristes amateurs de ce sport, 1 000 mètres cubes d'eau par jour. En 1998, au plus fort d'une sécheresse de trois ans qui a tari les réseaux hydrologiques et épuisé les aquifères de Chypre, le gouvernement de ce pays a diminué de 50 % la distribution d'eau aux fermiers afin de garantir aux 2 millions de touristes annuels toute l'eau qu'ils désiraient. Mais lorsque race et classe sociale se conjuguent, les privilèges hydriques peuvent devenir révoltants. En Afrique du Sud, 600 000 agriculteurs blancs consomment 60 % des réserves d'eau du pays pour l'irrigation de leurs terres, alors que 15 millions de Noirs n'ont même pas un accès direct à l'eau pour leur consommation personnelle.

La situation n'est pas meilleure au Mexique. Dans les *maquiladoras* qui longent la frontière américaine, l'eau propre est si rare que les bébés et les enfants doivent boire du Coca-Cola et du Pepsi-Cola. En 1995, durant une sécheresse qui a sévi dans le nord du pays, le gouvernement a interrompu l'approvisionnement en eau aux fermiers afin de maintenir les réserves d'urgence des industries de la région, d'origine étrangère pour la plupart.

Des récoltes menacées

Dans la mesure où les cultures vivrières, partout dans le monde, sont devenues de plus en plus dépendantes de l'irrigation, l'absence de sources d'eau douce menace également les récoltes. Pour simplifier, disons qu'un grand nombre de régions agricoles n'ont plus d'eau pour irriguer leurs sols. Comme on a pu le lire au chapitre précédent, 40 % des produits alimentaires proviennent de terres irrigués, dont le nombre a crû de façon exponentielle au cours des dernières décennies.

Une telle évolution des conditions de production de nourriture fait peser de lourdes contraintes sur les réserves d'eau souterraines. Globalement, la culture de fruits, de légumes et de céréales exige de si grandes quantités d'eau que Sandra Postel, de Global Water Policy Project, a écrit, dans *Pillar of Sand,* que de nombreuses régions agricoles importantes ne se maintiennent que grâce à l'équivalent hydrologique du financement d'un déficit. En prélevant l'eau des réserves actuelles pour irriguer leurs terres afin de les cultiver, les fermiers provoquent d'importants déficits en eau, qui devront un jour être compensés. Le déficit annuel (autrement dit, la perte nette d'eau) en Inde, en Chine, aux États-Unis, en Afrique du Nord et dans la Péninsule arabique s'élève au total à environ 160 milliards de mètres cubes.

Sandra Postel estime que près de 180 millions de tonnes de céréales — environ 10 % des récoltes mondiales — sont produites grâce au pompage de réserves d'eau qui ne se renouvellent pas. En 2025, 2 000 kilomètres cubes supplémentaires d'eau d'irrigation seront nécessaires pour nourrir la population mondiale. Mais puisque les besoins de l'agriculture engendrent déjà des déficits en eau, comme le souligne Sandra Postel, où les fermiers vont-ils trouver le surcroît d'eau qui sera indispensable pour satisfaire la demande de nourriture des 2 milliards de personnes qui s'ajouteront à l'humanité au cours des prochaines décennies?

Bilan négatif pour les barrages

Les souffrances humaines provoquées par la construction des grands barrages (associée, bien sûr, à l'augmentation massive de l'irrigation partout sur la planète) sont aussi insoutenables que les retombées nuisibles à l'environnement qui en découlent. Au cours des six dernières décennies, 60 à 80 millions de personnes ont été déplacées en raison de la construction de barrages. Ces légions de *oustees* («expulsés»), comme on les appelle en Inde, ont subi un choc culturel, émotionnel et économique à la suite de la destruction de leur sentiment d'appartenance sociale, de leurs moyens d'existence et de leurs liens avec leur milieu ancestral. Cette situation est bien connue du groupe américain International Rivers Network, qui a su persuader l'ONU de la nécessité de mettre sur pied une commission d'enquête sur les barrages. Selon Patrick McCully, membre du groupe, des familles ont souvent été forcées de quitter leur maison sans compensation financière ou avec une compensation minimale, et des millions de familles de petits agriculteurs ont échoué dans les bidonvilles situés à la périphérie des villes surpeuplées du tiers-monde. Ces chiffres ne tiennent même pas compte des millions de personnes qui vivent encore près des terres, des rivières ou des fleuves avoisinants, malgré les conséquences destructrices pour eux qu'entraîne la construction des ouvrages de dérivation.

C'est l'Inde et la Chine qui ont engendré le plus grand nombre de *oustees*. Et les gouvernements de ces pays ont agi sans pitié pour mener à bien leur expulsion. Selon les chiffres du gouvernement chinois, 10 millions de personnes au moins ont été déplacées au cours des trois décennies postérieures à la Révolution chinoise de 1949, pendant lesquelles on a construit plus de 600 grands barrages par an. Mais certains observateurs estiment que ce nombre fut beaucoup plus élevé. Dai Qing, critique chinois des barrages, avance un total de plus de 40 millions. Il faut préciser que la plupart de ces expulsions ont été brutales. En 1958, par exemple, plusieurs centaines de milliers de personnes ont été expulsées avant la construction du barrage Xinanjiang. Des fonctionnaires chinois, qui avaient ordonné que l'opération soit menée « comme une bataille », ont chargé des ouvriers de démolir les maisons des paysans expulsés. Puis ceux-ci, traumatisés, ont dû marcher plusieurs jours pour atteindre le lieu de leur réinstallation. Plus récemment, près de 200 000 personnes ont été déplacées pour que soit entreprise la construction du barrage Xiaolangdi, ouvrage de 4 milliards de dollars américains maintenant en voie d'achèvement sur le fleuve Jaune. En outre, des observateurs craignent la répétition de l'échec du projet du barrage Sanmenxia construit en amont du même fleuve dans les années 1950. La construction de ce barrage aurait provoqué un dépôt massif de sédiments et l'inondation des berges. Lorsque la ville ancienne de Xian a été menacée, Mao a ordonné qu'on dynamite le barrage. De nouveaux plans ont ensuite été dessinés, et la nouvelle construction renforcée a causé l'inondation de 66 000 hectares de terres fertiles. D'après un rapport de la Banque mondiale, la majorité des 410 000 personnes déplacées par la construction du Sanmenxia vivent toujours dans une misère noire.

Violence et intimidation menacent ceux qui s'opposent à une évacuation massive destinée à permettre l'édification du barrage des Trois-Gorges — qui coûtera 50 milliards de dollars américains et qui est contestée à l'échelle internationale. Probe International affirme qu'en août 2000 des résidants d'un village de relogement ont été battus et assignés à résidence par des soldats parce qu'ils avaient émis des protestations pacifiques contre la submersion de leur terre ancestrale. Au total, la construction du barrage des Trois-Gorges entraînera le déplacement de 1,1 million d'individus, qui devront sans doute affronter, avant l'exil, des mesures brutales d'expulsion. Un villageois déjà évacué a déclaré à Probe International : « Ce sont les fonctionnaires qui décident de la vie et de la mort des gens. Comme nous sommes privés de tous nos droits, nous n'osons pas donner nos vrais noms. Nous risquons de terribles représailles si les autorités locales apprennent que nous vous avons parlé. Nous sommes espionnés par des gens mandatés par ces autorités. [...] Si on découvre leur présence, les étrangers [écologistes et journalistes] seront battus et fouillés. »

Selon la Commission mondiale des barrages, 16 à 38 millions de personnes ont été déplacées en Inde, depuis l'indépendance, en vue de la construction de barrages. En 1981, 100 000 personnes vivant dans le bassin de submersion du barrage Srisailam, dans l'Andhra Pradesh, ont été expulsées après une décision gouvernementale cyniquement résumée par les mots « Opération Démolition ». Plus de 400 000 Indiens ont été chassés en vue de la construction du barrage Sardar Sarovar (anciennement le Narmada), maintenant interrompue sur ordre d'un tribunal. Comme la Chine, l'Inde a adopté une stratégie d'expulsion plutôt brutale. En 1961, le ministre des Finances indien s'était adressé aux fermiers locaux lors d'une rencontre dans la zone de submersion du barrage Pong. Il n'avait pas mâché ses mots : « Nous vous demandons de quitter vos maisons une fois les travaux terminés. Si vous le faites, tout ira bien, sinon, quand on libérera les eaux, vous serez tous noyés. »

D'autres expulsions ont engendré des actes d'une indicible barbarie. En Union soviétique, des gens chassés de leur village ont souvent été forcés de prendre part à la destruction, généralement par le feu, de leurs maisons, de leurs vergers et de leurs églises, ainsi qu'à l'exhumation des cercueils de membres de leurs familles. Mais il y a pire : Patrick McCully, directeur de campagne de l'International Rivers Network, a dénoncé le meurtre de 378 autochtones

Mayas Achis au Guatemala. Au début des années 1980, un consortium européen a annoncé le déplacement forcé de 3 400 personnes en vue de la construction du barrage Chixoy, au Guatemala. En dépit de la présence évidente de milliers de villageois dans les environs, l'étude de faisabilité du consortium faisait état d'une terre « presque sans habitants ». Les Mayas Achis du village de Rio Negro ont fait objection et ont demandé une allocation de relogement plus élevée. En guise de réponse, des soldats guatémaltèques sont entrés par trois fois dans leur village et ont sauvagement massacré hommes, femmes et enfants.

Cette histoire a une valeur symbolique, car elle illustre la brutalité avec laquelle les peuples autochtones ont toujours été balayés pour faire place nette aux projets de construction de barrages. Partout dans le monde, leurs moyens d'existence ont été compromis de façon dramatique. En Inde, 40 % de toutes les personnes déplacées à cause des barrages sont des *adivasis* — des membres de castes inférieures qui représentent à peine 6 % de la population. Presque tous les grands barrages des Philippines ont été construits sur des terres peuplées d'autochtones. En 1948, le barrage Garrison, aux États-Unis, a nécessité l'inondation de la plus grande partie des réserves amérindiennes du Dakota du Nord et le déplacement de la majorité des Amérindiens qui y vivaient. En 1970, les Innus habitant le nord du Québec ont subi la destruction de leur habitat et de leurs zones traditionnelles de pêche lorsque les rivières se jetant dans la baie James ont été submergées avant la réalisation du projet hydroélectrique La Grande.

Les barrages créent un habitat propice aux parasites responsables de la bilharziose et d'autres maladies hydriques. Les victimes, bien entendu, sont les *oustees* et les gens qui vivent en aval des barrages. Après la construction du haut barrage d'Assouan, en Égypte, la bilharziose est devenue endémique dans la région. Au Ghana, lorsque les terres ont été inondées après la construction du barrage Akosombo, en 1964, causant le déplacement de 84 000 personnes, 90 % des enfants vivant dans les environs ont contracté cette maladie. L'onchocercose, ou cécité des rivières, est transmise par un ver présent dans les eaux d'irrigation provenant des barrages. Quant à la malaria, elle connaît de nouvelles poussées épidémiques après avoir fait l'objet de programmes intensifs d'éradication. La malaria parasite les milliards de moustiques qui habitent les eaux stagnantes en milieu chaud et humide, mais les bouleversements écologiques causés par les barrages et l'irrigation en régions arides et semi-arides ont également créé un terrain propice à sa prolifération. La malaria tue plus d'un million de personnes par an dans le monde. Dans la région des cinq barrages Mahaweli, au Sri Lanka, les eaux stagnantes offrent un milieu idéal aux moustiques porteurs du parasite. En 1986, on a signalé le premier cas de malaria jamais détecté dans la région. Et la maladie a refait son apparition en 1989 dans le sud du Brésil après la construction du barrage Itaipu, alors qu'elle avait été éradiquée dans cette partie du pays.

Conflits hydriques

La diminution des réserves d'eau douce, la pollution des sources et la demande croissante d'eau engendrent bien entendu des conflits. Partout dans le monde, des collectivités situées dans des pays en manque d'eau rivalisent pour mettre la main sur cette précieuse ressource. Les tensions se propagent de chaque côté des frontières. Des conflits éclatent entre villes et collectivités rurales, entre groupes ethniques et tribus, entre pays industrialisés et pays non industrialisés, entre Homme et Nature, entre entreprises et citoyens, entre différentes classes socioéconomiques.

L'urbanisation ne fait qu'aggraver une situation déjà critique. En raison de la migration volontaire ou forcée vers des centres urbains en développement constant, la demande d'eau augmente dans les villes. L'eau est alors détournée des régions rurales ou sauvages afin de satisfaire les besoins des citadins. Mais les fermiers, déjà obligés de pourvoir à la nourriture d'une population en pleine croissance, sont de plus en plus rétifs lorsqu'il est question de restreindre leur approvisionnement en eau au profit des villes et des industries. Ainsi que nous l'avons expliqué au chapitre premier, un tel détournement de l'eau est déjà en cours en Chine, où la migration urbaine prend maintenant beaucoup d'ampleur. Le gouvernement chinois privilégie ouvertement les villes et les industries, et les agriculteurs se voient privés de leur eau sans leur consentement, voire sans en être avisés. La même situation existe en Inde, où des agriculteurs gagnent beaucoup plus d'argent en vendant l'eau puisée dans les nappes souterraines qu'en cultivant leurs terres.

Dans *Pillar of Sand*, Sandra Postel affirme que les producteurs de riz dans certaines parties de l'île indonésienne de Java sont privés d'une eau précieuse pour leurs rizières au profit des usines textiles, bien qu'une loi accorde encore la priorité à l'agriculture. Pour envenimer les choses, les usines consomment parfois des quantités d'eau beaucoup plus importantes que celles qui leur sont allouées, ce qui laisse les terres agricoles sèches et improductives. En outre, elles polluent les réserves locales d'eau, ce qui a des conséquences désastreuses pour les récoltes. En Corée du Sud, des fermiers installés au sud de Séoul se sont récemment armés de houes afin d'empêcher les camions-citernes municipaux de pomper de l'eau destinée aux citadins. Dans le Nord-Ouest américain, des fermiers installés près du bassin du fleuve Columbia ont reçu, au cours de l'été 2001, une prime de 100 dollars l'hectare pour ne pas irriguer leurs champs afin que les génératrices hydroélectriques géantes du fleuve puissent fournir de l'électricité à la Californie.

Dans certains cas, les habitants des campagnes se dressent âprement les uns contre les autres. Dans le nord-est du Brésil, une sécheresse prolongée a provoqué des tensions entre les gens privés d'eau et ceux qui en disposaient. Le puissant fleuve São Francisco a été détourné pour l'irrigation, et ce qui en reste aujourd'hui serpente dans ce qui était autrefois une des terres les plus désolées du Brésil. Comme l'explique Joelle Diderich, de l'agence de presse Reuters, ce programme d'irrigation a transformé 300 000 hectares de la vallée fluviale aride en vergers de fruits tropicaux destinés à l'exportation, comme la noix de coco et la goyave. Géré par l'État, le programme finance également la construction de routes, d'installations de traitement des eaux usées et d'un aéroport. D'aucuns défendent cette entreprise gargantuesque en faisant remarquer qu'elle procure du travail à des agriculteurs et qu'elle a déjà fait la fortune de quelques-uns. La poignée de fermiers qui se sont ralliés les premiers à l'entreprise sont devenus prospères, mais le nombre de terres disponibles est limité, et les ouvriers agricoles n'ont aucune sécurité d'emploi. Cette situation a accentué les inégalités. De surcroît, la sécheresse menace de famine plus de 10 millions de personnes dans la région, soit la majorité de la population. La même situation sévit dans toute l'Amérique centrale, où la sécheresse met en péril plus de la moitié des 35 millions de citoyens, en partie parce que d'énormes volumes d'eau sont utilisés pour des exploitations agricoles tournées vers l'exportation et dirigées par de grosses entreprises, ce qui ne laisse aux petits fermiers que la portion congrue pour cultiver leurs terres.

La rareté de l'eau a également dressé des fermiers contre des autochtones et des défenseurs des espèces en voie d'extinction. À Klamath Falls (Oregon), au cours du long été torride de 2001, des fermiers ont décidé de faire la loi eux-mêmes et ont rouvert à plusieurs reprises les vannes du réservoir d'eau destinée à l'irrigation, dont le Federal Bureau of Investigation (FBI) avait ordonné la fermeture afin de protéger une espèce de poisson suceur en voie d'extinction et une espèce menacée, le saumon coho, pendant cette année record de sécheresse. Les tribus autochtones qui possédaient, par traité, des droits sur ces poissons avaient réclamé au gouvernement la protection de ces espèces en péril et le retour de l'eau à leur habitat naturel. Les autochtones et les pêcheurs de saumon plus en aval prétendaient que le fait d'avoir laissé les fermiers procéder à une irrigation massive pendant des décennies les avait privés de leurs moyens d'existence et de leurs droits culturels.

Pour les fermiers, l'ordre du FBI était dévastateur. Il privait d'eau près de 1 400 fermes et ranchs familiaux dans le bassin de Klamath. Quant aux 80 000 hectares de champs de luzerne — une plante particulièrement assoiffée qui y poussait grâce à l'irrigation —, ils se sont desséchés et le sont encore aujourd'hui. La communauté locale s'est montrée si solidaire des fermiers que le shérif a refusé d'arrêter les contrevenants qui rouvraient les vannes du réservoir et que les procureurs se sont abstenus de les poursuivre en justice. À l'issue d'un différend similaire avec des fermiers californiens, un tribunal fédéral des petites créances a statué, fait sans précédent, que le réacheminement des réserves d'eau dans l'État, effectué au début des années 1990 en vue de protéger les espèces en voie d'extinction, constituait une appropriation de bien et qu'une compensation devait être versée aux fermiers.

Une fois de plus, les exigences du prétendu « libre marché » ont placé les fermiers dans l'obligation de se lancer dans des cultures à grande échelle nécessitant d'importantes quantités d'eau, afin d'augmenter le volume de leur production vivrière et de compenser ainsi la modicité des prix auxquels ils vendent leurs produits. Une fois engagés dans des activités à grande échelle exigeant des machines agricoles très sophistiquées, les fermiers ne peuvent plus les poursuivre sans avoir recours à d'énormes quantités d'eau et de combustibles fossiles, ce qui endommage gravement les écosystèmes et contrevient aux droits des autochtones. Si les fermiers étaient encouragés à adopter des cultures plus résistantes à la sécheresse et moins dépendantes de l'utilisation intensive de combustibles, les conflits relatifs à l'eau seraient moins fréquents. Mais pour que ce changement se produise, le gouvernement américain — comme d'autres gouvernements dans le monde — doit cesser de subventionner une agriculture industrielle qui épuise les ressources, soutenir plutôt une agriculture durable à plus petite échelle et favoriser la culture de plantes vivrières plus résistantes au manque d'eau.

Nature et pouvoir

Les travailleurs sans emploi ne sont parfois que des pions dans le cadre de projets portant atteinte à la Nature. Dans la province canadienne le plus à l'est, Terre-Neuve, le chômage demeure toujours élevé, mais un grand nombre de régions sauvages éclatent de vie. Sur la côte méridionale de la province s'étend un lac de 16 kilomètres de long sur 10 kilomètres de large, aux eaux cristallines. C'est le lac Gisborne. En 1997, un homme d'affaires de la région a demandé un permis d'exportation à la province afin de pouvoir vendre l'eau du lac à des pays prêts à l'acheter. Comme on peut le penser, la proposition est très controversée. Beaucoup de Canadiens s'inquiètent des conséquences d'un prélèvement massif d'eau sur l'écologie, ainsi que de la perte de contrôle sur des réserves d'eau douce qui sont si nécessaires au Canada pour approvisionner la population croissante du pays — y compris les futurs immigrants en provenance de contrées en pénurie d'eau. Ces inquiétudes sont renforcées par le fait que le Canada a inconsidérément signé des accords commerciaux stipulant que l'eau est un bien commercialisable. Mais il faut aussi compter avec les citoyens de Grand Le Pierre, petit village de pêcheurs situé près du lac Gisborne. Ses 350 habitants se sont considérablement appauvris lorsque la morue, leur principale source de revenus, a presque disparu à cause de la surpêche. Le chômage étant endémique dans le village, ses habitants se sont tous réjouis de la création d'emplois qui découlerait du projet proposé. L'ex-premier ministre de la province, Brian Tobin, a fermé la porte à l'exportation d'eau, mais son successeur, Roger Grimes, l'a rouverte. L'affaire est chaudement discutée.

Des querelles au sujet de l'eau éclatent également entre de petits fermiers et l'industrie agroalimentaire. En Équateur, par exemple, une nouvelle loi sur l'eau est actuellement proposée et deux groupes agricoles opposés s'efforcent de l'orienter à leur manière. Comme l'explique l'expert en eau Riccardo Petrella, une de ces orientations a été avancée par les chambres de commerce agricoles et défend les intérêts des grands exploitants et de l'industrie agroalimentaire. Ceux-ci tendent à soutenir la privatisation des services de distribution et proposent que l'eau serve à augmenter la productivité industrielle. Quant à l'autre orientation, elle a été proposée par la Confédération équatorienne des nations autochtones au nom des petits exploitants et des ouvriers agricoles. Celle-ci affirme que l'eau est un bien public qui doit surtout contribuer au développement équitable de toute la population et que l'approvisionnement de la population locale en eau et en nourriture doit être une priorité absolue.

Dans un grand nombre de pays, certaines entreprises de loisirs bénéficient de plus en plus nettement d'un accès privilégié à l'eau. En Asie du Sud-Est, par exemple, l'expansion du golf destiné aux touristes engendre des répercussions négatives pour les résidants. Ces derniers sont convaincus que les terrains de golf, qui aspirent l'eau comme des éponges, sont favorisés par les gouvernements en raison des dollars qu'ils rapportent au pays. Les terrains n'en continuent pas moins à proliférer dans cette partie du monde : la Malaisie, la Thaïlande, l'Indonésie, la Corée du Sud et les Philippines entretiennent 550 terrains de golf et en aménagent actuellement 530 de plus.

Au printemps 1999, l'écart entre riches et pauvres pour ce qui est de l'accès à l'eau a été violemment illustré au Bangladesh lorsque des centaines de résidants de la capitale, Dhaka, ont pris d'assaut un bureau des services d'alimentation électrique, érigé des barricades routières et brûlé des véhicules afin de protester contre la rareté de l'eau courante. Les services des eaux et de traitement des eaux usées de Dhaka ont reconnu que plus de 30 % des 9 millions d'habitants de la ville n'avaient pas accès à l'eau potable. Il semble que les pauvres aient été abandonnés par le gouvernement et en soient réduits à se défendre seuls.

Des conflits hydriques peuvent également raviver d'anciennes luttes raciales. Sous le régime de l'apartheid, l'Afrique du Sud appliquait une politique ouvertement discriminatoire dans la distribution de l'eau. En conséquence, le premier régime démocratique du pays a hérité d'une série de problèmes graves : rareté de l'eau, distribution inégale basée sur la race et la classe sociale, pollution alarmante des ressources hydriques, fleuves détournés par de nombreux barrages et installations sanitaires insuffisantes ou inexistantes dans les quartiers pauvres de la majorité noire. Au début, on aurait pu penser que le gouvernement était conscient de ces inégalités sociales profondément ancrées et se préparait à éliminer toute discrimination. En fait, le parti majoritaire en Afrique du Sud comptait bien remédier à l'injustice en garantissant à tous les citoyens, dans la nouvelle Constitution, des droits fondamentaux relatifs à l'accès à l'eau. On pouvait lire, dans le programme du Congrès national africain pour la reconstruction et le développement, que l'accès des ménages à l'eau en tant que droit humain était le « principe fondamental de [sa] politique en matière de gestion des ressources hydriques ».

Malgré ses bonnes intentions, le Congrès national africain a pourtant adopté, lui aussi, une approche commerciale de la gestion de l'eau axée sur l'économie de marché, comme le font remarquer les chercheurs Patrick Bond et Greg Ruiters dans une étude sur la distribution de l'eau. Cette approche a ainsi consolidé l'écart entre riches et pauvres — la majorité pauvre étant bien sûr incapable d'acheter toute l'eau qui lui est nécessaire, tandis que les riches le font à leur gré. Mais le gouvernement a déclaré que l'eau était un bien « rare », et que cette rareté exigeait une tarification au coût marginal, même pour les pauvres. Patrick Bond et Greg Ruiters ont également souligné que le nouveau gouvernement maintenait la politique hydrologique en vigueur durant l'apartheid et comptait augmenter l'offre d'eau en faisant construire des barrages coûteux — tout en se gardant bien d'augmenter le tarif des gaspilleurs. « Il en est résulté un manque pour ceux qui ont un urgent besoin d'eau et des excédents pour ceux qui n'hésitent pas à la gaspiller. » Pis encore, l'accès à l'eau et aux services sanitaires s'est détérioré pour la majorité des Sud-Africains durant la première moitié de la décennie de démocratie. Ainsi, le pourcentage de Sud-Africains qui peuvent acheter l'eau à un prix raisonnable pour leur maison et leur jardin est moins élevé qu'en 1994, tandis que des centaines de milliers d'usagers ont vu leur service d'eau interrompu à la fin des années 1990.

En définitive, la distribution de l'eau en Afrique du Sud — selon les différences de race, de classe et de sexe — est encore moins équitable que la répartition des revenus. Plus de la moitié des eaux brutes d'Afrique du Sud sont utilisées pour l'agriculture commerciale dominée par les Blancs — et la moitié de cette eau est gaspillée en raison de médiocres procédés d'irrigation. Un quart de l'eau restante va aux exploitations minières et à l'industrie, et 12 % aux ménages, mais plus de la moitié de ces 12 % va bien entendu aux demeures de la minorité blanche, à leurs jardins et à leurs piscines. Et n'oublions pas que 16 millions de Sud-Africaines doivent toujours parcourir plus d'un kilomètre à pied chaque jour pour satisfaire les besoins élémentaires en eau de leur famille. En septembre 2001, des policiers ont tué 15 personnes, dont un enfant de cinq ans, lorsque des résidants se sont révoltés contre la distribution d'eau à 1 800 habitants de Unicity, près du Cap. Des ouvriers engagés pour la circonstance et des gardes de sécurité, protégés par des centaines de policiers, ont réussi à couper les conduites d'eau, laissant derrière eux une communauté dévastée. Des incendies ont éclaté un peu partout lorsque des résidants, en pleurs, ont érigé des barricades et y ont mis le feu pour éviter les représailles.

Conflits transfrontaliers

Près de 40 % de la population mondiale s'alimentent en eau dans 214 grands réseaux fluviaux que se partagent plusieurs pays.

Les eaux de ces fleuves sont en maints endroits détournées pour assurer l'approvisionnement en eau potable, la production d'électricité et l'irrigation des terres — ce qui rend vulnérables les pays situés en aval. Beaucoup de pays où l'eau est rare se partagent les lacs et les aquifères limitrophes. Puisque de plus en plus de personnes veulent s'emparer d'une eau de moins en moins abondante, les conséquences économiques, politiques et sociales de cette situation sont autant d'éléments de déstabilisation des relations entre les États. Des conflits peuvent même surgir entre différentes instances politiques d'un même pays. Le maire de Mexico, par exemple, prévoit l'émergence prochaine de conflits dans la vallée si une solution à la crise de l'eau dans sa ville n'est pas trouvée rapidement. Aux États-Unis, la querelle entre le Nebraska et le Kansas à propos de l'eau de la rivière Republican a fini par aboutir devant la Cour suprême. Le Kansas prétend que le Nebraska a autorisé le forage de puits et le pompage, sans aucune réglementation ni restriction, dans le bassin de la rivière, ce qui a réduit le débit de l'eau vers le Kansas.

La plupart des conflits frontaliers opposent toutefois des pays. En 1997, la Malaisie, qui fournit la moitié de l'eau nécessaire à Singapour, a menacé de fermer le robinet lorsque cette dernière a critiqué ses politiques gouvernementales. En Afrique, les relations entre le Botswana et la Namibie ont été sérieusement compromises par le projet namibien de construire un pipeline pour détourner l'eau du fleuve Okavango — que les deux pays se partagent — vers l'est de la Namibie. Plus au nord, l'Éthiopie projette de détourner de plus grands volumes d'eau du Nil — même si l'Égypte dépend de ce fleuve pour son irrigation et son électricité. Des tensions ont assombri les rapports entre la Turquie, la Syrie et l'Irak, lorsque la première a exprimé son intention de construire un barrage sur l'Euphrate, qu'elle partage avec ces deux pays. Les habitants du Bangladesh ont beaucoup souffert quand l'Inde a détourné des cours d'eau traversant la frontière entre les deux pays. Le Bangladesh dépend en fait des eaux fluviales qui viennent de l'Inde. Dans les années 1970, cependant, lorsque l'Inde a dû faire face à des problèmes croissants de sécurité alimentaire, elle a détourné le cours de ces fleuves vers ses réseaux d'irrigation, au détriment du Bangladesh. Il a fallu vingt années de discussions pour que les deux pays signent un traité de partage des ressources hydriques.

En 1992, faisant fi des objections des écologistes, la Slovaquie — alors province tchécoslovaque — a mis en chantier le barrage Gabcikova sur le Danube, sa frontière naturelle avec la Hongrie. Les Hongrois avaient d'abord participé au projet, mais ils s'en étaient retirés en 1989 en raison de l'opposition exprimée à ce sujet par le mouvement écologiste dans leur pays. En 1993, les deux parties ont accepté de porter la cause devant la Cour internationale de justice, à La Haye, mais il était malheureusement un peu tard : les travaux entrepris avaient déjà fait de nombreux dégâts. Le niveau hydrostatique du Danube avait sérieusement baissé, et des milliers d'hectares de forêts et de marais étaient en train de s'assécher, ce qui avait réduit les prises de poissons de 80 % dans le Danube inférieur.

En Amérique du Nord, des conflits pour le contrôle et le pompage des nappes souterraines chevauchant la frontière entre le Mexique et les États-Unis menacent de créer de graves tensions entre les deux pays. Le Hueco Bolson, l'aquifère qui alimente les réserves municipales de Las Cruces, El Paso et Ciudad Juárez au Mexique, est en voie d'épuisement. De leur côté, les États-Unis ont proposé la construction d'un grand canal d'irrigation afin de mieux répondre aux besoins en eau de la vallée Impériale, en Californie. Ce projet d'extraction d'eau, comme bien d'autres, menace de vider les nappes phréatiques le long de la frontière. Les deux pays ont signé un traité sur les eaux de surface, mais il n'existe hélas aucun accord pour les nappes phréatiques. Les conflits entre les deux parties devront donc être résolus sans l'aide d'un pacte quelconque.

À la frontière septentrionale, les conflits ne peuvent que s'envenimer entre les 40 millions d'habitants des huit États américains et ceux des deux provinces canadiennes qui se partagent le bassin des Grands Lacs. Les niveaux hydrostatiques baissant, les exigences croissantes des centaines de nouvelles collectivités en pleine expansion au pourtour du bassin (et dont les demandes en eau dépassent de loin les réserves locales) mettent les Grands Lacs à rude épreuve. William Ruoff, le maire de Webster (2 500 âmes) dans l'État de New York, a compris à quel point ces problèmes hydriques étaient épineux après avoir fait paraître une annonce dans le *Wall Street Journal* et le *New York Times* dans laquelle il proposait de vendre au plus offrant 7, 5 millions de litres d'eau de puits « d'une pureté cristalline ». Il a dû y renoncer lorsque l'Association des premiers ministres et des gouverneurs des Grands Lacs lui a fait savoir qu'il ne pouvait tout simplement pas vendre l'eau du lac Ontario.

Les craintes canadiennes au sujet de l'intérêt marqué des Américains pour leur eau ne datent pas d'aujourd'hui. Au milieu du XIXᵉ siècle, les États-Unis ont d'abord pris le parti d'adopter la politique de la *Manifest Destiny*, ou politique d'expansion continentale — soit une menace évidente pour la souveraineté canadienne. Aujourd'hui, les Canadiens sont beaucoup plus inquiets de l'inclusion de l'eau, en tant que marchandise commercialisable (voir le chapitre 7), dans l'Accord de libre-échange nord-américain (ALENA). Nombre d'entre eux pensent que les politiciens et les dirigeants du monde des affaires des États-Unis considèrent les ressources canadiennes, y compris l'eau, comme des ressources continentales qu'on peut partager comme s'il n'existait pas de frontière entre les deux pays. Bien que le Canada soit un pays souverain, certains Canadiens craignent que, dans l'éventualité où les États-Unis se trouveraient à court d'eau et où le Canada refuserait de laisser détourner ses eaux vers le sud de la frontière, leurs voisins ne voient dans cette attitude une sorte de déclaration de guerre. Les inquiétudes canadiennes n'ont certes pas été apaisées lorsque le président George W. Bush a déclaré en juillet 2001 — peu avant la fameuse rencontre du G8 à Gênes, en Italie — qu'il considérait que l'eau du Canada faisait partie des réserves énergétiques canadiennes et qu'elle devrait être partagée, dans un proche avenir, avec les États-Unis par l'intermédiaire d'un pipeline.

Les tensions, qui ne sont encore que potentielles en Amérique du Nord, ont dégénéré en conflit grave au Proche-Orient, où l'eau est peut-être un problème plus épineux et plus litigieux que partout ailleurs dans le monde. Aujourd'hui, 40 % des réserves d'eau souterraines d'Israël proviennent des territoires occupés, et la rareté de l'eau a été l'une des raisons qui ont présidé aux guerres israélo-arabes. En 1965, la Syrie a tenté de détourner le Jourdain hors d'Israël et a ainsi provoqué des attaques aériennes qui l'ont forcée à mettre fin à son entreprise. Par contre, Israël détourne les eaux du Jourdain pour son propre compte, laissant la Jordanie se débattre avec une diminution de ses ressources hydriques. Bien qu'aucun conflit armé au sujet de l'eau n'ait éclaté entre Israël et la Jordanie, feu le roi Hussein a un jour déclaré qu'il n'entrerait jamais en guerre avec l'État d'Israël, *sauf* pour une question d'eau.

La rareté de l'eau douce a aussi aiguisé les tensions entre Israël et les 2,3 millions de Palestiniens vivant dans les territoires occupés. En dépit de la sécheresse qui a sévi tout récemment, les Israéliens ont conservé leurs parcs verts et favorisé des cultures très gourmandes en eau, comme le coton, en limitant les réserves d'eau des Palestiniens des territoires occupés. Alors que certains Israéliens refusent catégoriquement de cesser d'arroser leurs pelouses et de remplir leurs piscines, un grand nombre de Palestiniens sont forcés de compter sur l'eau livrée par camions-citernes. Un Israélien consomme, en moyenne, trois fois plus d'eau qu'un Palestinien. « Israël ne pourra pas faire la paix avec des gens qui meurent de soif », a déclaré Fadel Kaawash, sous-directeur de l'Autorité palestinienne chargé de la gestion de l'eau.

L'eau peut devenir une cible dans un conflit armé. Pendant la guerre du Golfe, en 1991, les États-Unis ont envisagé de bombarder des barrages sur le Tigre et l'Euphrate, au nord de Bagdad, mais ils ont fini par renoncer à leur projet de crainte de faire trop de victimes. Les forces alliées ont alors discuté de la possibilité de demander à la

Turquie de réduire le débit de l'Euphrate à partir du barrage Ata-
türk, en amont de l'Irak. Et ils ont pris comme cibles les installations d'adduction d'eau de Bagdad après que les Irakiens eurent
détruit les usines de dessalement d'eau du Koweït.

En 1999, en Yougoslavie, un bombardement de l'OTAN a contaminé le grand aquifère qui alimente presque toute l'Europe de
l'Est en eau douce. Les cibles incluaient une usine pétrochimique
fabriquant des engrais, une usine de production de chlore, une
usine de production de combustible pour moteurs de fusée, la
municipalité de Grocka où se trouve un réacteur nucléaire, et quatre
parcs nationaux. Les substances chimiques libérées dans le réseau
hydrologique y resteront pendant des décennies, voire des siècles.

Propriété privée contre propriété publique

Le conflit le plus sérieux en matière de réserves d'eau douce
résulte peut-être du rôle de plus en plus important joué par le secteur privé dans les décisions concernant la propriété de l'eau.
Aucun secteur au monde n'est plus conscient de la valeur de l'eau
douce que le secteur privé, qui voit très clairement le profit qu'il
peut tirer de la rareté de cette ressource dans certaines régions.
Cette disposition mercantile a donné naissance à un phénomène
tout à fait nouveau : le commerce de l'eau à but lucratif.

Des ventes occasionnelles de petites quantités d'eau sont cou-
rantes entre fermiers dans les pays non industrialisés du Sud, et
elles étaient autrefois assez fréquentes dans le Nord. Ces arrange-
ments pratiques entre fermiers et collectivités locales sont basés sur
un principe : l'eau est un patrimoine commun et doit être partagée
selon les besoins de chacun. Mais, de nos jours, le commerce de
l'eau tel que le pratiquent les entreprises transnationales repose sur
un tout autre principe, celui du profit, qui rend l'eau inaccessible

aux pauvres en raison de son prix trop élevé. En outre, lorsque ces grandes entreprises arrivent dans une région convoitée, elles achètent d'abord les droits sur l'eau, épuisent ensuite sans vergogne les ressources hydriques, puis s'en vont ailleurs et recommencent. Lorsque le Chili a privatisé l'eau, les exploitations minières se sont vu accorder gratuitement presque tous les droits sur l'eau dans ce pays. Aujourd'hui, elles y contrôlent totalement le marché de l'eau et la diminution des réserves a fait monter les prix.

En Californie, le commerce des droits sur l'eau a pris une ampleur sans précédent. En 1992, le Congrès américain a voté un projet de loi autorisant les fermiers, pour la première fois dans toute l'histoire des États-Unis, à vendre aux villes leurs droits sur l'eau. En 1997, le ministre de l'Intérieur, Bruce Babbitt, a annoncé le projet d'ouverture d'un important marché de l'eau pour les États riverains du fleuve Colorado, en vertu duquel l'Arizona, le Nevada et la Californie seront autorisés à se vendre l'eau du fleuve les uns aux autres.

Wade Graham, de *Harper's Magazine*, a déclaré qu'il voyait dans ce plan « la plus grande déréglementation d'une ressource nationale depuis la loi agraire de 1862 » et précisé que la seule mesure qui aurait pu aller plus loin dans cette déréglementation aurait été la privatisation de toutes les terres fédérales des États-Unis. Babbitt espérait que le libre marché ferait ce que les politiciens et les tribunaux n'avaient pas été capables de faire : jouer le rôle d'arbitre entre les nombreuses parties qui affirment avoir des droits sur l'eau du fleuve Colorado. Les ententes seront probablement modestes au début, comme celle qui lie déjà le Nevada et l'Arizona — ce dernier État stockant de l'eau pour satisfaire les besoins futurs du Nevada. Mais, à plus longue échéance, les régions à développement rapide où sont groupées les industries de haute technologie obtiendront, à prix minime, de larges volumes d'une eau provenant d'une source erronément qualifiée d'illimitée.

Une expérience similaire de privatisation de l'eau se déroule déjà dans la vallée de Sacramento. Wade Graham y voit un sérieux avertissement. Au début des années 1990, pour la première fois, des villes et des agriculteurs du sud de la Californie ont été autorisés à acheter de l'eau à des fermiers du nord de l'État, à la stocker et à la vendre sur le marché libre. Ils ont ainsi mis la main sur d'énormes volumes d'eau et les ont stockés avec l'aide de la Drought Water Bank, jusqu'à ce que l'eau ait atteint un prix qui leur convienne. Cette poignée de spéculateurs a alors empoché des profits faramineux, tandis que des fermiers voyaient leur puits s'assécher pour la première fois de leur vie. Les résultats ont été désastreux : le niveau hydrostatique a baissé et le sol s'est effondré en certains endroits.

Wade Graham compare cet événement à la tragédie survenue au tournant du siècle dans la vallée Owens. Cette vallée autrefois luxuriante et bien arrosée a été complètement asséchée lorsque des fonctionnaires de Los Angeles ont autorisé le détournement de ses eaux vers le sud de la Californie. « L'escroquerie de la vallée Owens, écrit Graham, démontre parfaitement ceci : bien que seuls quelques individus ou entreprises détiennent les droits sur l'eau, il ne faut pas oublier que toute la collectivité est assujettie à l'exercice de ces mêmes droits [...]. L'eau, en Californie, signifie prospérité, et si le droit de l'utiliser peut être privatisé et transféré, il se peut alors que la prospérité de la collectivité disparaisse avec elle. » Aucune branche du secteur privé ne le sait mieux que l'industrie de l'informatique, qui réclame une part disproportionnée des réserves d'eau locales. Les fabricants d'ordinateurs utilisent des quantités massives d'eau douce désionisée aux fins de leur production et sont en quête constante de nouvelles sources. Cette quête dresse des entreprises géantes contre des individus économiquement et socialement marginalisés, dans une véritable bataille pour l'eau.

Selon les membres de la Silicon Valley Toxics Coalition, l'industrie de l'électronique est l'industrie de transformation qui connaît l'expansion la plus rapide dans le monde. Le chiffre d'affaires annuel net de géants comme IBM, AT&T, Intel, NEC, Fujitsu, Siemens, Philips, Sumitomo, Honeywell et Samsung excède le produit intérieur brut de beaucoup de pays. Il existe actuellement près de

900 usines de fabrication de semi-conducteurs dans le monde, où sont produites les plaquettes électroniques destinées aux circuits intégrés. Et 140 autres usines sont en construction. On sait que de telles entreprises consomment une quantité d'eau ahurissante. Dès lors, la question est simple : d'où viendra l'eau dont elles auront besoin ? La réponse l'est tout autant : elle devra être détournée des sources limitées disponibles, et cette manœuvre ne se déroulera pas sans conflit. Comme l'explique un responsable du Southwest Network for Economic Justice : « Dans une arène où les ressources sont si limitées, une lutte mettra aux prises ceux qui ont traditionnellement exploité ces ressources et les nouveaux venus qui les convoitent. »

Les entreprises de haute technologie ont entamé des démarches en vue de s'emparer, à bas prix, des droits traditionnels sur l'eau sans avoir à assumer les coûts de l'épuration des eaux contaminées. Ces démarches comprennent la *tarification de l'eau*, en vertu de laquelle l'industrie fait pression sur les gouvernements afin d'obtenir des subventions et court-circuite les services d'approvisionnement municipaux en pompant l'eau directement — déboursant ainsi beaucoup moins d'argent pour cette ressource que les ménages ; l'*extraction de l'eau*, grâce à laquelle les entreprises obtiennent le droit de vider les aquifères tout en faisant monter les tarifs des petits usagers — comme les fermes familiales ; le *prélèvement de l'eau des fermes d'élevage*, grâce auquel l'industrie achète les droits sur l'eau que possèdent les propriétaires de ranchs et de fermes ; et le *rejet des déchets*, en vertu duquel l'industrie peut contaminer impunément les sources d'eau locales, ne laissant à la collectivité que des eaux polluées et la facture à acquitter pour les traiter.

En dépit de la demande industrielle croissante, les programmes d'économie imposés aux simples usagers ne s'appliquent pas à l'industrie. L'*Albuquerque Tribune* a mis le doigt sur le caractère paradoxal de cette situation : « Alors que des résidants arrachaient leur pelouse l'année dernière [1996] afin d'économiser l'eau, celle-ci coulait toujours plus abondamment dans les robinets de l'industrie. »

À Albuquerque, où la municipalité avait demandé aux usagers de réduire leur consommation d'eau de 30 %, Intel Corporation, entreprise de conception de microprocesseurs installée dans cette ville, avait reçu l'autorisation d'augmenter sa consommation dans la même proportion. En outre, Intel ne paie son eau que le quart du prix demandé aux citoyens. Mais la manœuvre la plus révoltante a été la destruction délibérée d'une *acequia* traditionnelle — réseau collectif de distribution d'eau destiné à l'irrigation des terres agricoles — dans le but d'étancher la soif avide des géants de l'industrie de la haute technologie.

Sous le règne du nouveau système commercial, l'eau est extraite des terres auxquelles elle appartient pour être transportée sur de longues distances. Ce procédé, que les autochtones considèrent comme aussi honteux qu'intolérable, n'est aucunement viable à long terme sur les plans économique aussi bien qu'écologique. John Carangelo, un *mayordomo* de la LaJoya Acequia Association, a déclaré : « Au Nouveau-Mexique, où la totalité des réserves d'eau connues semble déjà entièrement répartie, le choix d'un emplacement pour une entreprise de haute technologie dépend de l'achat des droits sur l'eau. La forte demande d'eau et les énormes ressources financières des entreprises convergent donc pour faire de l'eau un produit d'une grande valeur commerciale. » Selon John Carangelo, le commerce de l'eau pourrait assécher l'Amérique rurale.

En ces temps difficiles où la planète se dessèche et où les réserves d'eau douce sont achetées par des intérêts privés, nous nous dirigeons vers une nouvelle configuration économique qui permettra aux villes tentaculaires et aux agro-industries de prospérer tandis que les puits des citoyens et des fermiers se videront. Les vieilles pratiques entraînant le gaspillage de l'eau — telle que la vente des droits sur l'eau, qui a profité à certains mais a dévasté la vallée Owens dans le sud de la Californie — sont de retour, bien qu'elles n'aient récolté que des échecs dans le passé. Pendant ce temps, la Banque mondiale et le Fonds monétaire international font de la privatisation des services d'eau dans les pays du tiers-monde, où des enfants meurent déjà de soif, une condition préalable au rééchelonnement de la dette. Et les pauvres de ces pays s'aperçoivent rapidement qu'ils sont incapables de faire face à l'escalade des coûts de l'eau et des services sanitaires. Ce qui se profile à l'horizon, c'est un monde où les ressources ne seront pas préservées mais stockées à des fins spéculatives, dans le but de faire monter leurs prix et d'augmenter les bénéfices des entreprises, et où des conflits militaires pourraient éclater dans des régions comme la vallée de Mexico et le Proche-Orient, par exemple, à cause de la rareté de l'eau.

C'est un monde où, un jour, tout sera à vendre.

Deuxième partie

LA POLITIQUE

CHAPITRE 4

TOUT EST À VENDRE

*La mondialisation de l'économie est le maître d'œuvre
de la crise mondiale de l'eau*

Si l'on part du principe que l'eau est essentielle à la vie, doit-on considérer que l'accès à l'eau est un besoin essentiel ou un droit fondamental? C'est le sujet du débat qui a été soulevé à La Haye, au Forum mondial de l'eau, où 5 700 personnes se sont réunies pendant quatre jours en mars 2000. Le titre de la conférence pouvait faire croire à une rencontre officielle des Nations Unies au sujet de la préservation des ressources hydriques mondiales, mais ce Forum de l'eau était tout sauf cela. Il avait été organisé à l'initiative des groupes de pression du monde des affaires — entre autres le Partenariat mondial pour l'eau (PME), la Banque mondiale et les plus grosses entreprises privées du marché de l'eau. Les discussions portaient essentiellement sur les moyens auxquels les compagnies auraient recours pour rentabiliser davantage la vente d'eau sur tous les marchés de la planète.

Des responsables des Nations Unies étaient présents au Forum et une conférence ministérielle était associée à l'événement, dans le cadre duquel plus de 140 gouvernements étaient représentés. Mais ces derniers sont demeurés à l'arrière-plan. Ce furent surtout les grandes entreprises multinationales — celles-là mêmes qui prétendent résoudre la crise mondiale de l'eau — qui prirent la parole. Y figuraient non seulement des géants comme Vivendi et Suez, mais aussi des conglomérats de l'industrie alimentaire, tels Nestlé et Unilever, fournisseurs d'eau en bouteille.

Le débat ne portait pas uniquement sur le sens des mots « besoin » et « droit ». Il plongeait directement au cœur de la question, soit celle des institutions auxquelles il convenait de confier la responsabilité d'approvisionner l'humanité en eau — la source même de la vie. Le marché ou l'État ? Les entreprises ou les gouvernements ? Vraisemblablement, personne n'aurait posé cette question n'eût été la présence au Forum d'un petit groupe de militants issus de la société civile. Réunis sous la même bannière, qui allait bientôt porter le nom de Blue Planet Project, des représentants de groupes écologistes, syndicaux et communautaires provenant de pays industrialisés et non industrialisés soutenaient que l'eau devait être considérée comme un droit humain universel.

Les organisateurs du Forum mondial poursuivaient cependant un objectif très différent. Ils voulaient que l'eau soit officiellement désignée comme un « besoin » afin que le secteur privé, par le truchement du marché, acquière la responsabilité et le droit de procurer cette ressource vitale au public *sur une base lucrative*. Par contre, si l'eau était officiellement reconnue comme un « droit humain universel », les gouvernements seraient alors chargés de veiller à ce que tous les habitants de la planète aient un *accès égal* à l'eau *sur une base non lucrative*. Cette éventualité a été délibérément écartée et, à l'issue du Forum, les représentants des gouvernements se sont inclinés devant les intérêts commerciaux des commanditaires de la réunion. Dans le communiqué officiel signé par les ministres des divers gouvernements, on peut lire que l'eau est un

« besoin » essentiel. Mais on n'y dit nulle part qu'elle est un « droit » universel.

Ce qui s'est passé au Forum mondial de l'eau illustre bien à quel point l'eau a été séparée de la Terre et des « biens communs » dont elle fait partie. C'est aussi la négation de tous les repères historiques de la démocratie, qui ont été établis au milieu du XXe siècle, lorsque la Déclaration universelle des droits de l'Homme et du citoyen — de pair avec le Pacte international relatif aux droits économiques, sociaux et culturels et le Pacte international relatif aux droits civils et politiques — est devenue la clé de voûte des Nations Unies. Ces trois textes couronnaient les victoires de la démocratie qui ont jalonné les XIXe et XXe siècles. Et voici qu'à l'aube du XXIe siècle un élément aussi fondamental que l'eau n'est plus reconnu comme un droit universel par les classes économique et politique dominantes. Définie comme un « besoin », l'eau est désormais soumise aux forces de l'offre et de la demande sur le marché mondial, où la distribution des ressources est déterminée en fonction de la capacité de payer.

Pour bien comprendre cette dynamique, il est nécessaire d'examiner les forces de la mondialisation qui redéfinissent aujourd'hui les bases de la vie des peuples, des collectivités et des nations. Les sociétés dans lesquelles éclate la crise de l'eau vivent sous la coupe d'une économie mondiale dirigée par les entreprises transnationales. À l'ère de la mondialisation économique, les gouvernements ont quasiment abandonné la responsabilité qui leur incombe d'agir dans l'intérêt général et pour le bien commun. Petit à petit, les droits des entreprises l'emportent sur ceux des citoyens. Pour saisir les causes de la crise de l'eau qui s'annonce dans le monde entier, il est essentiel d'analyser les forces à l'œuvre dans la mondialisation. C'est à partir d'une telle analyse qu'on pourra trouver des solutions.

La mondialisation de l'économie

Le modèle de développement qui domine à notre époque est celui de la mondialisation de l'économie, système fondé sur la conviction. Nous nous dirigeons inéluctablement vers une économie mondiale unique, dotée de règles universelles instaurées par les entreprises et les marchés financiers. Pour les puissants, la liberté économique — et non la démocratie et la protection de l'environnement — constitue le symbole par excellence de l'après-guerre froide. Il en résulte que le monde vit une mutation analogue aux plus grands bouleversements de l'histoire. Au cœur de cette transformation se trame une agression sans frein à l'égard de presque toutes les sphères de l'existence. Dans cette économie de marché mondialisée, tout est aujourd'hui à vendre, même des éléments considérés autrefois comme sacrés, tels la santé et l'éducation, la culture et le patrimoine, les codes génétiques et les semences, et les ressources naturelles, dont l'air et l'eau.

Les racines de la mondialisation économique plongent dans plus de cinq cents ans d'histoire. Elles datent de l'époque où les empires européens rivalisaient pour s'emparer des précieuses ressources, comme l'or, l'argent, le cuivre et le bois, que la Nature avait accumulées en Asie, en Afrique et dans les Amériques. De gigantesques compagnies de transport, dont la Compagnie de la Baie d'Hudson et la Compagnie des Indes orientales, ont constitué les premiers modèles de ce que nous appelons aujourd'hui les « entreprises transnationales ». Habilitées à exercer leurs activités grâce à des chartes royales, ces entreprises étaient mandatées pour parcourir de vastes régions du monde à la recherche de ressources destinées à augmenter la rentabilité des empires commerciaux dont elles étaient issues. Au cours des siècles, l'apparition de nouvelles techniques a suscité l'exploitation d'autres ressources pour favoriser le développement économique, mais le modèle de la mondialisation économique est resté sensiblement le même.

À notre époque, cette mondialisation s'est accélérée à un rythme frénétique, surtout depuis la chute du mur de Berlin. Auparavant, la plus grande partie du XXe siècle avait donné lieu à un affrontement, au sein de l'économie mondiale, entre deux modèles antagonistes : le communisme et le capitalisme. La chute du mur de Berlin et la fin de la guerre froide représentaient, symboliquement du moins, le triomphe du capitalisme sur le communisme et la fin de cette économie bipolaire. Depuis lors, le capitalisme règne sans partage sur l'économie mondiale. Les entreprises transnationales, entités dominantes du capitalisme mondial, se sont déchaînées, ouvrant partout des marchés et étendant leurs activités aux quatre coins de la planète.

Après la Seconde Guerre mondiale, les États-Unis sont devenus une superpuissance industrielle. Ils fabriquaient une telle quantité de biens de consommation qu'ils ne cherchaient plus qu'à ouvrir de nouveaux marchés pour les écouler et à promouvoir, partout dans le monde, des valeurs et des systèmes basés sur le libre marché. Cette idéologie a pris racine au cours des décennies qui ont suivi la guerre et s'est répandue sous l'étiquette de « Consensus de Washington », expression concoctée en 1990 par John Williamson, un membre du groupe d'experts conservateurs de l'Institute for International Economics, de Washington. Le prétendu consensus, qui prônait une déréglementation massive du commerce, des investissements et des marchés financiers, est devenu l'idéologie officielle du nouvel ordre mondial. Selon cette idéologie, il est essentiel que le capital, les biens et les services puissent circuler librement dans le monde, c'est-à-dire sans être entravés par des interventions ou des réglementations gouvernementales. Le consensus repose sur la prémisse selon laquelle les intérêts du capital ont priorité sur les droits du citoyen. C'est pour cette raison que le Consensus de Washington a été qualifié de « démocratie différée », dans le sens où il rejette délibérément la préséance des droits démocratiques des peuples, qui est au cœur de la Déclaration universelle des droits de l'Homme et des conventions qui y sont associées.

La doctrine de la libéralisation économique est elle-même basée sur des principes que défend la Commission trilatérale. Constituée au début des années 1970, cette commission avait pour but de rassembler 325 des plus importants dirigeants économiques et politiques du monde — PDG de grandes banques et entreprises, présidents et premiers ministres des pays industrialisés les plus puissants, hauts fonctionnaires, universitaires partisans de la doctrine et leaders d'opinion. Dans l'un de leurs premiers rapports, intitulé « La crise de la démocratie », les adeptes du trilatéralisme affirmaient que le problème politique majeur de notre époque était lié au modèle actuel de gouvernance et que le système souffrait d'un « excès de démocratie ».

En conséquence, les partisans du trilatéralisme ont conçu leur propre plan de restructuration de l'économie mondiale et des institutions qui en assuraient la gestion : création du Fonds monétaire international (FMI) et de la Banque mondiale à l'issue de la conférence de Bretton Woods, en 1944, et mise au point de l'Accord général sur les tarifs douaniers et le commerce (GATT), en 1947, remplacé en 1995 par l'Organisation mondiale du commerce (OMC). Dans leur volonté de bâtir un monde sans frontières, les défenseurs de trilatéralisme ont insisté à maintes reprises sur la nécessité d'un abaissement massif des barrières, tarifaires et non tarifaires, imposées au commerce mondial, en particulier dans les secteurs du textile, du vêtement, de la chaussure, de l'électronique, de l'acier, de la construction navale et des produits chimiques. Devant la croissance du fardeau de la dette des pays non industrialisés du Sud, ils ont proposé que le FMI et la Banque mondiale imposent des « programmes d'ajustement structurels » (PAS) à ces pays et les obligent à se doter de politiques sociales et économiques entièrement conformes aux priorités du libre-échange.

En lançant ces programmes de restructuration de l'économie mondiale, les promoteurs du trilatéralisme ont fortement accéléré le processus de mondialisation économique, surtout dans la dernière décennie du XXe siècle. Ce faisant, ils ont supplanté les

Nations Unies et se sont autoproclamés chefs de file d'une mission consistant à créer un consensus idéologique en vue d'instaurer un nouvel ordre mondial. Une nouvelle monarchie mondiale planifie désormais elle-même l'économie mondiale, semant la misère et saccageant la Nature.

Les entreprises transnationales

Il y a deux décennies, les Nations Unies faisaient état de l'existence de quelque 7 000 entreprises transnationales dans le monde. Aujourd'hui, ce chiffre dépasse les 45 000. Les 200 sociétés les plus importantes, selon l'Institut d'études politiques de Washington, sont si gigantesques et si puissantes que leur chiffre d'affaires combiné est plus élevé que la valeur totale des économies de 182 des 191 pays de la planète. De plus, leur poids économique, mesuré selon le revenu annuel, est deux fois supérieur à celui des quatre cinquièmes les plus pauvres de l'humanité. Sur les 100 plus grandes puissances économiques du monde actuel, 53 sont des entreprises transnationales et non des États.

D'après le classement *Fortune Global 500* établi pour l'année 2000, on constate que ExxonMobil — le conglomérat transnational le plus puissant du monde — a un revenu total plus élevé que la majorité des pays de la planète (22 États seulement le dépassent). Quant à Wal-Mart, qui tient la deuxième place, son chiffre d'affaires est plus important que les économies de 178 pays. La puissance économique de General Motors est supérieure à celle de Hong Kong et du Danemark, et les ventes annuelles de Ford Motor Company dépassent le revenu national de la Norvège et de la Thaïlande. Les revenus annuels de Royal Dutch/Shell sont plus élevés que ceux de la Pologne et de l'Afrique du Sud, et British Petroleum a un chiffre d'affaires plus important que l'économie de l'Arabie

Saoudite, de la Finlande et du Portugal. Sur la liste des conglomérats titanesques figurent aussi les sociétés Mitsubishi, Toyota
Motors et Mitsui, chacune d'elles affichant des ventes annuelles
plus élevées que le revenu de certains pays, dont Israël, l'Égypte et
l'Irlande.

Parallèlement, les ventes et les bénéfices annuels des 200 plus
grosses transnationales ont augmenté beaucoup plus rapidement
que la croissance économique mondiale. Selon l'Institut d'études
politiques cité plus haut, les ventes totales de ces 200 entreprises
ont augmenté de 160 %, entre 1983 et 1997, tandis que le total de
leurs bénéfices grimpait de 224 %. Au cours de la même période, la
croissance économique mondiale n'a été que d'un peu plus de la
moitié de ce dernier pourcentage, soit 144 %. En outre, on a pu
observer un boom impressionnant des fusions et de la concentration de la richesse des entreprises. En 1998, la valeur des accords de
fusion a atteint 1 600 milliards de dollars américains, soit une augmentation de 78 % par rapport à 1997.

En raison de ces fusions, le nombre d'empires transnationaux
détenant la majeure partie de la production et de la commercialisation mondiales des biens et services est de plus en plus restreint.
ExxonMobil et British Petroleum-Amoco, par exemple, ont aujour-
d'hui la mainmise sur la plus grande part de l'extraction et du raffi-
nage du pétrole dans le monde. Quatre entreprises américaines
(International Paper, Georgia-Pacific, Kimberly-Clark et Weyer-
haeuser) dominent actuellement l'exploitation des forêts et la fabrication du papier sur toute la planète. De leur côté, des géants de la
vente au détail comme Wal-Mart ont été les premiers à ouvrir, partout dans le monde, des centres commerciaux groupant des chaînes
de grands magasins où l'on trouve le plus large éventail possible d'articles. Deux conglomérats européens, Nestlé et Unilever, se taillent la
part du lion sur le marché mondial de l'alimentation, tandis que des
sociétés comme General Foods, Kraft, Pillsbury, Philip Morris, Del
Monte et Procter & Gamble ont fusionné leurs activités et élargi ainsi
leurs stratégies de commercialisation à l'échelle mondiale.

Pourtant, l'évolution la plus troublante est sans doute survenue dans l'industrie des services. Des entreprises à but lucratif se sont emparées de services publics comme les soins de santé, l'éducation et la distribution de l'eau, autrefois assurés par l'État et ses différents organismes. Si les plus grosses sociétés pharmaceutiques ont accaparé une part du marché des soins de santé, l'un des acteurs les plus importants dans ce domaine est une entreprise née de la fusion de deux grandes chaînes d'hôpitaux américaines : Columbia et Health Trust. Il s'agit maintenant de la plus grande société de services médicaux à but lucratif au monde, dont le chiffre d'affaires annuel dépasse celui d'Eastman Kodak et d'American Express. Dans le domaine de l'instruction publique, la formation de la New American Schools Development Corporation, destinée à canaliser des fonds d'entreprise vers des écoles primaires américaines à but lucratif, est l'œuvre de sociétés transnationales comme AT&T, Ford, Eastman Kodak, Pfizer, General Electric et Heinz.

Aujourd'hui, ce sont les services de distribution d'eau qui sont visés par les entreprises à but lucratif. Deux conglomérats transnationaux français, Vivendi et Suez, occupent maintenant dans l'exploitation mondiale de l'eau une place analogue à celle de General Motors et de Ford dans le domaine de la construction automobile. En 2000, Vivendi et Suez se trouvaient respectivement à la 91e et à la 118e place dans le classement de *Fortune Global 500*. À elles deux, ces sociétés possèdent ou contrôlent des entreprises de distribution d'eau dans plus de 130 pays sur les cinq continents. Ensemble, elles distribuent de l'eau à plus de 100 millions de personnes.

Ces entreprises, leurs administrateurs et leurs investisseurs jouissent d'une immunité juridique en vertu de « lois constitutives » qui les mettent à l'abri de toute poursuite résultant des dommages causés à des sociétés, à des individus ou à l'environnement. Le statut juridique d'« entreprise à responsabilité limitée dont les actions sont négociées en Bourse » confère à son détenteur une immunité garantie par un vaste ensemble de règles de droit commercial qui se sont accumulées, pendant plus d'un siècle, à l'échelle nationale et internationale. Comme le dit le philosophe et militant canadien John McMurtry : « C'est la cuirasse juridique qui protège les entreprises du monde entier et qui leur procure cette impunité sans responsabilité, en dépit des déprédations et des crimes qu'elles commettent, partout dans le monde, à l'encontre des individus, des sociétés et des écosystèmes. »

La Nature-marchandise

Une des forces motrices primordiales qui a permis l'expansion économique des entreprises transnationales se résume par l'expression « impératif de croissance ». Mais au cours des dernières années, certaines personnes se sont aperçues que ce principe est en opposition avec la Nature elle-même. Dans un ouvrage devenu un classique du genre, *For the Common Good*, Herman E. Daly et John B. Cobb ont démontré que l'économie orthodoxe, basée sur l'impératif de croissance, est fondée sur une définition étroite du « capital ». Cette définition se limite aux biens fabriqués par l'homme, tels les produits et les services, les machines et les immeubles. Elle exclut ce que Daly et Cobb appellent le « capital naturel », soit les ressources de la Terre qui rendent possible toute l'activité économique. Mais le potentiel de vie qu'offre l'écosystème planétaire a ses limites, compte tenu notamment de la rapidité avec laquelle le monde naturel est détruit par l'agriculture industrielle, le déboisement, la désertification et l'urbanisation. Si les dégradations se poursuivent à ce rythme, affirment Daly et Cobb, la génération prochaine pourrait connaître un choc écologique grave.

En Inde, Vandana Shiva, féministe, physicienne et militante écologiste, pousse le débat plus loin et soutient que l'impératif de croissance équivaut à une « forme de vol » au détriment de la

Nature et des êtres humains. Il est vrai, dit-elle, que raser les forêts primaires pour y substituer la monoculture du pin à des fins industrielles est une source de revenus et de croissance. Cependant, cette pratique dérobe à la forêt sa diversité et sa capacité à conserver le sol et l'eau. En portant atteinte à la diversité, on prive également les collectivités de leurs sources d'alimentation, du fourrage pour leurs animaux, du combustible, des fibres et des remèdes naturels qu'offre la forêt. On les prive également de la protection que les arbres apportent contre la sécheresse et la famine. Pour Vandana Shiva, l'impératif de croissance, appliqué à l'agriculture industrielle, ne procure pas plus de nourriture aux êtres humains, n'apaise pas leur faim et ne préserve pas les ressources naturelles. En conséquence, l'agriculture industrielle constitue une forme de vol contre la Nature et contre les pauvres. Vandana Shiva ajoute que l'on peut tirer les mêmes conclusions négatives au sujet de la construction des grands barrages hydroélectriques et du détournement des cours d'eau.

Cette critique dérive d'une inquiétude justifiée concernant la transformation en marchandise de la Nature et de la vie elle-même. Il fut un temps, pas très éloigné, où certaines composantes de la vie et de la Nature n'étaient pas considérées comme des marchandises commercialisables. Certains éléments n'étaient pas à vendre, comme les ressources naturelles (dont l'eau et l'air), les codes génétiques et les semences, la santé, l'éducation, la culture et le patrimoine. Ces composantes ainsi que d'autres éléments essentiels de la vie et de la Nature faisaient partie d'un héritage collectif de droits appartenant à tous les peuples. En d'autres termes, ils faisaient partie des « biens communs ». Dans la tradition indienne, l'espace, l'air, l'énergie et l'eau ont toujours été considérés comme absolument « indépendants de tout rapport de propriété ». En conséquence, ils ne devaient pas être envisagés comme une propriété privée, mais comme une « ressource appartenant à tous » qui ne peut être assujettie aux forces du marché telles que l'offre et la demande. Bien au contraire, ces éléments de la vie commune doivent être investis d'une importance universelle car, à maints égards, ils sont sacrés. En tant que tels, ils doivent être protégés et préservés par l'État ou, plus directement, par les collectivités locales.

En Inde, la marchandisation de l'eau est vue comme une attaque directe contre les biens communs. Dans un rapport de la Research Foundation for Science, Technology and Ecology (ONG basée à Delhi et dirigée par Vandana Shiva), l'eau est décrite comme étant « la vie même, dont dépendent notre terre, notre alimentation, nos moyens d'existence, nos traditions et notre culture ». En tant que « source de vie de la société », l'eau est « un héritage commun sacré [...] qui doit être vénéré, préservé et partagé collectivement, utilisé de manière durable et distribué équitablement dans notre culture ». Dans les enseignements traditionnels de l'islam, « Sharia » signifiait à l'origine « voie vers l'eau ». C'était le fondement ultime des « droits de la soif », qui s'appliquaient à la fois aux êtres humains et à la Nature. Se basant sur ces traditions spirituelles et culturelles, les collectivités indiennes ont élaboré des « mécanismes novateurs concernant la gestion et la propriété de l'eau, grâce à des processus de prise de décisions collectives et consensuelles [destinés à assurer] l'utilisation durable des ressources et leur répartition équitable ».

Mais en cette ère de mondialisation économique, écrivent les signataires du rapport de la Research Foundation, l'eau est marchandisée et commercialisée en Inde et les conséquences en sont très inquiétantes. Sur les instances du FMI et de la Banque mondiale — qui voulaient ainsi s'assurer que le pays en tirerait des revenus en vue de rembourser sa dette nationale —, le gouvernement indien a vendu des droits de captage à des entreprises transnationales, incluant Suez et Vivendi, et à de puissantes industries qui utilisent de gros volumes d'eau pour leurs activités. Autrement dit, les traditions locales indigènes de gestion et de prélèvement de l'eau ont été outrepassées, ce qui a laissé la voie libre à une « commercialisation et à une surexploitation [croissantes] de ressources d'eau très limitées ». Nous sommes témoins, ajoutent les membres de la fondation, de « l'appropriation d'une ressource jusqu'ici commune dans le dessein d'en faire une marchandise privée ». Les conséquences de cette marchandisation de l'eau se soldent par « une atteinte irréversible à [leur] environnement et aux moyens d'existence de [leur] peuple ». Cette tendance et ces effets ne s'observent pas uniquement en Inde mais aussi dans presque tout le tiers-monde.

Cette marchandisation, qui ne touche pas seulement l'eau mais aussi d'autres éléments de la Nature et de la vie, est l'un des traits distinctifs de la mondialisation actuellement menée par les entreprises. L'appropriation de ce que l'on considérait autrefois comme des « biens communs » de l'humanité constitue aujourd'hui la phase ultime de l'expansion du capitalisme mondial. Pendant que les entreprises transnationales conquièrent des marchés partout dans le monde, de nouvelles industries émergent et commercialisent les derniers éléments de la vie collective. Un exemple marquant de ce phénomène nous est offert par des industries de la biotechnologie. Se qualifiant d'« industries des sciences de la vie », de grandes entreprises de biotechnologie, comme Monsanto et Novartis, ont transformé les semences et les gènes en biens commercialisables destinés à être vendus sur les marchés mondiaux comme produits de santé ou aliments génétiquement modifiés. De façon similaire, les géants mondiaux de l'eau se sont appliqués à transformer cette source de vie en marchandise lucrative destinée à ceux qui ont la possibilité de payer pour l'acquérir. En bref, tout est aujourd'hui à vendre au plus offrant, y compris les semences, les gènes et l'eau. La contradiction fondamentale qui sous-tend la marchandisation de l'eau a été exprimée avec clarté par Gérard Mestrallet, PDG de Suez, le géant mondial de l'eau : « L'eau est un bon produit. C'est un produit qui devrait normalement être gratuit, mais c'est notre métier de le vendre. C'est un produit absolument nécessaire à la vie. »

Stratégies de privatisation

La privatisation d'institutions et de sociétés publiques, qui occupe une place de choix dans les objectifs du Consensus de Washington, a été le premier instrument de la marchandisation de l'eau. Les services publics de distribution d'eau, qui relèvent généralement des municipalités dans la plupart des pays, ont été pris d'assaut par des entreprises — appartenant souvent à des intérêts étrangers — dont l'objectif est de tirer profit de l'opération. C'est ce processus de privatisation qui a fait de l'eau une marchandise. Celle-ci est ensuite tarifée, mise sur le marché et vendue, généralement sur la base de la capacité de l'acheteur à payer le prix demandé.

Il existe trois modèles de privatisation. Le premier est la vente pure et simple, à l'entreprise privée, des réseaux publics d'alimentation en eau et d'assainissement des eaux usées. C'est la formule appliquée au Royaume-Uni. Le deuxième modèle est celui qui a été adopté en France, où le gouvernement a accordé aux entreprises des concessions leur permettant d'avoir la mainmise sur la gestion des services d'eau, d'établir les coûts de fonctionnement et d'entretien des réseaux, de recueillir tous les revenus provenant des services et de garder les surplus en guise de bénéfices. Le troisième est un modèle aux possibilités plus restreintes. Le gouvernement passe contrat avec une entreprise chargée de gérer les services d'eau et la rémunère à cette fin. Dans ce troisième modèle, l'entreprise ne recueille pas les revenus, et encore moins les bénéfices. Ces trois modèles portent en eux les germes de la privatisation. Le deuxième, le plus courant, est parfois désigné sous le terme de « partenariat public-privé » (PPP).

Passer du système public au système privé introduit bien entendu un ensemble d'impératifs commerciaux tout à fait nouveaux dans les services de distribution de l'eau. Bien que les industries à la veille de conclure un accord de concession ne parlent que de « recouvrement complet des coûts », cet accord inclut habituellement les marges bénéficiaires. Les propriétaires et les actionnaires d'une entreprise privée sont motivés par la quête de bénéfices et de dividendes, lesquels sont généralement redistribués aux fins d'investissement dans d'autres divisions de l'entreprise. Maximiser les profits, et non s'assurer de la durabilité de la ressource ou de sa distribution équitable, est l'objectif primordial visé. En conséquence, l'exploitation des ressources hydriques est basée sur la dynamique du marché — augmentation de la consommation et maximisation des profits — plutôt que sur la préservation à long terme d'une ressource rare au bénéfice des générations futures. En résumé, le prix qu'une entreprise est disposée à payer pour une concession dépend du flot de revenus et de bénéfices qu'elle peut espérer recueillir de l'opération.

Pour s'assurer des revenus générateurs de bénéfices, l'entreprise exigera, pour offrir des services similaires, des prix beaucoup plus élevés que ceux du secteur public. Depuis que les services d'eau ont été privatisés en France, les usagers ont vu leur facture augmenter de 150 %. En Angleterre, selon l'Internationale de services publics (ISP), organisme dont le siège social se trouve en France et qui représente les syndicats du secteur public dans le monde, la facture des usagers a grimpé de 106 % entre 1989 et 1995, et les marges bénéficiaires des sociétés privées de 692 %. En raison d'une telle hausse des tarifs, le nombre d'usagers britanniques auxquels on a coupé l'eau pour défaut de paiement a augmenté de 50 %. Qui plus est, le coût des services fournis par les entreprises privées ou un « partenariat public-privé » est substantiellement plus élevé que celui des services exploités par les municipalités. Le Groupe de recherche de l'Internationale des services publics, groupe distinct de l'ISP mais néanmoins lié à cet organisme, a procédé à des études qui ont démontré que les tarifs pour les services d'eau privatisés ou pour la distribution PPP en France étaient, en 1999, 13 % plus élevés que ceux des municipalités. Et dans les pays non industrialisés, l'incidence des coûts de privatisation est encore plus prononcée. En

Inde, par exemple, certains foyers doivent consacrer 25 % de leur budget à l'achat de leur eau potable.

Malgré cela, des gouvernements en manque de liquidités se tournent vers la privatisation de l'eau pour résoudre leurs problèmes financiers. En raison des substantielles réductions d'impôt consenties aux entreprises presque partout dans le monde, un grand nombre de gouvernements locaux ne disposent plus des recettes fiscales nécessaires pour financer leurs propres activités et encore moins celles des services publics. Gouvernements et institutions publiques croulent désormais sous le fardeau de dettes et de déficits récurrents. Et ce qui rend plus épineuse encore la situation des pays industrialisés et non industrialisés, c'est que les infrastructures détériorées et les canalisations défectueuses de leurs réseaux d'alimentation constituent aujourd'hui un problème quasi insoluble — surtout au cœur des villes, où les dépenses gouvernementales consacrées aux travaux publics ont été sévèrement réduites. À Boston, 40 % de l'eau municipale se perdait à cause de tuyaux crevés et les coûts de remplacement de cette infrastructure ont ainsi été astronomiques. Dans les pays du Sud, plus de 50 % de l'eau municipale et 60 à 75 % de l'eau d'irrigation se perd à cause de fuites et de problèmes associés à une telle détérioration. À première vue, la privatisation des réseaux d'alimentation locaux peut donc sembler logique aux gouvernements à court d'argent. Le montant recueilli par la vente de ces réseaux les aide à payer une partie de leur dette nationale et, dans la foulée, ils sont déchargés de la responsabilité d'améliorer les infrastructures de distribution d'eau.

Néanmoins, ces plans de privatisation sont généralement financés par l'intermédiaire des gouvernements et des institutions publiques. Selon un rapport de la Banque mondiale, ce soutien financier comprend « des contributions financières directes pendant la période de construction ; des subventions non remboursables durant la période d'exploitation et un régime fiscal favorable, incluant des exonérations temporaires d'impôt et un remboursement d'impôt lié à la construction et au coût des travaux ». Afin de minimiser les risques transférés au secteur privé, explique le Groupe de recherche de l'ISP, les autorités publiques sont censées lui fournir des garanties financières applicables aux emprunts et aux bénéfices. Autrement dit, les banques de développement exigent souvent des garanties du gouvernement avant même qu'un prêt ne soit accordé pour la privatisation des services, et un grand nombre d'accords de concession sont pourvus de clauses imposant aux gouvernements de garantir aux exploitants privés qu'ils recevront des bénéfices pendant toute la durée du contrat. Les garanties de bénéfices, par exemple, ont été introduites dans les accords de concession passés à Cochabamba en Bolivie, à Plzen en République tchèque et à Szeged en Hongrie. Les montants de ces garanties financières gouvernementales sont bien sûr prélevés dans la poche des contribuables.

Une fois les plans de privatisation appliqués, le contrôle public est considérablement restreint — en dépit du fait que ce même public a contribué au paiement des garanties financières. La privatisation de la plupart des réseaux de distribution d'eau repose sur des accords de concession d'une durée de 20 à 30 ans qui sont extrêmement difficiles à résilier, même si la preuve est faite que le fonctionnement de l'entreprise n'a pas été satisfaisant. Lorsque les autorités publiques ont tenté de résilier des accords (comme à Valence en Espagne, à Tucumán en Argentine, à Szeged en Hongrie et à Cochabamba en Bolivie), les entreprises mondiales de vente d'eau ont menacé de leur intenter un procès et de réclamer des dommages et intérêts, et elles ont même parfois mis leurs menaces à exécution. Ces procès rendent la résiliation d'un accord extrêmement onéreuse. Dans le cas de Cochabamba, l'entreprise Bechtel réclame au gouvernement bolivien une somme de 40 millions de dollars américains par l'entremise du Centre international pour le règlement des différends relatifs aux investissements, division de la Banque mondiale. Invoquant des « droits d'expropriation » en vertu d'un traité bilatéral d'investissement entre la Bolivie et les Pays-Bas, Bechtel mobilise son holding basé aux Pays-Bas pour obtenir le droit de poursuivre directement le pays le plus pauvre d'Amérique latine. Pour inciter la Bolivie à prouver qu'elle « respecte les règles » du jeu de la mondialisation économique, de fortes pressions sont exercées sur le gouvernement bolivien afin qu'il accepte un règlement à l'amiable et accorde à la société Bechtel l'indemnité qu'elle exige.

L'industrie des services d'eau s'est également distinguée par un manque de transparence. Au Forum mondial de l'eau de La Haye, un dirigeant d'entreprise a eu quelques mots très révélateurs : « Tant que l'eau sort des robinets, le public n'a aucun droit de savoir comment elle y arrive. » Au Canada, les résidants de la petite ville de Walkerton (Ontario) ont été abasourdis lorsqu'on leur a appris, après la mort de sept personnes contaminées par une souche mortelle de la bactérie *E. coli*, que le laboratoire privé d'analyse d'eau, A&L Laboratories of Tennessee, n'était plus censé signaler les cas de contamination aux autorités provinciales. En 1999, le gouvernement Harris a supprimé les analyses de détection de la bactérie *E. coli* de son Programme de surveillance de l'eau potable. Un an après, il a mis fin au programme lui-même. En ne signalant pas la présence de la bactérie aux autorités provinciales, A&L Laboratories ne faisait que se plier aux nouvelles dispositions juridiques édictées par le gouvernement Harris. Un porte-parole du laboratoire a d'ailleurs déclaré que les résultats des analyses étaient une « propriété intellectuelle confidentielle » et, à ce titre, n'appartenaient qu'au client — en l'occurrence les autorités municipales de Walkerton. Autrement dit, dans la mesure où les entreprises ne sont pas toujours tenues d'informer les autorités gouvernementales, on peut affirmer que la privatisation diminue le contrôle du public sur les ressources.

Spéculations financières

Si les entreprises transnationales sont les institutions de base de la mondialisation économique, c'est la spéculation financière sur les marchés boursiers qui préside à l'expansion de l'économie mondiale. Plus il sera rentable d'acheter et de vendre de l'eau sur les marchés mondiaux, plus elle sera la cible des spéculateurs sur les marchés financiers. Étant donné la rareté de plus en plus alarmante des réserves d'eau douce, les spéculations des investisseurs sur les marchés des matières premières pourraient faire monter en flèche le coût de l'or bleu.

L'économie mondiale est largement alimentée par un casino financier dans lequel la plupart des investisseurs se sont transformés en spéculateurs et en parieurs. Au lieu d'acheter des actions à long terme d'entreprises productrices de biens et de services, ils préfèrent placer leur argent dans des fonds communs de placement qui leur permettent de spéculer ou de parier sur les fluctuations des prix des matières premières et de la valeur des devises. Autrement dit, l'*investissement spéculatif* a supplanté l'*investissement productif* en tant que moteur de l'économie mondiale. En moyenne, près de 2 000 milliards de dollars américains circulent chaque jour dans le monde par l'intermédiaire de ce casino géant, principalement sous forme d'investissements spéculatifs. En appuyant sur une seule touche, les opérateurs des marchés des matières premières et des devises, qui se servent de systèmes informatiques pour surveiller les fluctuations des prix, peuvent déplacer d'énormes sommes d'argent n'importe où dans le monde. Après avoir placé temporairement des fonds dans des marchés qui offrent des rendements très élevés à court terme, il arrive que les spéculateurs retirent soudain ces fonds et les placent ailleurs, déstabilisant ainsi l'économie d'un pays.

Selon David Korten, auteur et ex-conseiller principal de l'USAID (Agence américaine pour le développement international, qui

procure une « aide au développement » à d'autres pays), « le monde
est régi par un casino financier qui rassemble des banquiers ano-
nymes et des spéculateurs en fonds de couverture qui agissent en
secret dans le monde obscur de la haute finance mondiale. Chaque
jour, dans leur quête de bénéfices rapides et de paradis fiscaux, ils
déplacent des sommes faramineuses d'un coin à l'autre de la planète, imprimant aux taux de change et aux marchés boursiers des
mouvements en dents de scie qui ne sont reliés à aucune réalité
économique. Avec la plus grande désinvolture, ils font et défont des
économies nationales, achètent et vendent des entreprises et prennent des politiciens en otage pour mieux défendre leurs intérêts ».

Comme elle l'est déjà pour d'autres marchandises, la voie est
maintenant ouverte à un marché de l'eau où la spéculation sera
pratique courante. À l'occasion d'une conférence tenue en mars
1998 à Paris, les membres de la Commission des Nations Unies
pour un développement durable ont proposé que les gouvernements se tournent désormais vers de « grandes entreprises multinationales » pour y trouver capital et savoir-faire. Ils ont ensuite
réclamé un « marché ouvert » des droits sur l'eau, ainsi que l'élar-
gissement du rôle dévolu au secteur privé. Les Nations Unies ont
promis de faire appel à des fonds privés pour les investissements
nécessaires à la mise sur pied de réseaux d'alimentation en eau et
d'usines de traitement des eaux usées. En attendant, des spéculateurs et des entreprises ont acheté en bloc des droits d'accès à l'eau
dans des régions agricoles afin de vendre l'eau en vrac aux villes
assoiffées, en particulier aux États-Unis. En 1993, les frères Bass,
milliardaires texans, ont acheté 16 000 hectares de terres agricoles
dans la vallée Impériale dans le but de vendre l'eau de cette région
à la ville de San Diego (Californie), mais le projet a échoué.

Récemment, l'expression « chasseurs d'eau » a été utilisée pour
décrire cette nouvelle race de chefs d'entreprise. Des forêts tropicales de l'Amazonie aux aquifères des régions désertiques de
l'Afrique, ces chasseurs prospectent la planète en quête de sources
d'eau douce, déterminés à mettre celle-ci en vente dans les épiceries

chic de Paris et de New York. L'or bleu devenant de plus en plus rare, nul doute que l'on entendra souvent parler de ces boucaniers de l'eau douce.

En janvier 1999, USFilter Corp., filiale du géant mondial de l'eau Vivendi, achète un ranch et 17 360 000 mètres cubes d'eau au nord de Reno (Nevada) — eau qu'elle a l'intention de détourner par canalisation vers Reno afin de l'y vendre. Les autorités du district de Lassen affirment qu'on les privera d'une ressource vitale. Au début de 2001, le Metropolitan Water District de Los Angeles conclut une entente pour l'achat de 178 000 milliards de litres d'eau à la plus grosse entreprise agricole de l'État, Cadiz Inc., qui envisage d'extraire toute cette eau d'un profond aquifère dans le désert Mojave. L'écologiste Tony Coelho, ancien représentant démocrate au Congrès et président de la campagne présidentielle d'Al Gore en 2000, affirme que cette source est si importante qu'aucune somme ne pourrait compenser sa perte. Keith Brackpool, le chef d'entreprise britannique qui dirige Cadiz, est d'un avis différent : « Faites le calcul, dit-il, et vous vous apercevrez que le prix de notre eau ne fait qu'augmenter. » Autrement dit, Keith Brackpool peut acheter l'eau à bas prix et la revendre très cher aux industries avides de Los Angeles et à ses habitants assoiffés.

Il n'est pas surprenant que le gouverneur de la Californie, Gray Davis, ait fini par conclure que « l'eau est plus précieuse que l'or ». Il est clair qu'acheter et vendre en bloc des droits sur l'eau est devenu très rentable en Californie. Sur un marché privé, le pouvoir d'achat de grandes villes comme Los Angeles et d'entreprises comme Intel peut faire grimper le coût de l'eau à tel point que cette ressource sera un jour hors de portée des fermiers, des petites villes et des autochtones.

Simultanément, des capitaux sont réunis afin de financer d'énormes projets de construction de pipelines pour l'acheminement d'eau et d'énergie partout dans le monde. Selon le *Guardian Weekly*, General Electric s'est jointe à la Banque mondiale et à l'homme d'affaires George Soros afin d'investir des milliards de dollars dans un « fonds mondial pour l'énergie » qui servira à financer des projets importants en matière d'eau et d'énergie. C'est ce même George Soros qui, en 1992, avait parié avec John Major, le premier ministre britannique de l'époque, que les financiers étaient plus puissants que les dirigeants politiques. Pour gagner son pari, Soros a vendu pour 10 milliards de dollars de livres sterling sur les marchés financiers mondiaux et en a tiré des bénéfices s'élevant à un milliard de dollars. Il a ainsi provoqué à lui seul une dévaluation de la livre sterling et anéanti le nouveau régime de taux de change qu'avait proposé l'Union européenne.

Concurrence internationale

Tous ces efforts pour faciliter l'expansion du commerce international incarnent les théories prônées par le Consensus de Washington, soit l'idéologie de l'après-Seconde Guerre mondiale qui visait à créer une seule économie mondiale unifiée et fondée sur la concurrence internationale. Selon cette idéologie, le premier objectif doit être de produire des biens et des services destinés aux marchés d'exportation plutôt qu'aux marchés nationaux et au développement local. Pour être concurrentiels sur le plan international, les gouvernements sont exhortés à éliminer tous les obstacles à la libre circulation du capital, des biens et des services — y compris les réglementations nationales conçues pour protéger les ressources naturelles telles que l'eau.

Sous l'influence de cette idéologie, les investissements et le commerce ont crû de façon stupéfiante au cours des trois dernières décennies, à l'échelle de la planète. De 1970 à 1992, selon le *World Investment Report*, les investissements directs des entreprises transnationales dans les pays non industrialisés ont été multipliés par douze. Dans les cinq années qui ont suivi (1992-1997), ils ont triplé, passant à 149 milliards de dollars américains sur un total mondial de 400 milliards d'investissements étrangers directs. La poussée correspondante vers l'ouverture des marchés partout dans le monde, combinée à l'augmentation des importations et de la production destinée à l'exportation, a provoqué une explosion similaire dans le volume du commerce mondial. Le *World Economic Outlook* révèle que le commerce mondial est passé de 380 milliards de dollars américains, en 1950, à 5 860 milliards, en 1997 — soit quinze fois la mise de 1950 en moins d'un demi-siècle.

L'impératif de la production axée sur l'exportation a laissé sur la planète des traces de déprédations écologiques de plus en plus profondes — dont certaines sont peut-être irréversibles. Les gros chalutiers qui fournissent les marchés mondiaux ont pratiquement épuisé les réserves de poissons dans un grand nombre de zones de pêche commerciale. Le déboisement massif pratiqué par les géants de l'industrie forestière menace maintenant 70 % des plus grandes forêts vierges du globe. L'industrie minière dépouille annuellement la planète d'un plus grand volume de terre que ne le font les fleuves par érosion naturelle. Comme on l'a vu au chapitre 2, l'agriculture centrée sur l'exportation des récoltes a également provoqué des dégâts écologiques, comme l'érosion des sols, la diminution des réserves d'eau et la contamination chimique de l'environnement. Les politiques d'exportation massive ont intensifié dans une large mesure l'exploitation des ressources naturelles dans le Sud : 100 % des diamants extraits des mines du Botswana sont réservés à l'exportation de même que 99 % du café du Burundi, 93 % des bananes du Costa Rica, 83 % du coton du Burkina Faso, 71 % du tabac du Malawi, 50 % du bois de la Malaisie et 50 % des prises de pêche de l'Islande.

Pour acquérir un avantage concurrentiel sur les marchés mondiaux, les pays industrialisés et non industrialisés s'emploient à supprimer leur réglementation nationale sur la protection de l'environnement, y compris celle qui régit les ressources hydriques. Il est clair que la gestion responsable de l'environnement par les

gouvernements au moyen de lois et de règlements est souvent per-
çue comme un handicap en matière de concurrence internationale.
Les lois restreignant l'exportation de l'eau en vrac, la privatisation
des services d'eau et la construction de barrages hydroélectriques
sur certains fleuves sont souvent qualifiées, par les entreprises transnationales, d'« obstacles déloyaux » au commerce et aux investissements internationaux. Dans ce climat économique marqué par la
concurrence internationale, les entreprises transnationales peuvent, lorsque le gouvernement d'un pays n'amende pas sa réglementation sur l'environnement, menacer de priver ce pays des
investissements envisagés. Il en résulte qu'un grand nombre de
règles environnementales ont été abrogées ou ne sont pas appliquées, et que de nouvelles normes écologiques n'ont même pas pu
voir le jour.

Par ailleurs, le climat de concurrence qui règne à l'échelle mondiale a intensifié les pressions qui s'exercent pour faire de l'eau une
marchandise commercialisable. Des navires-citernes transportent
couramment de l'eau pour la livrer à ceux qui en ont un besoin
urgent et qui sont en mesure de la payer au prix demandé. Des
remorqueurs se rendent aux Bahamas à cette fin, tandis que des
cargos filent vers le Japon, Taiwan et la Corée. Si le projet d'établir
un réseau européen se réalise, l'eau des Alpes pourrait, au cours de
cette décennie, couler vers l'Espagne et la Grèce plutôt que dans les
réservoirs viennois. Quant au commerce de l'eau embouteillée,
dont le volume annuel est estimé à 22 milliards de dollars américains, il est devenu l'une des industries les plus prospères et les
moins réglementées. Depuis 1995, les ventes d'eau en bouteille ont
monté en flèche, et elles continuent de grimper à un rythme
annuel de plus de 20 %. En 2000, près de 89 milliards de litres d'eau
ont été embouteillés et vendus dans le monde.

L'explosion du commerce mondial a également fait naître des
technologies de transport massif qui dégradent les cours d'eau. Les
entreprises continuent néanmoins à se préparer en vue de l'exportation massive d'eau en vrac au moyen du détournement de cours

d'eau, de pipelines et de supercargos. Le transport par navire-citerne non seulement fait augmenter le volume des déchets déversés dans les lacs et les mers, mais il provoque la destruction du littoral, causée par les opérations de dragage nécessaires à la construction des ports d'embarquement et des canaux. Ce qui est plus inquiétant encore, c'est la tendance à l'accélération du processus. Selon certaines estimations, le transport par bateau — qui assure actuellement 90 % du commerce des biens — aura augmenté, entre 1997 et 2010, de 85 %. Dans de grands ports comme celui de Los Angeles, le commerce par cargo doublera au cours des vingt-cinq prochaines années. Au chapitre de la destruction de l'environnement, une autre catastrophe s'annonce : pour favoriser l'ouverture de l'intérieur de l'Amérique latine au commerce mondial, on prévoit la construction d'une gigantesque voie navigable de 3 400 kilomètres sur les fleuves Paraguay et Parana, destinée au transport par chalands. Le projet est pour l'instant en suspens, mais les écologistes craignent qu'il ne soit soudainement remis à l'ordre du jour. En outre, la Chine a souligné son intention de jouer un rôle de premier plan dans le commerce mondial en consacrant un milliard de dollars aux travaux de détournement, par tunnels, des eaux du Yang-tseu-kiang vers Pékin. La réalisation de ce projet aura de terribles effets sur l'alimentation en eau de certaines agglomérations riveraines.

Qui plus est, les règles commerciales internationales ont été rédigées de telle sorte qu'elles protègent les droits des entreprises, la privatisation des services d'eau et l'exportation en vrac de l'eau douce. En conférant à l'eau douce le statut de « bien », de « service » et d'« investissement » à caractère commercial, des ententes commerciales comme l'Accord de libre-échange nord-américain (ALENA) et l'Organisation mondiale du commerce (OMC) ont déjà fait de l'eau une marchandise commercialisable. Ce que cette déclaration signifie, en fait, c'est que, si un gouvernement voulait interdire la vente et l'exportation d'eau en vrac ou empêcher une entreprise étrangère de faire une offre pour obtenir une concession privée d'exploitation de services d'eau, il pourrait être accusé de violer les règles du commerce internationales de l'ALENA ou de l'OMC. En outre, ces deux régimes commerciaux contiennent des mécanismes d'application destinés à faire en sorte que les États signataires soient astreints à respecter les jugements rendus dans le cadre de ces régimes pour trancher les litiges commerciaux (voir chapitre 7).

États-entreprises

Partout dans le monde, des gouvernements se sont bien gardés de prendre des mesures sévères pour protéger les biens communs de l'humanité et pour parer à l'imminente crise de l'eau. Bien que certains d'entre eux aient partiellement reconnu la gravité des pénuries qui s'annoncent, ils ont été jusqu'ici incapables de procéder à une analyse exhaustive de la situation, et encore plus de trouver des solutions afin de protéger les droits fondamentaux des êtres humains et de la Nature.

On ne peut nier quelques réussites notables dans le nettoyage de fleuves, de lacs et d'estuaires qui suffoquaient sous les déchets et la pollution industrielle. Le fleuve Hudson, aux États-Unis, considéré comme mort à une certaine époque, grouille maintenant de vie. Grâce à l'action concertée des États-Unis et du Canada, des mesures ont été prises pour redonner vie aux Grands Lacs, où le déversement de phosphore et d'eaux usées a été interdit. On sait aussi que les efforts déployés en Europe et en Amérique du Nord ont fait diminuer le gaspillage d'eau dans les foyers et dans l'industrie, ce qui a ralenti le rythme auquel elle est extraite des aquifères et des autres sources. Selon le U.S. Geological Survey, la consommation d'eau a chuté, dans quelques régions et dans certains secteurs industriels des États-Unis, de 10 à 20 % depuis 1980.

Mis à part ces bonnes nouvelles, le tableau n'est pas très réjouissant. Selon les Nations Unies, les gouvernements des pays, industrialisés ou non, n'accordent qu'une importance mineure au problème de l'eau, et les fonds consacrés à la recherche et à la quête de solutions sont nettement insuffisants. Des gouvernements dépourvus de moyens financiers font face à une infrastructure qui se détériore, y compris des bris et des fuites de canalisations, mais ils n'ont pas les milliards nécessaires pour les réparer. Le gouvernement canadien, par exemple, estime qu'une somme de 53 milliards de dollars américains serait nécessaire à la simple modernisation de l'infrastructure de ses réseaux d'alimentation. En outre, des gouvernements, par leur inaction, abandonnent leurs droits et abdiquent leur responsabilité de protéger l'héritage commun. La plupart d'entre eux n'ont adopté que très peu de lois ou de règles touchant la gestion des réseaux hydriques et disposent encore moins de politiques et de programmes qui leur permettraient de faire face aux pressions exercées en faveur de la privatisation, de la commercialisation et de la vente de l'eau.

Ce qui est plus grave encore, c'est que les gouvernements sont directement responsables de l'octroi de fonds publics à des entreprises et à des industries qui exacerbent la crise de l'eau. Aux États-Unis comme dans d'autres pays, les gouvernements subventionnent l'industrie de la haute technologie, dont on sait qu'elle est avide d'eau. La ville d'Austin (Texas) ne se limite pas à accorder des réductions d'impôt aux entreprises de haute technologie (125 millions de dollars à Samsung, récemment), elle a également réduit le tarif qu'elle impose aux industries à moins des deux tiers de ce que paient les citoyens. Au Nouveau-Mexique, Intel s'est récemment vu accorder une exonération d'impôt de 8 milliards de dollars américains par l'intermédiaire d'obligations d'épargne industrielle, ainsi que 250 millions de dollars supplémentaires en crédits d'impôt et autres subventions. Ailleurs dans le monde, des gouvernements continuent de subventionner massivement le système de transport qui facilite l'expansion du commerce mondial. Si les coûts du transport par bateau des pièces en vue de leur assemblage, puis des produits finis vers leurs marchés, se reflétaient pleinement dans le prix de vente final, le volume du commerce mondial déclinerait de façon importante.

Mais ces réalités n'ont rien de surprenant. La démocratie elle-même n'a-t-elle pas été complètement sapée par le pouvoir politique des entreprises transnationales? Depuis que les partisans du trilatéralisme ont déclaré que les systèmes gouvernementaux modernes souffraient d'un « excès de démocratie », les entreprises ont concocté des stratégies et des mécanismes de plus en plus efficaces pour que leur puissance économique leur permette d'exercer un pouvoir politique et d'influencer les gouvernements des États-nations du monde entier. Épaulées par leurs propres groupes de réflexion et leurs firmes d'experts en droit et en relations publiques, les entreprises sont parfaitement équipées pour défendre efficacement leurs intérêts. Soutenus par un appareil de lobbying très complexe, les principaux acteurs du monde des affaires travaillent ensemble par le truchement de coalitions de grandes entreprises afin de promouvoir leurs propres règles, méthodes et programmes. Les dons substantiels que les entreprises ne manquent pas de faire régulièrement aux partis politiques leur tiennent souvent lieu de « police d'assurance ». Ces entreprises s'assurent ainsi que leurs intérêts seront protégés par le gouvernement qu'ils ont aidé à mettre en place.

Au cours du dernier quart de siècle, les entreprises transnationales sont brillamment parvenues à redéfinir les gouvernements à leur image. Les modèles de gouvernance qui ont caractérisé une grande partie de l'après-guerre, y compris l'État-providence et la Sécurité sociale, ont été remplacés par un nouveau modèle : la sécurité des entreprises. Dans cette ère de mondialisation économique, le premier rôle de l'État est maintenant de procurer un milieu et un climat propices à la concurrence et aux investissements transnationaux rentables. Autrement dit, la « sécurité de l'investisseur » est désormais le principe directeur des gouvernements, dont la tâche prioritaire consiste à assurer la sécurité des entreprises, et non celle des citoyens. Si la propriété et les investissements des entreprises devaient être sérieusement menacés par des travailleurs ou des collectivités, l'État se verrait obligé de faire appel à l'appareil policier pour protéger les droits des investisseurs par la force.

La fin de la guerre froide n'a certes pas mis un terme à l'insécurité dans le monde. De nouvelles luttes ont vu le jour dans le sillage de la mondialisation de l'économie, où le commerce, les moyens financiers et les investissements des entreprises sont favorisés par ceux qui en tirent des bénéfices, au détriment des autres. Comme le dit Ursula Franklin, universitaire, écologiste et militante de la première heure, ce que nous vivons aujourd'hui, c'est une « guerre économique » dans laquelle le nouvel « ennemi » est représenté par le peuple et la Nature, et où les nouveaux territoires en jeu sont les « biens communs » (ces espaces et ces éléments non lucratifs que les êtres humains « possèdent en commun » dans une société démocratique). Ursula Franklin ajoute que nous vivons sous une occupation de type militaire, avec des « gouvernements fantoches » qui dirigent les pays au nom des entreprises et de leurs « armées d'affairistes ». C'est la sécurité des entreprises qui modèle aujourd'hui la vie politique des nations et des peuples à l'ère du capitalisme mondial. À mesure que la lutte pour la maîtrise des ressources hydriques s'intensifiera, on peut s'attendre à ce que la sécurité des entreprises s'accentue toujours davantage elle aussi. La ruée vers l'or bleu se poursuit, et les grandes sociétés transnationales, qui entendent bien profiter des besoins en eau de ce monde, se précipitent pour exploiter le filon.

CHAPITRE 5

LES BARONS DE L'EAU

*Les entreprises transnationales transforment
l'eau douce en marchandise*

Johannesburg, Afrique du Sud. Un matin frais et ensoleillé, David McDonald, directeur du Municipal Services Project (MSP), fait part à son auditoire des résultats d'une étude d'impact à laquelle il a mis le point final en mai 2001. Cette étude porte sur la privatisation de l'eau et des services sanitaires de Buenos Aires, en Argentine — soit l'accord de concession le plus important du monde à l'époque. Le contrat a réuni les deux plus grosses entreprises mondiales d'exploitation de l'eau, Suez et Vivendi. Suez en est le concessionnaire principal, par l'intermédiaire de sa filiale Aguas Argentinas. En outre, Suez vient de signer un accord avec Johannesburg. Des rapports ont déjà été rédigés par cette même société et le groupe de la Banque mondiale qui a aidé à financer le projet, mais le compte rendu de McDonald est la première étude indépendante relatant l'expérience réalisée à Buenos Aires en

matière de privatisation de l'eau publiée depuis le début de l'opération en 1993. Le syndicat des fonctionnaires municipaux d'Afrique du Sud, qui a organisé la conférence de presse, tient vivement
à ce que les habitants de Johannesburg prennent connaissance des
résultats de cette étude.

Pendant plusieurs années, la privatisation de l'eau, à Buenos
Aires, a été considérée comme une réussite. En 1993, le réseau
obsolète de pompes et de canalisations de la ville laissait présager
un désastre hydrique. Une fois le contrat signé, pour une durée de
trente ans, le consortium dirigé par Suez s'est lancé dans la modernisation et la rationalisation du réseau de distribution d'eau de la
ville la plus riche d'Amérique latine.

Les partisans de la privatisation prétendaient que celle-ci
garantirait au public des services de distribution d'eau plus efficaces et obligerait les gestionnaires à rendre davantage de comptes. Le
projet de Buenos Aires n'en a pas moins été imposé unilatérale-
ment, en 1989, par un décret présidentiel. En août de cette année-
là, le gouvernement argentin, dirigé par le président Carlos
Menem, avait proclamé l'état d'urgence économique en matière de
services publics et, de ce fait, hâté le vote d'une loi de réforme
administrative. La loi autorisait la « privatisation, partielle ou
entière, ou la liquidation de compagnies, entreprises, établisse-
ments ou biens productifs appartenant partiellement ou entièrement à l'État ». Dans la foulée de ce décret présidentiel, des mesures ont été prises pour privatiser le réseau d'alimentation en eau et
d'assainissement des eaux usées de Buenos Aires, connu sous le
nom de Obras Sanitarias de la Nación (OSN).

Selon une autre étude, le consortium est effectivement parvenu
à moderniser l'infrastructure délabrée de l'OSN. Une grande partie du vieux réseau a été remise en état et nettoyée, et les réfections
essentielles apportées à une station de traitement des eaux ont permis d'améliorer la distribution. En 1999 — six ans après la signature du contrat —, Aguas Argentinas a annoncé que la proportion
de la population ayant l'eau courante était passée de 70 % à 82,4 %,

alors que le consortium dirigé par Suez s'était donné un objectif de 81 % au bout de cinq ans. Mais, en dépit de ce bilan positif, le projet de privatisation des services d'eau de Buenos Aires était, sur certains fronts, loin de répondre aux attentes du public.

La privatisation était censée faire baisser le prix de l'eau. Mais on était bien loin du compte. Peu après la prise de contrôle de l'OSN par Suez, en 1993, une réduction de 26,9 % du prix de l'eau avait effectivement été instaurée. Mais, en février 1991, quand le projet de privatisation avait été annoncé, une augmentation de 25 % avait été imposée, et deux mois plus tard les prix avaient encore grimpé de 29 %. Ces deux augmentations, prétendaient alors les responsables, avaient pour but de compenser l'inflation. En 1992, d'autres hausses de prix étaient entrées en vigueur, si bien que les tarifs étaient très élevés au moment de la privatisation. Ces augmentations, ajoutées les unes aux autres, étaient aussi bien supérieures à la réduction de 26,9 % annoncée après la prise de contrôle de Suez. En outre, un an après celle-ci, Suez avait déclaré qu'elle se voyait contrainte d'augmenter ses prix parce que le gouvernement avait fait état de nouvelles exigences extracontractuelles, dont l'obligation de fournir sans délai un service d'alimentation en eau aux quartiers les plus pauvres de la ville. Suez ajoutait que satisfaire à cette exigence allait faire grimper les coûts de 15 %. Le gouvernement lui a alors permis de procéder à deux autres augmentations : une de 13,5 % pour les frais de consommation, de débranchement et de rebranchement du service, et une de 42 % pour les frais d'infrastructure.

Le plan de privatisation de l'eau de Buenos Aires autorisait également Aguas Argentinas à construire l'infrastructure des égouts à un rythme plus lent que celui qui présiderait au réaménagement des services d'eau. En 1999, soit un an après l'échéance fixée pour que la proportion de la population desservie soit passée de 58 % à 64 %, celle-ci n'était encore que de 61 %. Dans le passé, l'OSN, service public, s'était engagé à étendre le réseau d'égouts au même rythme que celui de l'alimentation en eau, mais Aguas Argentinas (qui avait hérité de l'OSN un système d'adduction d'eau déjà plus étendu que le réseau d'égouts) affirmait que l'extension de ce système devenait plus urgente parce que les résidants des quartiers non desservis buvaient de l'eau contaminée par des nitrates. Toutefois, il est à noter que les coûts de la collecte des eaux usées et de leur assainissement étaient deux fois plus élevés que ceux de la distribution d'eau, alors que les tarifs exigés étaient les mêmes pour chaque service. Ainsi, en procurant de l'eau à de nouveaux usagers, Aguas Argentinas avait développé le plus lucratif des deux réseaux à une allure plus rapide que le moins rentable, celui de l'assainissement des eaux usées. Quant aux eaux usées non recueillies par Aguas Argentinas, elles étaient rejetées dans des fosses septiques ou des bassins de décantation, ou directement dans les fleuves et les rivières, ce qui augmentait les risques de contamination et de dissémination de maladies d'origine hydrique.

Inutile de dire que le plan de privatisation était doté de mécanismes garantissant de larges bénéfices. Le contrat original liant l'État et Aguas Argentinas se caractérisait par une grande flexibilité qui protégeait amplement les marges bénéficiaires de cette entreprise et qui l'autorisait à déposer une requête d'augmentation de tarif si son indice composé des coûts (indice basé sur les coûts du combustible et de la main-d'œuvre et d'autres dépenses) grimpait au-delà de 7 %. Et l'entreprise a acquis une flexibilité plus grande encore grâce à des négociations contractuelles ultérieures. En 1993, des objectifs de rendement avaient été fixés pour la première période de cinq ans, mais, en 1997, en partie par le biais d'une renégociation du contrat, la période de cinq ans avait été prolongée jusqu'en 2000. Selon un rapport de l'Universidad Argentina de la Empresa, Aguas Argentinas a fait des bénéfices qui se sont élevés à 28,9 % de ces recettes en 1995 et à 25,4 % et 21,4 % en 1996 et en 1997 respectivement. Les recettes de Suez à Buenos Aires étaient près de trois fois plus élevées que celles d'entreprises en Angleterre et au pays de Galles — que l'on considérait pourtant comme des modèles de réussite en matière de privatisation. Dans ces pays, la moyenne a été de 9,6 % en 1998-1999 et de 9,3 % en 1999-2000. En bref, la privatisation, à Buenos Aires, rapportait des bénéfices substantiels.

Le problème essentiel à Buenos Aires, c'était qu'une entreprise privée, dont l'objectif primordial est d'augmenter ses bénéfices, avait pris en main des services qui auraient dû être fournis par l'État argentin sur une base non lucrative. Même lorsqu'une société transnationale peut faire preuve d'un sens des responsabilités dans la gestion, il n'en reste pas moins que sa raison d'être n'est tout simplement pas de servir les intérêts du public ni d'assurer la conservation à long terme des ressources. En outre, dans la mesure où la maximisation des bénéfices signifie souvent un encouragement à la consommation excessive, les entreprises privées de distribution ne veulent pas inciter les usagers à l'économie. Par ailleurs, les gouvernements abandonnent les uns après les autres leur responsabilité de gardiens des « biens communs », ce patrimoine de l'homme et de la Nature essentiel au bien-être de l'humanité. Et des brasseurs d'affaires comme Suez les remplacent, s'emparant des ressources et donnant libre cours à une soif de profit en contradiction radicale avec les besoins des collectivités. En résumé, « l'or bleu » devient, ni plus moins, un placement pour les grosses entreprises commerciales, placement consolidé sur un marché mondial de l'eau, cette eau dont on dit qu'elle fondera « une industrie du XXIᵉ siècle ». Mais qui sont les acteurs principaux dans ce meilleur des mondes?

Le filon bleu

Dans un article de fond sur l'industrie mondiale de l'eau paru en mai 2000, un journaliste de la revue *Fortune* écrivait : « L'eau promet d'être au XXIᵉ siècle ce que le pétrole a été au XXᵉ : le précieux liquide qui détermine la richesse d'une nation. » Cette

prédiction n'a rien de surprenant. La distribution d'eau aux parti-
culiers et aux industries de cette planète représente un chiffre d'affaires annuel de 400 milliards de dollars américains. Étant donné
que la privatisation de l'eau n'en est qu'à ses premiers pas, cette
industrie jouit d'une position tout à fait prometteuse, si on la compare aux autres secteurs bien établis de l'économie mondiale. Selon
l'analyse de *Fortune,* les revenus annuels des multinationales de
l'eau se chiffrent approximativement à 40 % de ceux du secteur
pétrolier et dépassent déjà d'un tiers ceux du secteur pharmaceutique.

Des analystes financiers font en outre remarquer que les chiffres des projections à court terme sont encore plus élevés. En 1998,
la Banque mondiale prévoyait que le commerce mondial de l'eau
atteindrait bientôt 800 milliards de dollars américains. En 2001,
cette prévision était passée à 1 000 milliards de dollars. Ce taux de
croissance impressionnant s'explique par le fait que l'industrie tire
ses revenus annuels des seuls 5 % de la population mondiale
aujourd'hui approvisionnés en eau par une entreprise privée.
Autrement dit, le potentiel de croissance du marché est plus
qu'alléchant. À ce rythme, l'industrie de l'eau vaudra assez vite des
milliers de milliards de dollars. Mais que se passera-t-il si les villes,
les unes après les autres, privatisent leurs services d'eau? *Fortune*
estime que la croissance de cette industrie sera d'au moins 10 %
par année et que la valeur marchande de l'eau montera en flèche.
Dans son analyse mensuelle du marché mondial, *Global Water
Intelligence* nous apprend que dans certaines parties du monde, le
prix unitaire de l'eau est aussi élevé que celui du pétrole. Dans
l'étroite région urbaine située à l'est des Montagnes rocheuses, au
Colorado, le prix de l'eau a triplé en une année en raison d'une très
forte demande : de juin 1999 à juin 2000, il a bondi de 4 000 dollars
américains à plus de 14 000 dollars par mille mètres cubes.

Étant donné la hausse croissante de la demande de services
d'eau dans toutes les villes du monde, les investisseurs commencent à voir dans l'industrie mondiale de l'eau « le secteur le plus

prometteur de ce siècle ». « Si vous voulez faire des placements relativement sûrs, expliquent les conseillers en investissement de *Fortune*, et si vous êtes en quête d'un investissement qui garantit un rendement stable et régulier pendant une bonne partie du siècle, essayez le jeu ultime hors Internet : l'eau. » Il est vrai que le bilan financier des grandes entreprises de cette industrie démontre que les recettes sont stables parce qu'elles sont garanties par des contrats à long terme. Comme le souligne Gérard Mestrallet, PDG de Suez : « Où pourrait-on trouver un marché qui soit, comme celui-là, totalement international et dont les prix et les volumes, contrairement à ceux du marché de l'acier, chutent rarement ? »

À mesure que s'ouvre l'énorme marché américain, les entreprises se taillent une place à Wall Street. En 2000, la valeur des acquisitions a atteint plus de 15 milliards de dollars américains dans la seule industrie de l'eau. À la fin de l'année 2001, on s'attendait à ce que les actions de Suez soient dorénavant cotées sur les marchés de Wall Street. « Les actions de l'eau font très bonne figure, déclarait Debra Coy, de Schwab Capital Market, et avec le temps, elles demeureront à la hausse, tout comme elles l'ont été au cours des dernières années — et elles pourraient même monter plus vite que l'ensemble du marché [...]. » Dans la mesure où les investisseurs délaissaient les actions déclinantes en informatique et en haute technologie, la possibilité que la hausse des titres de l'eau soit supérieure à 10 % devenait de plus en plus tangible pour les spéculateurs et les analystes. Mais certaines entreprises de distribution d'eau n'ont pas eu la vie aussi facile à la Bourse de New York. L'ex-filiale d'Enron, Azurix, en est un exemple. Lors de son entrée à Wall Street, peut-on lire dans *Global Water Intelligence*, cette entreprise suscitait beaucoup d'espoirs financiers et ses actions se vendaient, en juin 1999, 24 dollars américains chacune. Hélas, Azurix « promettait beaucoup et rapportait très peu », et le cours de ses actions s'est mis à piquer du nez. L'année suivante, elles ne valaient plus que 8 dollars. Si la section nord-américaine d'Azurix — qui appartient aujourd'hui à American Water Works Company — est toujours susceptible de relancer la valeur de ses actions à Wall Street, les événements récents indiquent que les investisseurs américains hésitent encore avant de placer leur capital dans des entreprises de vente d'eau.

Le commerce en ligne pourrait peut-être changer la manière dont les entreprises augmentent leur capital. Déjà, plusieurs sociétés point-com utilisent Internet pour vendre et acheter de l'eau. Le site waterbank.com, par exemple, a été conçu pour instaurer un « marché virtuel de l'eau ». D'autres sites, comme WaterRightsMarket.com, font office de tableau d'affichage électronique sur lequel les acheteurs et les vendeurs peuvent annoncer les produits et services recherchés ou proposés. *Global Water Intelligence* déclare que, avant sa mise au rancart, le projet Water2Water.com d'Azurix a fait progresser la vente sur Internet grâce à l'installation d'un parquet boursier virtuel qui permet aux acheteurs et aux vendeurs de procéder à des transactions directes. En guise de projet pilote, un parquet simulé a été installé pour le marché texan Texas Lower Grande.

Les barons de l'eau

L'industrie mondiale de l'eau est dominée par une dizaine de sociétés, lesquelles se divisent en trois catégories. La première est composée des deux titans de l'eau, Vivendi Universal et Suez (anciennement Suez-Lyonnaise des eaux), dont les sièges sociaux se trouvent en France. Contrairement à la plupart des pays, qui ont toujours confié les services de distribution d'eau à l'État, la France a commencé à privatiser ses services au milieu du XIXe siècle, sous l'empereur Napoléon III. Suez et Vivendi, sociétés à but lucratif, ont été des pionnières de l'industrie de l'eau. Elles ont acquis leur expérience et étendu leurs activités à partir de leur marché national. Ensemble, elles détiennent 70 % du marché mondial de l'eau. Suez est présente dans 130 pays et Vivendi dans plus de 90. Mais si Vivendi est le plus imposant des deux géants dans ce domaine, puisqu'il enregistre des ventes annuelles supérieures à celles de son rival en raison de la diversité de ses activités et de sa nombreuse clientèle française, Suez dessert un plus grand nombre de personnes (environ 110 millions) partout dans le monde. Sur les trente concessions accordées par de grandes villes depuis le milieu des années 1990, vingt ont été accaparées par Suez.

La deuxième catégorie est constituée des trois entreprises ou consortiums — Bouygues-SAUR, RWE-Thames Water, Bechtel-United Utilities — dont les activités, dans le cadre des services d'eau, sont les mieux établies (ou l'ont été) pour ébranler l'emprise des deux titans. Bouygues, le premier concurrent, dont le siège social se trouve en France, œuvre actuellement dans 80 pays par l'intermédiaire de sa filiale SAUR. Le géant allemand de l'électricité RWE a acheté Thames Water et veut désormais véritablement concurrencer Suez et Vivendi. Quant au partenariat entre Bechtel, le conglomérat de la construction actif aux États-Unis, et la société britannique United Utilities, qui dispense des services d'eau à plus de 28 millions de personnes, il pourra permettre aux deux entreprises d'élargir leurs activités.

La troisième catégorie est composée d'un groupe d'entreprises qui ont acquis des compétences certaines et atteint une taille importante, mais n'ont pas la possibilité de devenir, à elles seules, des intervenantes de poids dans l'industrie mondiale de l'eau. Cette catégorie comprend trois entreprises du Royaume-Uni et une basée aux États-Unis. Les trois britanniques sont Severn Trent, Anglian Water et Kelda Group, connu antérieurement sous le nom de Yorkshire Water. Ces sociétés ont été constituées lorsque les réseaux d'eau ont été privatisés, dans les années 1980, sous la houlette de Margaret Thatcher. Avec Thames Water et United Utilities, elles ont accaparé le marché au Royaume-Uni. La quatrième entreprise de cette catégorie est American Water Works Company, qui a récemment élargi ses activités en achetant Azurix (précédemment propriété d'Enron).

Les entreprises des première et deuxième catégories sont associées à plusieurs autres entités industrielles importantes, allant de l'électricité et du gaz à la construction et aux loisirs. Seules les entreprises de la troisième catégorie exploitent quasi exclusivement des services d'eau. Elles se considèrent néanmoins toutes comme des fournisseurs de services multiples, leur éventail de compétences englobant généralement quatre types de services : distribution d'eau et évacuation des eaux usées, stations d'épuration de l'eau, construction et ingénierie relatives à l'eau et techniques novatrices, comme le dessalement de l'eau de mer. Afin d'améliorer leurs compétences sur ces différents fronts, les entreprises de l'industrie de l'eau ont toujours eu recours à plusieurs moyens : acquisition de filiales déjà bien établies dans le domaine, partenariats officiels avec d'autres entreprises et coentreprises avec d'autres sociétés, pour des projets précis.

Simultanément, ces fournisseurs de biens et de services s'emploient à élargir leurs activités sur le marché international. Les activités transnationales de Suez et de Vivendi ont déjà été décrites. Bouygues dessert, par l'intermédiaire de sa filiale SAUR, plus de 25 millions de personnes dans plus de 30 pays. En achetant Thames Water, RWE a étendu ses activités vers le Royaume-Uni, l'Australie, plusieurs pays d'Asie, du Moyen-Orient et d'Amérique latine, et quelques régions d'Europe de l'Est. Enfin, bien que certaines lois nationales du Royaume-Uni aient un peu restreint les activités internationales des entreprises britanniques de l'eau, Anglian Water procure des services à plus de 7, 2 millions de personnes sur les cinq continents, tandis que Kelda Group demeure actif en Chine, en Allemagne, au Canada et aux Pays-Bas.

Cette expansion géographique se présente de différentes manières. Dans certains cas, elle résulte d'un partenariat public-privé ou de coentreprises privées établies avec d'autres entités dans la région où les services d'eau sont fournis. En 1999, Vivendi et

RWE ont formé un consortium pour acquérir plus de la moitié du réseau d'alimentation en eau de Berlin — la privatisation la plus importante dans le secteur de l'eau en Allemagne. Une autre stratégie déployée par les géants de l'industrie de l'eau consiste à acheter des actions d'une entreprise déjà implantée dans une région, à en acquérir ensuite la majorité et à transformer l'entreprise acquise en filiale à 100 %. C'est ce qu'a fait Suez en 1999, lorsqu'elle a acheté le dernier bloc de 70 % des actions de United Water Resources, aux États-Unis, après en avoir d'abord acquis 30 % en 1994. De grandes sociétés se contentent parfois d'acheter de petites entreprises dans le but de développer de nouvelles technologies dans le cadre de programmes de recherche et développement en purification et en filtration de l'eau.

Dans l'ensemble, l'industrie mondiale de l'eau traverse aujourd'hui une période de croissance et d'expansion sans précédent. Plusieurs causes sont à l'origine de ce phénomène. En premier lieu interviennent les demandes constantes des actionnaires de hausse des dividendes et des bénéfices. Ces exigences ont incité les grandes sociétés non seulement à internationaliser leurs activités de commercialisation, mais aussi à adopter de nouvelles possibilités commerciales à valeur ajoutée en acquérant d'autres entreprises. En second lieu, les critères de financement de la Banque mondiale relatifs aux activités des industries de l'eau dans les pays non industrialisés du Sud favorisent les coentreprises et les partenariats lorsqu'il est nécessaire de renforcer les capacités d'une entreprise de services multiples. Enfin, les entreprises sont encouragées à croître en raison de leurs liens internationaux au plus haut niveau avec des États, des partis politiques, des banques et des institutions financières internationales comme la Banque mondiale et le Fonds monétaire international.

Les conquêtes de Suez

En se faisant le champion de l'expansion de Suez dans de nouveaux marchés de l'eau, le PDG de la société, Gérard Mestrallet, a
fait écho à la « philosophie de conquête » qui a présidé à la fondation de l'entreprise. C'est Suez qui s'était chargée de réaliser le projet colossal du XIXe siècle : la construction du canal de Suez. Ferdi-
nand de Lesseps, le fondateur, qui avait adopté et défendait cette
philosophie de conquête, voyait dans ce projet une mission à remplir. Près d'un siècle et demi plus tard, Gérard Mestrallet demande
instamment à ce que la philosophie de Lesseps soit ressuscitée pour
servir la mission de l'entreprise dans la nouvelle économie mondiale. « Si nous réussissons, dit-il, nous serons en accord avec notre
histoire et en harmonie avec notre culture. » En mars 2001, l'entreprise transnationale auparavant connue sous le nom de Suez-
Lyonnaise des eaux adopte officiellement celui de Suez. Ce changement a pour but de refléter la nouvelle image de la société en tant
que fournisseur mondial de services multiples. Sa nouvelle structure est basée sur ses activités commerciales dans quatre domaines :
l'eau, l'énergie, les communications et les services de gestion des
déchets. La plus grande partie des recettes annuelles de 34,6 milliards d'eurodollars de Suez proviennent de ses divisions dans les
domaines de l'eau, de l'énergie et de la gestion des déchets. La vente
de l'énergie — en particulier le gaz et l'électricité — représente
57,4 % de ses recettes et se concentre en France et en Belgique. Les
services d'eau lui apportent 26,4 % de ses recettes, dont près des
trois quarts proviennent des marchés internationaux. La gestion
des déchets lui procure 14,5 % de ses recettes, et les communications, 1,7 %.

Les services d'eau, cependant, offrent à Suez la plus forte croissance, avec 44 % de hausse des recettes entre 1999 et 2000. C'est
pour cette raison que la société a réuni, en mars 2001, toutes ses
activités associées à l'eau sous un nouveau nom : ONDEO. Ce nou-

veau conglomérat de l'eau regroupe trois divisions : ONDEO Services, spécialisée dans l'approvisionnement en eau et l'assainissement, ONDEO Nalco, centrée sur les produits chimiques servant au traitement de l'eau dans l'industrie américaine, et ONDEO Degrémont, axée sur le traitement de l'eau et les projets d'ingénierie clés en main. En annonçant la naissance de ce conglomérat, Suez s'est targuée d'en faire « le groupe mondial le plus puissant et le plus complet en matière de solutions aux problèmes liés à l'eau ».

À la même époque, Suez a déclaré que la création d'ONDEO constituait « une étape clé dans une stratégie énergique de croissance visant à faire augmenter les recettes de l'entreprise de 60 % entre 1999 et 2004 ». Outre ses activités dans le reste de l'Union européenne, Suez a signé d'importants contrats et accords de concession en Amérique latine, en Asie et en Amérique du Nord — les États-Unis étant considérés comme l'un des principaux marchés en croissance. En juillet 2000, Suez a établi sa présence aux États-Unis en achetant United Water. Cette entreprise, active dans 17 États américains, est un élément clé dans les nouveaux plans de commercialisation de l'eau d'ONDEO.

En dépit de tous ces événements, l'expérience a démontré que la privatisation des services d'eau donne des résultats pour le moins douteux. À La Paz, en Bolivie, malgré un prêt de 40 millions de dollars américains accordé à Suez en 2000 par des institutions financières internationales, le contrat signé par Suez, selon une étude de 1999 de la Banque mondiale, ne lui procurait pas une incitation financière suffisante pour étendre ses services d'eau à certaines régions. Autrement dit, l'offre des services d'eau aux pauvres était déterminée en fonction de leur « capacité à payer » et ne constituait donc pas un service public. À peu près à la même époque, le Groupe de recherche de l'Internationale des services publics basé à l'Université de Greenwich, au Royaume-Uni, prétendait que Aguas de Limeira, une filiale de Suez présente à São Paulo, au Brésil, n'avait investi que 18 millions de reals (7,2 millions de dollars américains) sur les 36 millions de reals (14,4 millions de dollars américains) figurant dans l'accord de concession (la filiale a rétorqué que tout sous-investissement présumé résultait de la non-augmentation des tarifs).

En Europe, le conseil municipal de Budapest, en Hongrie, a finalement rejeté le projet commercial présenté en juillet 1999 par le consortium Suez-RWE. D'après les membres du conseil, ce plan se serait soldé par d'énormes pertes pour la ville, tandis que les deux sociétés du consortium en auraient tiré de généreux bénéfices. Depuis la signature du contrat, des disputes n'ont cessé d'éclater. Ce qui a fait dire à l'un des hauts responsables municipaux de Budapest : « Il est clair aujourd'hui qu'une telle privatisation a été une erreur. »

Au Royaume-Uni, le service gouvernemental de contrôle de l'eau potable a annoncé en juillet 1999 que Northumbrian Water, filiale de Suez, se classait au deuxième rang des entreprises ayant obtenu les résultats les plus médiocres en Angleterre et au pays de Galles. La raison principale de cet échec était la mauvaise qualité de l'eau : de hautes concentrations de fer et de manganèse avaient été relevées dans l'eau distribuée. À Potsdam, en Allemagne, les autorités municipales ont mis fin à un contrat avec Suez parce que la société avait exigé une hausse des tarifs lorsqu'elle avait constaté que la consommation d'eau était plus faible que prévu. Les exigences de Suez étaient peut-être parfaitement légales, mais il est clair que des services publics d'eau ne pouvaient pas s'efforcer d'obtenir une forte hausse des tarifs par suite d'une baisse de la consommation, puisqu'ils n'obéissent pas à un impératif de maximisation des profits.

Selon le Groupe de recherche de l'Internationale des services publics, les prises de contrôle effectuées par Suez en vertu de contrats et d'accords de concession pour la distribution d'eau ont souvent entraîné un grand nombre de mises à pied. Le groupe de recherche a dénoncé les nombreux licenciements survenus à Manille, aux Philippines, suivis d'une réembauche sélective — une mesure que l'entreprise justifierait vraisemblablement par la quête d'une plus grande efficacité. À Buenos Aires, le personnel des services d'eau a été pratiquement réduit de moitié lorsque Suez a pris les choses en main. Le nombre d'emplois est passé de 7 600 à 4 000, essentiellement par le biais de programmes de retraite anticipée volontaire financés par l'État et le consortium Aguas Argentinas que dirige Suez. Aguas Argentinas affirme qu'elle a créé, depuis, des milliers de nouveaux emplois, mais des études ont démontré qu'il ne s'agissait que d'emplois temporaires (de trois à six mois), avec peu ou pas d'avantages sociaux. À Jakarta, en Indonésie, les travailleurs du secteur de l'eau se sont mis en grève en avril 1999 afin d'obtenir l'égalité des salaires ainsi que la suppression des concessions d'eau privées dans la ville. Dans la foulée de cette grève, le gouverneur de Jakarta, M. Sutiyoso, a licencié le président de Water Authority PDAM Jaya. Les entreprises transnationales estiment sans aucun doute que les licenciements et les autres mesures débouchant sur des économies salariales constituent d'excellents moyens de maintenir ou d'augmenter leurs bénéfices, mais de tels licenciements — comme cela s'est passé à Jakarta — peuvent provoquer des tensions sociales et des interruptions de service. La nécessité d'une continuité dans la fourniture des services de distribution d'eau et d'évacuation des eaux usées prouve bien que ceux-ci devraient rester publics.

Comme beaucoup d'entreprises transnationales, Suez est une machine politique. Son PDG, Gérard Mestrallet, a occupé différents postes aux ministères des Transports et de l'Économie et des Finances du gouvernement français et a aussi été le conseiller du ministre des Finances pour les affaires industrielles. Jérôme Monod, le directeur de Suez, a été chef de cabinet de Jacques Chirac lorsque celui-ci était premier ministre et fait aujourd'hui partie du conseil d'administration de RWE. Le conseil d'administration de Suez rassemble à la fois des PDG et d'anciens dirigeants de trois grandes banques françaises, ainsi qu'un ancien PDG de Nestlé, un directeur de Shell et Paul Desmarais fils, PDG de Power Corporation Canada. Par l'intermédiaire de ses filiales américaines, Suez a fait de modestes dons aux deux grands partis politiques des États-Unis lors de campagnes électorales et a versé sans y avoir été invitée 141 150 dollars américains durant le processus électoral de 1999-2000. La société Suez est également une interlocutrice majeure dans les discussions du Forum européen sur les services, le puissant groupe de pression des grandes entreprises qui veut obtenir de l'Organisation mondiale du commerce de nouvelles règles favorisant la privatisation des services publics, y compris ceux relatifs à l'eau.

L'empire de Vivendi

Peu de Nord-Américains connaissaient Vivendi avant le mois de décembre 2000, lorsque la société a fusionné avec Seagram et Canal+ et a créé ainsi la plus grande entreprise de services multiples de ce genre au monde. Ce faisant, le nouveau conglomérat a pris un nouveau nom, Vivendi Universal, pour bien illustrer son statut d'entreprise pleinement intégrée dans les domaines de l'eau, des médias, de l'énergie, des télécommunications et des transports.

En mars 2002, le groupe a annoncé des pertes record pour l'année 2001 (13 milliards d'euros). Au début du mois de juillet, le PDG de Vivendi Universal, Jean-Marie Messier, a été contraint au départ et remplacé par Jean-René Fourtou, qui a annoncé une restructuration des activités du groupe. À l'automne 2002, l'empire Vivendi Universal se compose encore de deux divisions principales, Vivendi Environnement et Vivendi Communication. Vivendi Environnement, numéro un mondial des services environnementaux, regroupe quatre sous-divisions, respectivement spécialisées dans l'eau, l'énergie, la gestion des déchets et les transports. Vivendi Communications, numéro deux mondial des services audiovisuels et de communication, rassemble six sous-divisions œuvrant dans les domaines de la télévision et du cinéma, de l'édition, de l'équipement télécom et des services Internet. En 2000, les recettes combinées de Vivendi Universal atteignaient 44,9 milliards de dollars américains, dont 60 % provenaient de Vivendi Environnement. L'importance de cette entreprise sur la scène internationale est telle que 58 % de ses recettes proviennent de l'extérieur de la France, dont 18 % des États-Unis. Les autres grandes sources de revenus du conglomérat sont ses entreprises de distribution d'eau — notamment la Générale des eaux (la principale société internationale de services d'eau de Vivendi) et USFilter (la plus importante société de services d'eau aux États-Unis).

En France, Vivendi Universal s'est comportée comme une pieuvre, étendant partout ses tentacules. Dans un article de janvier 2001, le sociologue Jean-Philippe Joseph écrit : « Imaginons, par exemple, qu'après avoir bu un verre d'eau du robinet, un jeune de Saint-Étienne ou de Marseille téléphone [à un ami], puis fasse ses devoirs à l'aide de manuels publiés par Nathan ou Bordas, ou cherche un mot dans le Larousse. Il [...] éteint son CD de Bob Marley, Zebda ou Nirvana et va voir *La Liste de Schindler* ou *Gladiator* au cinéma Pathé, ou il joue à un jeu sur son ordinateur — Diablo ou Warcraft. Pendant ce temps, son père [écoute] l'enregistrement d'un concert des Trois Ténors [...], de Duke Ellington [...] ou de U2. Il allume Canal+ [...] puis se connecte à AOL (France) pour chercher du travail en ligne [...] et descend les poubelles collectées par Onyx. Sa mère, médecin, lit le *Vidal* ou le *Quotidien du médecin* [...]. Elle appelle un collègue sur son portable SFR, puis va aider sa fillette qui [lit] un livre acheté chez France Loisirs. Cette famille, dans toutes ses activités, n'a jamais quitté Vivendi Universal. »

Pour élargir son empire, la société Vivendi Universal a mis tous ses espoirs dans sa division des communications pour favoriser les liaisons entre le téléphone, la télévision, l'ordinateur et les services Internet à haute vitesse. « Nous débutons comme numéro deux mondial dans les médias, déclarait Jean-Marie Messier, ex-PDG de

Vivendi, à l'issue d'une réunion, à New York, avec des analystes en investissement. Il ne nous reste qu'une étape à franchir avant de devenir le numéro un mondial. Nous le voulons, nous en rêvons et nous atteindrons ce but ensemble. » Mais bien que les recettes et les bénéfices de l'entreprise n'aient cessé de croître, les analystes ont pensé que le haut taux d'endettement par rapport au capital était un obstacle majeur à l'accomplissement du rêve de Messier. C'est Vivendi Environnement, et en particulier son consortium de services d'eau, qui a fourni les « rentrées de fonds » indispensables à Vivendi Universal. En janvier 2000, le conglomérat s'est du reste déchargé de la totalité de sa dette sur sa division de l'environnement et ses lucratives entreprises de distribution d'eau. Sa division des communications a pu dès lors continuer ses activités libérée de tout passif. Autrement dit, c'est Vivendi Water qui détenait la clé de l'avenir de l'empire.

La stratégie de commercialisation de Vivendi Universal a donc reposé sur la privatisation des services d'eau et sur l'acquisition de concessions partout dans le monde. Depuis 1999, Vivendi a signé une série impressionnante de contrats à long terme avec des villes situées en Asie (Tianjin en Chine, Inchon en Corée du Sud, Calcutta en Inde), au Maghreb et au Moyen-Orient (Tanger et Tetouan au Maroc, Beyrouth au Liban), en Europe de l'Est (Szeged en Hongrie, Prague en République tchèque), en Europe de l'Ouest (Berlin en Allemagne, avec RWE), en Afrique (Nairobi au Kenya, tout le Niger et au Tchad) et en Amérique latine (Monteria en Colombie). Après avoir acheté USFilter en mai 1999, Vivendi a également obtenu une série de concessions aux États-Unis et au Canada, dans le comté d'Onondaga (New York), à Wilsonville (Oregon), à Goderich (Ontario), à Floyd River (Kentucky) et à Plymouth (Massachusetts). USFilter, la plus grosse entreprise aux États-Unis dans les secteurs de l'eau et du traitement des eaux usées — avec un marché commercial 14 fois plus vaste que celui de son concurrent le plus direct —, occupe une place clé dans les projets d'expansion de Vivendi dans le domaine de l'eau.

Mais, tout comme Suez, Vivendi s'est heurtée à de sérieux problèmes dans la distribution de l'eau. En août 1999, par exemple, ses activités dans le service de distribution de Porto Rico, le PRASA, par l'intermédiaire de sa filiale Compania de Aguas, ont été fortement critiquées dans un rapport du gouvernement portoricain. Vivendi y était accusée de ne pas entretenir les aqueducs et les égouts portoricains et de ne pas effectuer les réparations dont les réseaux avaient grand besoin. L'agence de presse Interpress résumait la situation en ces termes : « Le bureau du contrôleur de Porto Rico a publié un rapport extrêmement critique sur le contrat signé par le PRASA et la Compania de Aguas. Le document fait état de nombreuses failles, incluant des insuffisances dans l'entretien, la réparation, l'administration et l'exploitation des aqueducs et des égouts, et signale que les rapports financiers de la compagnie sont remis en retard ou ne sont tout simplement pas soumis aux autorités. » Interpress ajoutait : « Les citoyens qui demandent assistance n'en reçoivent pas et certains usagers affirment avoir reçu des factures pour de l'eau qui ne leur a jamais été fournie. Un hebdomadaire local a publié des rapports rédigés par des équipes de travail du PRASA signalant qu'ils ne savent parfois même pas où se trouvent les aqueducs et les valves qu'ils sont censés réparer. » Mais ce n'est pas tout. Le rapport du contrôleur de Porto Rico révèle aussi que, depuis la privatisation, le déficit d'exploitation du PRASA n'a cessé d'augmenter pour atteindre finalement 241 millions de dollars américains. La Banque de développement du gouvernement (Banco Gubernamental de Fomento) a d'ailleurs dû intervenir plusieurs fois pour accorder un financement d'urgence.

En mai 2001, le bureau du contrôleur a fait paraître un autre rapport sur l'activité du PRASA, dans lequel figurent 3 181 failles apparues dans l'administration, l'exploitation et l'entretien des infrastructures. Les pertes d'exploitation du PRASA, précise le contrôleur, sont passées de 241 millions de dollars américains en août 1999 à 695 millions en mai 2001, et l'entreprise a encore à son actif 165 millions de dollars américains de factures en souffrance.

Le rapport signale également que, depuis sa privatisation par l'inter-médiaire de la Compania de Aguas de Vivendi (soit pendant la période comprise entre 1995 et 2000), l'Agence de protection de l'environnement des États-Unis a infligé au PRASA des amen-des totalisant 6,2 millions de dollars. Pour le contrôleur Manuel Diaz-Saldaña, la privatisation « a été une très mauvaise affaire pour les habitants de Porto Rico. [...] Nous ne pouvons accepter que [les services] (le PRASA) demeurent administrés comme ils l'ont été jusqu'à présent ».

En Argentine, Vivendi a déposé une plainte contre le gouverne-ment devant le Centre international pour le règlement des dif-férends relatifs aux investissements (CIRDI), qui relève de la Banque mondiale. La compagnie prétend que l'État a violé un accord bilatéral d'investissement en laissant la ville de Tucumán intenter des poursuites judiciaires contre elle. Les autorités muni-cipales de Tucumán ont effectivement accusé Vivendi d'incompé-tence et de mauvaise gestion dans l'exploitation du réseau d'ali-mentation d'eau de la ville, faisant même état de nombreuses réclamations d'usagers au sujet de l'aspect brunâtre de l'eau. Le tri-bunal, qui a rejeté la plainte, a déclaré qu'il n'existe aucune preuve que « la République argentine a négligé de redresser la situation à Tucumán et a refusé de répondre aux requêtes de Vivendi en con-formité avec les obligations incombant au gouvernement argentin en vertu de l'Accord bilatéral d'investissement » entre la France et l'Argentine.

Pendant ce temps, la coentreprise liant Vivendi et Sereuca Space pour la gestion de la facturation de l'eau à Nairobi, au Kenya, a fait l'objet d'une sérieuse controverse publique. En août 2000, Peter Munaita, journaliste au *East African*, a révélé que Sereuca Space, dans sa coentreprise avec Générale des eaux, la filiale de Vivendi, et la société israélienne Tandiran Information Systems, « n'investira pas un sou dans la construction de nouveaux réser-voirs ou d'un nouveau réseau de distribution pendant les dix ans que durera le contrat. Au lieu de cela, la compagnie consacrera un certain montant, non divulgué, à l'installation d'un nouveau système de facturation à l'Hôtel de Ville et, pour ce faire, prélèvera 14,9 % des quelque 12,7 milliards de shillings kenyans [169 millions de dollars américains] qui seront recueillis pendant toute la période ». Peter Munaita ajoute : « Le maire adjoint de Nairobi, M. Joe Aketch, s'est opposé au marché. Selon lui, cette transaction provoquerait 3 500 mises à pied. Et les 3 500 employés licenciés seraient remplacés par les 45 travailleurs — dont quatre expatriés — que Sereuca se propose d'embaucher. »

En réponse à de nombreuses critiques publiques, Vivendi a affirmé qu'elle comptait réduire au minimum les pertes d'eau en investissant 150 millions de dollars supplémentaires dans l'extension, les réparations et l'entretien du réseau. En août 2001, cependant, le gouvernement du Kenya a annoncé qu'il suspendait le projet concernant la facturation jusqu'à ce que la Banque mondiale ait terminé son étude sur la possibilité d'une privatisation. Selon des responsables de la Banque, le contrat de gestion de la facturation était trop coûteux et l'appel d'offres pour ce même contrat n'avait pas respecté les procédures commerciales habituelles. « L'étude permettra de trouver des solutions moins coûteuses », a déclaré Peter Warutere, membre du comité directeur de la Banque. Selon Peter Munaita toujours, Vivendi maintenait que la suspension du contrat « ruinerait les espoirs de Nairobi de disposer d'un service d'eau fiable avant 2008 et que la pénurie d'eau y deviendrait endémique d'ici deux ans, [car] les projets de la Banque mondiale ne se réalisent que quatre à sept ans après avoir été proposés ».

À Berlin, le Parti vert a intenté un procès à Vivendi en arguant que le prix de l'eau et les dividendes garantis (15 % de bénéfices assurés, quelle que soit la productivité) étaient anticonstitutionnels, ce qu'a confirmé le tribunal constitutionnel. Vivendi a alors annoncé qu'elle allait renégocier son contrat afin qu'il soit en conformité avec le jugement de la cour. Au Royaume-Uni, la coentreprise de Vivendi, Suez et Bouygues a été condamnée sur la place publique lorsque 3 200 travailleurs ont été licenciés parce que le gouvernement britannique avait ordonné au consortium de réduire ses prix.

Dans sa volonté de s'assurer de la croissance constante du marché pour ses services, incluant celui de l'eau, Vivendi Universal s'est ingéniée à se tailler un rôle politique grâce à l'instauration d'une nouvelle série de règles mondiales pour le commerce transfrontalier des services. Vivendi est l'une des rares entreprises transnationales faisant partie des deux groupes de pression les plus puissants du milieu des affaires : la Coalition américaine des industries de service et le Forum européen des services, qui sont actuellement engagés dans les négociations relatives à l'Accord général sur le commerce des services (AGCS — plus connu sous le sigle anglais GATS) se déroulant sous l'égide de l'Organisation mondiale du commerce (voir le chapitre 7). L'ex-PDG de Vivendi, Jean-Marie Messier, a également joué un rôle prépondérant dans l'édification d'un nouveau consensus entre les États et les entreprises en matière de réglementation mondiale pour la promotion du commerce électronique sur Internet. Et les liens politiques entre les parties ont été renforcés par la présence au conseil d'administration de Vivendi de dirigeants du milieu des affaires très influents en raison de leurs relations politiques, comme Dick Brown, de Electronic Data Systems (qui se targue d'avoir dans son conseil l'ex-secrétaire au Commerce américain William Daly). Au cours du processus électoral de 1999-2000, divers éléments américains de l'empire Vivendi — notamment Universal Studios, USFilter et Philadelphia Suburban — ont offert 186 000 dollars aux deux principaux partis politiques, et 40 110 dollars en fonds non réglementés (fonds flous).

Le jeu risqué d'Enron

À l'aube du XXIe siècle, le marché mondial potentiellement lucratif de l'eau est aux mains de Suez et de Vivendi, deux géants dont les sièges sociaux se trouvent en France. Ensemble, ces deux sociétés se sont emparées de plus de 70 % du marché mondial et sont présentes dans plus de 130 pays. Toutefois, le marché n'en étant qu'à ses débuts, un grand nombre d'analystes se demandent qui va briser leur quasi-monopole. La plupart sont convaincus que la concurrence proviendra des entreprises de la deuxième catégorie de l'industrie mondiale de l'eau. Ces sociétés possèdent les capitaux et l'ampleur nécessaires pour se tailler une place prépondérante sur le marché mondial et concurrencer sur leur terrain Suez et Vivendi. Mais, pour y parvenir, un candidat de la deuxième catégorie doit avoir les capacités et les compétences du premier. Ce candidat a existé. Il s'appelait Enron, le géant mondial des services liés à l'énergie. Avec à ses côtés Azurix, la toute nouvelle entreprise de services d'eau, Enron a donc fait son entrée sur la scène du commerce mondial de l'eau.

La croissance d'Enron a été spectaculaire. Son système de commercialisation de l'énergie en ligne est devenu le plus grand site Web de commerce électronique du monde et sa division des services d'énergie en gros vendait deux fois plus de gaz naturel et d'énergie que son concurrent le plus proche. Enron Transportation Services a été constituée pour assurer l'exploitation des gazoducs de l'entreprise, tandis qu'Enron Energy Services s'est tournée vers la vente au détail en mettant l'accent sur les consommateurs d'énergie commerciaux et industriels. Grâce à cette croissance, les recettes d'Enron ont atteint des records. De 1999 à 2000, les recettes du courtier en énergie ont fait un bond énorme de 151,3 %, passant de 40,1 milliards de dollars américains à 100,8 milliards. Pendant cette période, les ventes d'électricité de la société ont doublé et ses ventes de gaz ont augmenté d'un tiers. La plus grande partie de ces hausses ont résulté de la crise de l'énergie californienne, qu'Enron s'est empressée d'exploiter. En 2000, les recettes totales d'Enron étaient supérieures à celles de Suez et de Vivendi Universal réunis. Et l'entreprise n'était pas, elle, écrasée sous le poids d'une énorme dette.

C'est en 1998, si l'on en croit un de ses communiqués de presse, qu'Enron a entrepris « d'exploiter la tendance universelle à la privatisation de l'eau ». Après l'acquisition de la société britannique Wessex Water, le moment était venu de faire d'Azurix une filiale qui occuperait une grande place dans les services d'alimentation en eau et d'évacuation des eaux usées. Rebecca Mark, étoile montante dans les rangs d'Enron, a alors été nommée PDG d'Azurix. « Je ne serai satisfaite que lorsque toute l'eau de la planète aura été privatisée », a-t-elle déclaré. Rebecca Mark métamorphose alors Azurix en une société capable de fournir un vaste éventail de services commerciaux, comme la gestion de la distribution d'eau municipale, la construction de stations d'épuration, la mise au point de réseaux d'évacuation des eaux usées et l'enlèvement des sous-produits du traitement des eaux usées. Tirant profit de l'expérience apportée par Wessex Water, Azurix acquiert des entreprises de services d'eau et des concessions en Argentine, en Inde, en Bolivie, au Mexique et au Canada, et forme une coentreprise au Brésil. En 1999, Azurix achète Philips Utilities, société canadienne qui dirige divers projets de services de distribution d'eau et d'évacuation des eaux usées au Canada et aux États-Unis. Par ailleurs, l'expérience d'Enron en matière de commercialisation et ses liens avec l'industrie de l'électricité et du gaz naturel lui ont permis de se tailler un créneau dans le marché mondial de l'eau.

Les liens politiques très étroits d'Enron avec les milieux politiques étaient un atout majeur pour la société. Pendant les présidences de George Bush père et de Bill Clinton, l'influence politique qu'Enron exerçait sur la Maison-Blanche n'était un secret pour personne dans les cercles du pouvoir à Washington. Ces liens semblent s'être encore resserrés avec l'élection de George W. Bush. Le PDG d'Enron, Kenneth Lay, occupait une place de choix dans ces relations privilégiées. Pendant la campagne présidentielle de 2000, il a fait partie du Pioneer Group de George W. Bush. Ce groupe est composé des quelque 400 personnes qui ont apporté une contribution de 100 000 dollars (ou plus) à la campagne républicaine. Kenneth Lay était sans aucun doute un membre clé de l'Energy Advisory Panel, mis sur pied par George Bush, et du groupe Energy Policy Development formé par le vice-président Dick Cheney. Enron a aussi versé des dons en espèces, dont 300 000 dollars pour la soirée d'investiture de George Bush et 2 387 848 dollars à des candidats durant le cycle électoral de 2000. Elle a joué en outre un rôle important au sein des puissants groupes de pression du monde des affaires que sont la Coalition des industries de service, le conseil d'administration du National Foreign Trade Council et le U.S. Council for International Business.

Mais en dépit du poids politique et économique d'Enron en tant que société mère, Azurix s'est montrée incapable de réaliser la percée nécessaire pour devenir un acteur de premier plan dans le commerce mondial de l'eau. Dès le départ, la société a eu de sérieuses difficultés chaque fois qu'elle a tenté de se mesurer à Suez, à Vivendi et à d'autres transnationales pour l'obtention de concessions d'eau lucratives. Quant à Wessex Water, dont Azurix espérait qu'elle serait sa principale source de revenus, ses résultats se sont révélés très décevants. Ses recettes ont diminué sensiblement lorsqu'un plafond a été imposé sur les tarifs, en avril 2000, par l'Office of Water Services (Ofwat), l'organe de réglementation de l'industrie de l'eau en Angleterre et au pays de Galles. À la fin de 1999, Azurix a vu la valeur de ses actions plonger de 40 % en une seule journée et ne s'est jamais remise de cette chute brutale. En plusieurs occasions, Enron a renfloué Azurix en lui accordant des prêts. Mais à l'issue d'un litige judiciaire avec les actionnaires d'Azurix, Enron a annoncé, le 21 décembre 2000, qu'un accord avait été conclu et que les actions d'Azurix seraient rachetées au prix de 325 millions de dollars. Cette transaction a permis à Enron de faire le point sur son rôle futur dans l'industrie de l'eau.

Durant sa brève existence, Azurix a essuyé de nombreux échecs, notamment celui de sa concession à Bahia Blanca, ville argentine située à 675 kilomètres au sud-ouest de Buenos Aires. Au cours de l'année 2000, des résidants ont déposé de nombreuses plaintes contre Azurix en raison de la qualité médiocre de l'eau et d'un manque de pression dans le système de distribution municipal, dont Azurix était responsable. Au début de l'année, les autorités avaient averti les citoyens que leur eau potable était contaminée par une bactérie à cause de la prolifération d'algues dans le réservoir alimentant la ville. Depuis des mois, l'eau avait mauvais goût et dégageait une odeur nauséabonde. « Je travaille ici depuis vingt-cinq ans, a déclaré Ana Maria Reimers, directrice à la santé publique, et c'est la pire crise de l'eau que j'aie jamais connue. » En mai 2000, Richard Lacey, directeur des services techniques d'Azurix, a pris la défense de la société : « Azurix n'est pas responsable de cette situation. Ces inconvénients résultent de la mauvaise qualité de l'eau fournie par le réservoir et le barrage du gouvernement provincial. »

Lorsqu'un réseau public de distribution d'eau est privatisé, la répartition des responsabilités devient particulièrement ardue à établir. Une concession d'eau comme celle d'Azurix à Bahia Blanca, qui fonctionnait en marge du gouvernement, est beaucoup plus difficile à réglementer qu'un service public d'eau. En janvier 2001, il a été question que le gouverneur provincial Carlos Ruckauf demande aux législateurs provinciaux d'envisager la résiliation du contrat de trente ans conclu avec Azurix. Mais on a ensuite appris que le ministre des Travaux publics, Julian Dominiquez, préférait apporter des améliorations à la concession plutôt que de rompre le contrat. En février 2001, Azurix a accepté de consacrer 30 millions de dollars aux réparations nécessaires dans les réseaux d'eau et d'égouts. Mais en juillet de la même année, l'entreprise a écrit au gouvernement provincial de Buenos Aires pour lui annoncer que l'accord de concession ne pouvait être maintenu parce qu'il n'était pas rentable. En septembre 2001, John Garrison, PDG d'Azurix pour l'Amérique latine, a rencontré le gouverneur Ruckauf et le ministre Dominiquez pour les informer qu'Azurix s'apprêtait à se retirer de l'accord de concession. Au même moment, le public apprenait, par la voix du quotidien *El Día,* que l'entreprise allait intenter une poursuite en justice contre la province de Buenos Aires et réclamer un dédommagement de 400 millions de dollars.

En avril de la même année, Enron avait annoncé qu'Azurix, sa filiale en difficulté, allait être démantelée et que ses actifs seraient vendus. En misant sur Azurix, Enron s'était donc lourdement trompée. Dans *Global Water Intelligence,* on a appris que le géant de l'énergie s'était dit « déçu par le secteur de l'eau » et qu'il n'avait pas la « patience » nécessaire pour mettre sur pied une entreprise de services d'eau assez solide pour s'imposer à long terme sur le marché. Enron avait été trop gâtée, ajoutait *Global,* par « l'afflux d'argent rapide » que lui avait récemment procuré le secteur de l'énergie. Quatre mois plus tard, American Water Works a annoncé qu'elle avait fait l'acquisition des actifs d'Azurix en Amérique du Nord, ce qui lui permettait de renforcer sa présence sur le marché de l'eau dans le sud-est et le nord-ouest des États-Unis ainsi que dans trois provinces canadiennes.

La débâcle d'Azurix annonçait la banqueroute spectaculaire d'Enron. Huit mois plus tard, le géant mondial de l'énergie déposait son bilan et demandait la protection de la loi américaine sur les faillites. Les créanciers, les organismes de réglementation et les dirigeants politiques s'empressèrent de resserrer l'étau autour de la société criblée de dettes. Enron, que l'on croyait être en parfaite santé financière, l'étoile montante du *Global Fortune 500,* faisait face à une montagne de dettes s'élevant, en décembre 2001, à au moins 13 milliards de dollars. Lorsque l'autorité de tutelle de la Bourse américaine, la Securities and Exchange Commission (SEC), a entamé son enquête sur les pratiques comptables et les éventuels conflits d'intérêt de la compagnie, le colosse de l'énergie, qui fut le fer de lance de la privatisation et de la déréglementation des services publics, n'était plus qu'un géant malade ayant fait banqueroute — la banqueroute la plus coûteuse de l'histoire.

Les nouveaux prétendants

Enron n'aura certes pas été la dernière entreprise à se lancer à la conquête du marché mondial de l'eau. Le filon bleu de centaines de milliards de dollars est trop tentant pour être laissé aux mains de quelques conglomérats, et de sérieux indices donnent à penser que de nouveaux prétendants sont en lice. Certains pourraient même, dans les années à venir, être en mesure de s'attaquer aux empires de l'eau que sont Suez et Vivendi. Une fois de plus, une série d'acquisitions et de fusions se préparent qui, si elles sont fructueuses, pourraient briser le monopole du marché mondial de l'eau et libérer davantage les forces de la privatisation. Deux de ces prétendants ont leur siège social en Allemagne.

Le premier est l'énorme société de services multiples RWE, qui a acquis Thames Water afin de s'établir solidement sur le marché mondial de l'eau. En Allemagne, RWE est aujourd'hui le deuxième fournisseur d'électricité et l'une des plus grandes entreprises d'élimination des déchets. Avec des recettes annuelles dépassant les 40 milliards de dollars américains, RWE s'est toujours trouvée au sommet du classement de *Global Fortune 500*. Récemment, la firme a tenté de restructurer ses activités afin de devenir une entreprise de services multiples, fournissant énergie, eau, services de télécommunications et services de gestion des déchets aux centres urbains partout dans le monde. Dans le marché de la distribution d'eau, RWE se prépare à passer au premier plan grâce à ses coentreprises avec Suez, en Hongrie, et Vivendi, à Berlin. En absorbant, en septembre 2000, Thames Water — le principal protagoniste de la troisième catégorie à l'époque —, RWE avait pour objectif de consolider sa présence internationale dans le secteur de l'eau. « Thames nous apporte l'envergure et l'expertise technique qui vont nous permettre de devenir un participant de poids sur toute la planète », déclare Dietmar Kuhnt, le PDG de RWE.

Un an après cette prise de contrôle, RWE a enregistré une augmentation de 29 % de ses recettes, qui ont atteint 62 milliards d'eurodollars, et une hausse des bénéfices d'exploitation de 35 %. Grâce au solide rendement de Thames, la division de l'eau de RWE a compté pour 20 % dans l'augmentation des bénéfices. Au cours de cette première année dans le giron de RWE, Thames a déjà commencé à accroître sa part du marché. Après avoir construit en 1995 une station de traitement des eaux usées à Shanghai — elle fut la première entreprise étrangère à prendre pied dans ce domaine en Chine —, elle signe en 2001 un contrat de cogestion du système d'approvisionnement en eau de la ville avec une société d'État, la Pudong Tap Water Co. En Thaïlande, elle signe un contrat de 240 millions de dollars américains pour l'approvisionnement en eau de deux provinces. Jamais un accord de concession aussi important n'avait été conclu en Asie. Et peu après son rachat par RWE, Thames est devenue l'actionnaire principal d'ESSBIO, société chilienne de services d'alimentation en eau et d'assainissement qui sert le million et demi d'habitants de la deuxième ville chilienne, Concepción.

En dépit des bénéfices qu'elle a réalisés, Thames Water a suscité des critiques très négatives au Royaume-Uni en raison de la médiocrité de ses services. Le 27 juillet 2001, Michael Meaker, ministre de l'Environnement, déclare : « Je suis extrêmement déçu du travail de Thames Water. Son incapacité à mettre fin aux fuites, ou même à dire où va l'eau circulant dans ses conduites, est inacceptable. Je soutiens entièrement les vigoureuses mesures préconisées par l'Ofwat pour redresser la situation, mesures auxquelles Thames a du reste accepté de se plier. » Selon l'Ofwat, Thames a perdu, entre avril 1999 et avril 2000, un volume d'eau suffisant pour remplir quotidiennement 300 piscines olympiques. Mais ce n'est pas tout : en août 2001, Thames a plaidé coupable et a dû payer une amende de 26 600 livres sterling pour avoir laissé des eaux d'égout brutes polluer un ruisseau traversant les jardins d'un quartier résidentiel.

En septembre 2001, RWE a consolidé sa position en achetant la société American Water Works et ses services d'eau aux États-Unis.

Cette acquisition comprend également les actifs d'Azurix aux États-Unis, dont Enron venait de se départir.

Le géant allemand de l'énergie E.ON fait lui aussi partie des prétendants qui tentent d'opposer une véritable concurrence aux entreprises qui dominent actuellement le marché mondial de l'eau. En 2000, désireux de diversifier ses activités dans le domaine des services et d'imposer sa présence sur le marché croissant de la distribution d'eau privée, la société s'est mise à la recherche d'une entreprise de services d'eau à racheter. Des pourparlers préliminaires avec Suez et Enron n'ayant rien donné, E.ON a fait une offre d'achat à SAUR, l'entreprise de services d'eau qui appartient entièrement à la société française Bouygues, spécialisée dans la construction et les télécommunications. SAUR est la troisième entreprise mondiale de services d'eau après Vivendi et Suez — bien qu'elle se situe assez loin derrière les deux transnationales. Mais avec le renfort d'un conglomérat aussi puissant qu'E.ON, disposé à investir un capital considérable, SAUR aurait la possibilité de prendre beaucoup plus d'ampleur. À l'heure qu'il est, cependant, l'offre d'E.ON concernant le rachat de SAUR n'a pas encore été acceptée par Bouygues.

En 1999, SAUR était déjà très active dans quelque 80 pays, surtout en Amérique latine. En septembre 2000, l'entreprise s'est jointe à la société espagnole Aguas de Valencia pour former un consortium capable d'ouvrir de nouveaux marchés à la privatisation de l'eau en Amérique latine. Un an plus tard, on pouvait lire dans certains rapports que SAUR négociait avec Enron en vue de recueillir ce qui restait des actifs d'Azurix à Buenos Aires. Au même moment, SAUR signait un contrat grâce auquel elle devenait l'exploitante principale des services de distribution d'eau et des stations de traitement des eaux usées du Mali, en Afrique centrale. Le contrat malien ajoutait une nouvelle corde à l'arc de SAUR International, qui exploitait déjà des services d'eau et d'électricité en Afrique, notamment en Côte d'Ivoire, au Sénégal, en Guinée, en République centrafricaine, au Mozambique et en Afrique du Sud. En Pologne, SAUR a par ailleurs damé le pion à Vivendi : elle a remporté un contrat de 25 ans concernant la modernisation et l'exploitation des services d'eau et du système de drainage de Ruda Slaska.

Que les sociétés RWE-Thames, E.ON ou toute autre alliance d'entreprises de deuxième et troisième catégories parviennent ou non à véritablement concurrencer Suez et Vivendi, ces forces rivales ne manqueront certainement pas de déclencher de nouvelles vagues de privatisation. Si ces armées de la privatisation ne sont pas mises en échec, il y a tout lieu de penser que l'eau, élément essentiel à la vie, sera, dès la fin de la première décennie du XXIe siècle, presque entièrement marchandisée et commercialisée.

Un fiasco privatisé

Cette succession de privatisations de l'eau à grande échelle ouvre la voie à un avenir où se multiplieront les inégalités sociales et les dégradations de l'environnement. Le modèle de la privatisation évoque des images inquiétantes, celles de sociétés où les cultures et le patrimoine commun de l'humanité sont assaillis de toutes parts. Pour saisir l'ampleur de la menace, il suffit d'examiner attentivement le bilan des activités des entreprises de services d'eau et leur incidence sur le travail, la qualité de la vie et l'environnement.

En 1997, faisant l'apologie de la privatisation dans une conférence sur l'industrie, Jeffrey Skilling, alors président d'Enron, dispensait ce conseil révoltant : « Vous devez vous montrer sans pitié et réduire les coûts de 50 à 60 %. Et vous débarrasser des gens en trop. Ils bousillent le travail. » Cette rhétorique brutale ne fait que refléter la philosophie qui motive la plupart des transnationales avides de profits. Pour des gens comme Skilling, tout est très simple : puisque les règles du jeu consistent à maximiser les profits, il convient alors de réduire les coûts en licenciant des travailleurs et en haussant les tarifs.

Le rachat, par Suez, des concessions de Manille et de Buenos Aires de même que les problèmes de main-d'œuvre qu'a affrontés Enron en Argentine et ailleurs, illustre bien les conséquences de ces méthodes de privatisation. Lorsqu'elles reprennent la concession des services d'eau de Manille, Suez et United Utilities s'empressent de licencier des employés. À Buenos Aires, après la prise de contrôle de Suez, le nombre de travailleurs est passé de 7 600 à 4 000. Au Royaume-Uni, en Argentine, au Guatemala et en Inde, Enron s'est opposé activement aux positions des syndicats. Lorsque les gouvernements ne prennent pas la précaution de négocier des mesures strictes et exécutoires en matière de protection de l'emploi, les travailleurs risquent fort de perdre leur gagne-pain, sans aucune considération pour leurs droits. Les projets de privatisation débouchent souvent sur de nombreuses mises à pied, sauf quand le gouvernement prévient cet état de choses, comme ce fut le cas à Berlin. En bref, les entreprises se concentrent d'abord et avant tout sur leur objectif principal : un rendement accru pour leurs actionnaires.

Mais les méfaits les plus grands de la privatisation pourraient bien affecter la santé et la sécurité des travailleurs. Les infractions commises par certaines grandes entreprises présentes sur les marchés mondiaux de l'eau se sont accumulées. En 1985, Bechtel a été condamnée à une amende par le U.S. Nuclear Regulatory Commission's Office of Investigations pour avoir délibérément contrevenu aux procédures de sécurité durant les travaux de décontamination de la centrale nucléaire de Three Mile Island, en Pennsylvanie. En 1995, Enron a été condamnée par la U.S. Occupational Safety and Health Administration pour les nombreuses violations des procédures de sécurité associées à l'explosion survenue en 1994 dans son usine de production de méthanol, à Pasadena (Texas). Il s'agit là d'exemples de violations de règlements dans d'autres secteurs d'activité industrielle, mais la menace plane tout aussi bien sur les services de distribution d'eau, où ces mêmes entreprises sont aujourd'hui actives — ou ont l'intention de l'être.

Les dégâts causés à l'environnement par un grand nombre d'entreprises démontrent que la gestion privée des services d'eau ne saurait être durable. Au Royaume-Uni, l'Environment Agency a identifié, parmi les plus dangereuses contrevenantes aux lois environnementales du pays, de nombreuses entreprises de services d'eau. De 1989 à 1997, Anglian, Northumbrian, Severn Trent, Wessex et Yorkshire Water ont été poursuivies 128 fois pour des infractions allant de fuites d'eau à l'évacuation illégale d'eaux usées. Selon l'Agence de protection de l'environnement des États-Unis, Bechtel s'est rendue coupable, de 1990 à 1997, de 730 déversements de substances dangereuses, tandis qu'Enron en a totalisé 76, dont certains furent très importants.

Le modèle de la privatisation lui-même engendre d'énormes disparités de pouvoir entre les entreprises et les gouvernements locaux qui traitent avec elles. La majeure partie des concessions entraînent un transfert de pouvoir aux entreprises privées. Il en résulte que les possibilités d'intervention des gouvernements sont grandement diminuées et que ceux-ci ne peuvent même pas imposer des exigences minimales en matière de distribution et de qualité de l'eau. Et les gouvernements ne parviennent pas toujours à pénaliser les entreprises qui ne respectent pas les normes de qualité de l'eau et qui persistent à augmenter leurs tarifs. Dans l'un de ces cas, l'Ofwat, l'organisme de réglementation britannique de l'eau, a réagi favorablement aux protestations du public devant l'augmentation des tarifs et la mauvaise qualité de l'eau, et a exigé des entreprises œuvrant au Royaume-Uni qu'elles réduisent leurs prix et améliorent les réseaux. Mais Suez, comme d'autres entreprises mondiales, a un très large champ de manœuvre pour contourner ces mesures. Elle a dès lors annoncé qu'elle comptait réduire ses investissements dans des programmes environnementaux et qu'elle ne se conformerait pas au calendrier établi par l'Union européenne en vue de l'adoption de certaines normes écologiques.

Au lieu de présider à l'amélioration des services et d'assurer une distribution équitable de l'eau, le modèle de privatisation sert, d'abord et avant tout, à augmenter les bénéfices des entreprises. Northumbrian Water, filiale de Suez au Royaume-Uni, illustre bien cette réalité. De 1989 à 1995, les tarifs exigés ont augmenté de 110 %, le salaire du PDG de 150 %, et les bénéfices de l'entreprise de 800 % ! La faille intrinsèque à ce modèle, c'est qu'il n'est, en fin de compte, pas viable. Il exige une consommation sans cesse croissante et contribue très peu à la conservation des ressources.

Par ailleurs, le paysage de l'industrie mondiale de l'eau est souillé par de nombreuses affaires judiciaires. L'un des cas les plus notoires concerne Suez et la ville de Grenoble, en France. Après une enquête consécutive à des allégations de corruption, une équipe de magistrats a découvert que la privatisation des services d'eau de Grenoble s'était faite, en 1989, en échange de dons ayant atteint 19 millions de francs pour le financement de la campagne électorale du maire de la ville, Alain Carignon. En 1996, Alain Carignon (qui était alors ministre des Communications dans le gouvernement français) et Jean-Jacques Prompsey (qui était directeur général de la division internationale de la gestion des déchets de Suez) ont été reconnus coupables d'avoir aussi bien accepté que donné des pots-de-vin et ont été condamnés à une peine de prison. Par la suite, des tribunaux ont conclu que les citoyens de Grenoble avaient été spoliés par cette négociation malhonnête et leur ont accordé le droit de réclamer un dédommagement.

Un autre cas de corruption a entaché Vivendi et les autorités municipales d'Angoulême, en France. En 1997, Jean-Michel Boucheron, ancien maire de la ville puis ministre du gouvernement français, a été condamné à deux ans de prison (plus deux ans avec sursis) pour avoir accepté des pots-de-vin versés par des entreprises ayant fait des offres pour des concessions de services publics. David Hall, du Groupe de recherche de l'Internationale des services publics, a révélé que des cadres de la Générale des eaux ont été reconnus coupables d'avoir soudoyé le maire de Saint-Denis, chef-lieu du département français de la Réunion, dans le but d'obtenir un contrat de services d'eau. Et en 1998, la cour d'appel de l'Oregon a condamné Portland General Electric, filiale d'Enron, pour avoir surfacturé ses clients, chaque année, d'un montant de 21 millions de dollars américains.

Enfin, les filiales de Bouygues, de Suez et de Vivendi œuvrant dans la construction ont fait l'objet d'une enquête judiciaire, en France, à la suite d'allégations selon lesquelles elles auraient participé à un cartel de corruption de 1989 à 1996. D'après le rapport du Groupe de recherche de l'Internationale des services publics, les trois entreprises se seraient partagé des contrats d'une valeur approximative de 500 millions de dollars américains pour la construction d'écoles en Île-de-France, à l'exclusion de tout autre soumissionnaire. En outre, il semble qu'un prélèvement de 2 % ait été effectué sur chaque contrat afin de verser des contributions financières aux partis politiques de la région. Ce type d'arrangement (qui n'a pas été prouvé dans le dernier cas) a été décrit par le journal *Le Monde* comme « un système établi de détournement de fonds publics ».

Bien que des défenseurs de la privatisation aient eu le culot de déclarer que les entreprises à but lucratif rendront davantage de comptes et seront plus transparentes que les gouvernements élus, on peut affirmer qu'il n'en est rien, bien au contraire. Les entreprises transnationales de distribution d'eau font des bénéfices d'autant plus importants que le prix de l'eau augmente sans cesse dans un grand nombre de territoires soumis à la privatisation — augmentations qui mettent trop souvent l'eau hors de portée des pauvres. Cette situation résulte du fait que l'objectif principal des entreprises privées n'est pas de servir le public ou d'assurer une distribution équitable de l'eau, mais bien de satisfaire leurs actionnaires, autrement dit d'augmenter les bénéfices de quelques privilégiés. Et la concentration de pouvoir consécutive aux énormes profits engendrés par le commerce mondial de l'eau ne peut qu'inciter certains dirigeants d'entreprise à utiliser ce pouvoir à des fins malhonnêtes.

« Dans les services d'eau comme dans d'autres domaines, la corruption est l'un des traits inhérents au processus de privatisation », ont déclaré les chercheurs de l'Internationale des services publics. Cette idée est reprise par la Banque mondiale elle-même dans un rapport intitulé *The Political Economy of Corruption : Causes and Consequences* (*L'économie politique de la corruption : causes et conséquences*). On peut y lire ceci : « […] le processus de privatisation lui-même peut encourager la corruption. Il arrive qu'une société paie pour figurer sur la liste des soumissionnaires qualifiés ou pour en éliminer d'autres. Elle peut payer pour obtenir une sous-évaluation de la propriété publique qui est à vendre ou à céder en concession ou pour être favorisée dans le processus de sélection. » Le rapport révèle aussi que « […] les sociétés qui donnent des pots-de-vin peuvent non seulement remporter un contrat ou un accord de privatisation, mais aussi obtenir des subventions, des bénéfices monopolistiques et un assouplissement futur des réglementations ».

Parmi les idées maîtresses qu'avancent les partisans de la privatisation, il y a celle-ci : les fournisseurs de services publics sont inefficaces. Dans certains cas, cette assertion est vraie, mais elle ne correspond pas pour autant à un fait généralisé. Le cas du Chili, sur ce point, est révélateur. Depuis 1998, la plupart des services publics d'eau chiliens ont été partiellement privatisés, essentiellement par la vente d'actions à de grandes entreprises privées. Les services publics avaient pourtant la réputation, avant la privatisation, d'être excellents. Dans une étude comparative de 1996 concernant six pays en voie de développement, la Banque mondiale soulignait d'ailleurs l'efficacité des sociétés publiques de services d'eau chiliennes, en particulier EMOS, qu'elle citait en exemple. Comme on peut le lire dans un des rapports du Groupe de recherche de l'Internationale des services publics, les entreprises publiques de services d'eau qui ont de bonnes assises financières offrent des possibilités avantageuses au secteur privé. « Lorsqu'il est question d'obtenir des fonds en vue d'équilibrer le budget de l'État, explique David Hall, une telle démarche a pour effet pernicieux de favoriser la privatisation des services d'eau les plus efficaces, car ils rapporteront davantage. »

Au Brésil, la SABESP, le service public d'eau de l'État de São Paulo — le plus important au monde —, a entrepris en 1995 une restructuration majeure de ses activités afin de les moderniser et de les rendre plus efficaces. La SABESP, qui fournit l'eau à la majorité des 22 millions d'habitants de l'État, a été réorganisée de façon à augmenter ses recettes, à réduire ses coûts d'exploitation et à améliorer l'efficacité de ses services. En 1995, selon le Groupe de recherche de l'Internationale des services publics, « la proportion de la population de la région alimentée en eau traitée est passée de 84 % à 91 %, et celle raccordée au réseau d'égouts, de 64 % à 73 %. Quant aux cas de mauvais fonctionnement, ils ont chuté à 8 % ». Au total, les coûts d'exploitation des services d'eau ont été réduits de 45 %, de sorte que la SABESP est maintenant en mesure de financer ses programmes d'investissement par l'intermédiaire de prêts et au moyen de ses propres fonds (bien que la dévaluation de la monnaie brésilienne, en 1999, ait eu un effet négatif sur ses capacités financières). Dans le même temps, la SABESP a élargi ses activités écologiques en participant, entre autres, au nettoyage du fleuve Tiett — soit le plus grand projet écologique de ce genre en Amérique latine.

En dépit de l'efficacité dont font preuve des services publics comme la SABESP, la poussée irrésistible de la privatisation s'intensifie. Ainsi, les seigneurs mondiaux de l'eau s'emparent non seulement des réseaux locaux de distribution d'eau, mais ils s'apprêtent également à mettre la main sur l'exportation d'eau en vrac.

CHAPITRE 6

LE CARTEL DE L'EAU

*Les entreprises et les gouvernements sont prêts
à s'emparer du commerce mondial de l'eau*

En février 1999, un éditorial de Terence Corcoran, du journal
canadien *The National Post*, provoque une onde de choc dans le
commerce international et les cercles gouvernementaux. Corcoran
prédit que l'année 2010 verra le règne d'une « OPEP de l'eau » et
que le Canada en sera le souverain. D'ici 2010, écrit-il, « le Canada
exportera de grandes quantités d'eau douce vers les États-Unis, et
plus encore, par navires-citernes, vers les pays assoiffés de la planète ». Corcoran affirme que les pays riches en eau, dont le Canada,
s'uniront comme l'ont fait les pays riches en pétrole du Moyen-
Orient, « afin de former un cartel des réserves mondiales et de faire
monter le prix de l'eau — exactement comme l'a fait l'OPEP avec le
pétrole ». En outre, écrit le journaliste, dès que les gouvernements
prendront conscience qu'ils peuvent tirer des sommes énormes du
transport massif de l'eau, « le Canada se lancera dans la course à la

direction du WWET, le World Water Export Treaty, qui sera signé en 2006 par 25 pays pourvus de larges réserves hydriques ».

Bien que les prédictions de Corcoran aient été accueillies avec scepticisme, un examen plus approfondi de l'industrie mondiale de l'eau révèle que, depuis le début des années 1990, les entreprises travaillent main dans la main avec les gouvernements sur d'énormes projets d'exportation d'eau en vrac — eau provenant des pays qui possèdent cette ressource en abondance. En 1996, le meilleur expert en eau de la Banque mondiale pour l'Afrique du Nord et le Moyen-Orient a déclaré que, d'une façon ou d'une autre, « l'eau circulera autour de la planète comme le pétrole aujourd'hui ». Et il a ajouté : « Au cours des cinq prochaines années, nous verrons naître une certitude, à savoir que l'eau est une marchandise internationale. » En 1991, le magazine *Report on Business* du *Globe and Mail* avait déjà fait cette prévision : « Au cours des dix prochaines années, la pollution, la croissance démographique et les croisades pour la défense de l'environnement feront peser d'énormes pressions sur les pays riches en eau de la planète. » Et l'auteur de l'article ajoutait : « Quelques-unes des grandes industries canadiennes d'ingénierie se préparent pour le jour où l'eau sera vendue dans le monde entier comme le pétrole, le blé ou le bois d'œuvre [...]. Ce qui importera alors, ce sera de savoir qui aura le droit de la vendre au plus offrant. »

À l'aube du XXIᵉ siècle, de nouveaux acteurs du milieu des affaires sont entrés en lice, armés de plans pour conquérir le marché mondial de l'exportation de l'eau. L'un de ces candidats, Global Water Corporation (récemment rebaptisée Global H_2O) résume ainsi son point de vue : « L'eau n'est plus cette marchandise inépuisable que l'on peut tenir pour acquise, c'est un élément vital et limité qui pourrait être pris de force. » Pour ces brasseurs d'affaires qui envisagent le transfert de l'eau en vrac à l'intérieur du marché mondial, tout se limite à deux facteurs : l'offre et la demande. Du côté de l'offre, les pays et les régions de la planète qui possèdent de l'eau douce en abondance grâce à leurs lacs, leurs fleuves, leurs rivières et leurs glaciers : Alaska, Canada, Norvège,

Brésil, Russie, Autriche et Malaisie, entre autres; du côté de la demande, les pays et les régions du monde où sévissent des pénuries d'eau en raison de conditions géographiques ou environnementales, de l'épuisement des aquifères ou de la contamination des eaux : Moyen-Orient, Chine, Californie, Mexique, Singapour et Afrique du Nord, et de nombreux autres pays et régions dans pratiquement chaque continent. Pour les candidats à l'exportation en vrac, l'affaire consiste d'abord à mettre la main sur des réserves d'eau, puis à livrer l'or bleu à des collectivités ciblées en fonction de leur « capacité à payer », et le tout à un prix qui permettra aux entreprises non seulement de rentrer dans leurs frais, mais aussi de s'assurer des marges bénéficiaires de plus en plus larges.

Au cours des années 1990, de nouvelles technologies ont été mises au point pour transporter l'eau vers les marchés, dans des bouteilles ou dans d'énormes sacs scellés. L'eau peut également être acheminée par pipeline, canal ou superpétrolier. Certaines entreprises sont d'avis que le transport en vrac est trop coûteux pour être rentable, mais la Banque mondiale rétorque que, d'une part, toutes les réserves d'eau peu coûteuses et aisément accessibles sont déjà exploitées et que, d'autre part, l'exploitation de nouvelles sources, quels que soient les moyens employés, serait deux à trois fois plus onéreuse que le transport en vrac. En outre, ajoute la Banque mondiale, la demande persistera quel que soit le prix de l'eau. Et il est peu vraisemblable que l'eau de mer dessalée puisse remplacer l'eau douce sur le plan économique. Certains pays dessaleront leur eau de mer, cela ne fait aucun doute, mais il s'agit là d'un procédé très coûteux et très gourmand de combustible fossile. Par conséquent, les grandes activités de dessalement ne pourront être entreprises que par des pays disposant de vastes réserves d'énergie. Mais ces opérations contribueront énormément au réchauffement de la planète. Autrement dit, elles aggraveront une crise déjà exacerbée par le détournement de l'eau douce.

L'exportation d'eau en vrac pose effectivement un sérieux problème écologique. D'autres études devront être faites, mais l'on sait déjà que drainer l'eau des lacs et des bassins hydrographiques perturbe l'écosystème, abîme les habitats naturels, réduit la biodiversité et assèche les aquifères et les nappes souterraines. Les dégâts sont encore plus conséquents lorsque l'eau est amenée en vrac dans des régions anciennement désertiques qui n'ont pas les conditions nécessaires pour supporter un trop grand nombre d'habitations. Dans le désert de l'Arizona, la population a été multipliée par 10 au cours des soixante-dix dernières années. Il y a aujourd'hui 4 millions d'habitants en Arizona, dont plus de 800 000 vivent dans la ville de Tucson. Dans un article paru dans *The Atlantic Monthly*, intitulé « Desert Politics », Robert Kaplan illustre le dilemme en ces termes :

> *Comme le pensent certains ingénieurs visionnaires, il est possible que le salut du Sud-Ouest vienne finalement de cette grosse éponge verte et humide qui chatoie au nord : le Canada. Un réseau de nouveaux barrages, réservoirs et tunnels transporteraient alors l'eau du Yukon et de la Colombie-Britannique vers la frontière mexicaine, tandis qu'un canal géant livrerait l'eau dessalée de la baie d'Hudson du Québec au Midwest américain et que des superpétroliers achemineraient l'eau des glaciers de la côte de la Colombie-Britannique vers la Californie du Sud. Tout cela pour permettre l'expansion d'un réseau de cellules post-urbaines et multiethniques bruissantes d'activité économique.*

Les ingénieurs visionnaires de Kaplan sont peut-être plus avancés que nous ne le pensons. En réponse à la « demande » émanant de régions pauvres en eau — allant de l'Arizona, de la Californie et du Mexique au Moyen-Orient, à l'Afrique du Nord, à l'Espagne et à la Grèce, en passant par la Chine et Singapour —, des projets colossaux se chiffrant à plusieurs milliards de dollars sont élaborés et mis en œuvre.

Les corridors de pipelines

Il y a très longtemps que l'on construit des pipelines afin d'acheminer l'eau nécessaire à l'irrigation des champs cultivés. Mais aujourd'hui, des pipelines d'une nouvelle génération sont en cours de conception. Ils sont destinés au transport transcontinental de l'eau en vrac. En Europe, un pipeline à la fine pointe de la technologie a été construit pour transporter de l'eau de source des Alpes autrichiennes jusqu'à Vienne. Des projets en cours d'élaboration visent le prolongement, sous la bannière de ce qui serait le Réseau européen de l'eau, de ce pipeline vers d'autres pays. Au cours de la prochaine décennie, un corridor de pipelines sera construit pour amener de l'eau des Alpes autrichiennes en Grèce et en Espagne. Toutefois, ce projet inquiète fortement les écologistes autrichiens. Ces derniers sont convaincus que des exportations massives auraient des effets négatifs sur le fragile écosystème alpin.

En Turquie, le gouvernement et certaines entreprises se préparent à utiliser la même technique pour acheminer de l'eau en vrac vers les marchés. L'État et les compagnies se serviront de pipelines, aussi bien que de pétroliers modifiés, pour exporter d'énormes volumes d'eau du fleuve Manavgat vers des marchés commerciaux de Chypre, de Malte, de Libye, d'Israël, de Grèce et d'Égypte. Au cours de l'été 2000, Israël est entré en négociations avec la Turquie pour l'achat de plus de 49 milliards de litres d'eau par an. La société d'État turque affirme qu'elle possède les pompes et les canalisations nécessaires pour exporter de quatre à huit fois cette quantité. Les entreprises turques semblent donc destinées à devenir les fournisseurs d'eau en vrac des régions assoiffées de l'Europe centrale.

Devant la crise qui sévit au Royaume-Uni, des entreprises britanniques examinent la possibilité de transporter de l'eau en provenance de l'Écosse, par pipeline ou par navire-citerne. Selon George Fleming, professeur à l'Université Strathclyde, modifier l'infrastructure existante pour créer un corridor de pipelines allant du nord de l'Écosse et d'Édimbourg jusqu'à Londres et d'autres régions de l'Angleterre serait relativement aisé. Mais l'Écosse tient absolument à conserver sa souveraineté sur l'eau. Lorsque la société d'État écossaise de l'eau, West of Scotland Water, a rendu public un projet de vente d'eau à l'Espagne, au Maroc et au Moyen-Orient, la proposition a été si mal accueillie qu'elle a dû reculer. Mais nombreux sont ceux qui affirment que l'exportation d'eau en vrac est inévitable en raison des pénuries qui guettent l'Angleterre et le pays de Galles.

À la même époque, United Water International signait un accord de concession pour les services d'eau d'Adelaïde, dans le sud de l'Australie, et l'entreprise se prépare à se lancer dans l'exportation d'eau en vrac. (United Water International appartient conjointement à Vivendi, RWE-Thames Water et Brown & Root, une société d'ingénierie.) United Water poursuit une stratégie de quinze années dont le but est l'exportation, par pipeline et par superpétroliers, de l'eau destinée à la fabrication de logiciels et de matériel informatique et à l'irrigation d'exploitations agro-industrielles. Les entreprises australiennes locales n'ont même pas été autorisées à participer à l'appel d'offres parce qu'on estimait qu'il était préférable de céder la concession à un consortium international, afin d'augmenter la valeur des exportations, qui devraient être de l'ordre de 628 millions de dollars par an.

Parmi les projets de construction de pipeline les plus notoires — et les plus coûteux : plusieurs milliards de dollars américains (voir chapitre premier) —, il faut citer celui du colonel Muammar al-Kadhafi, en Libye. Le but est de transporter l'eau extraite des aquifères du bassin de Kufra, dans le désert du Sahara, vers d'autres régions du pays. L'une des étapes consiste à installer deux pipelines de 4 mètres de diamètre, l'un pouvant transporter chaque année 700 millions de mètres cubes d'eau vers les fermes de la côte, le second, 175 millions de mètres cubes vers des collectivités installées au pied des montagnes du Nord-Ouest. L'ouvrage est réalisé par la société sud-coréenne de travaux publics et de transport Dung Ah

Construction Industrial Company, dont le dirigeant, Choi Won Suk, est surnommé le « bulldozer pensant » et « Big Man », en raison de sa façon de s'attaquer à ce type de projets pour le moins titanesques.

En Amérique du Nord, il est également question de construire un réseau de corridors de pipelines destiné à transporter de l'eau puisée dans les fleuves et les lacs, ou provenant des glaciers du Grand Nord canadien et de l'Alaska, afin de la fournir à la Californie et à d'autres régions des États-Unis. Certains prétendent que le président George W. Bush, qui a fait pression pour la construction d'un énorme corridor de pipelines partant de l'Alaska et du Grand Nord canadien, n'envisage pas seulement le transport de gaz et de pétrole, mais également celui de l'eau en vrac. Pour leur part, les fermiers de l'Alberta et de la Saskatchewan se demandent si les milliers de kilomètres de canalisations que l'on pose actuellement au beau milieu de leurs terres feront bientôt partie d'un réseau d'exportation d'eau douce.

Les superpétroliers

Le débat autour de l'exportation d'eau en vrac par superpétrolier bat son plein, surtout en Amérique du Nord. L'eau serait acheminée par des navires originellement conçus pour le transport de pétrole, et si la demande d'eau se faisait plus pressante, certaines compagnies maritimes transporteraient à la fois du pétrole et de l'eau en vrac. Comme l'explique l'expert Richard Bocking, ces compagnies livreraient le pétrole à l'aller et rapporteraient de l'eau au retour. Le premier transport d'eau hors des États-Unis, selon Brian Crewdon, directeur général adjoint de l'Anchorage Water and Wastewater Utility, a sans doute eu lieu en 1995, dans un navire-citerne loué par la compagnie japonaise Mitsubishi. Ce navire, qui transportait outre-mer des sous-produits pétroliers, s'est arrêté, sur sa route de retour vers le Japon, à Eklutna, en Alaska, pour y charger plusieurs millions de litres d'eau.

Les superpétroliers qui achemineraient toute l'année de l'eau en vrac le long des côtes du Pacifique seraient vraisemblablement soumis à des horaires très serrés et pourraient laisser de graves dommages écologiques dans leur sillage. « Ces énormes pétroliers, explique Richard Bocking, devraient se frayer un chemin le long de voies d'eau traîtresses et manœuvrer, autour des îles et des récifs, dans une région où le système de gestion du trafic maritime est médiocrement développé. [...] Des groupes d'orques se déplacent régulièrement dans ces eaux qui, outre qu'elles constituent un lieu idéal pour la pêche sportive et commerciale, accueillent également la quasi-totalité des parcs à huîtres commerciaux des côtes de la Colombie-Britannique. » Selon cet expert, le danger réside dans le fait que les énormes réservoirs des pétroliers « sont remplis de mazout lourd combustible de soute "C", la catégorie de pétrole la plus dangereuse pour l'environnement. Les courants, les vents et les récifs, conjugués à la densité du trafic, forment la combinaison idéale pour une tragédie à grande échelle ».

Avant que le gouvernement de la Colombie-Britannique n'interdise, en 1993, l'exportation d'eau en vrac, plusieurs sociétés nouvellement créées, dont Western Canada Water, Snow Cap Water, White Bear Water et Multinational Resources, envisageaient de transporter de l'eau par superpétroliers le long des côtes du Pacifique. Une société texane était prête à participer à l'un de ces projets et à débourser les sommes nécessaires pour qu'une flotte de 12 à 16 superpétroliers (port en lourd de 500 000 tonnes) se déplace vingt-quatre heures sur vingt-quatre. Un de ces contrats prévoyait d'expédier chaque année un volume d'eau équivalant à la consommation annuelle de la ville de Vancouver. Le gouvernement de la Colombie-Britannique ayant changé depuis, l'interdiction d'exportation pourrait être levée, ce qui ouvrirait la voie à une avalanche de projets de transport massif d'eau.

L'Alaska a été la première administration du monde à autoriser l'exportation commerciale d'eau en vrac. Les ressources hydriques de l'Alaska sont immenses. L'*Alaska Business Monthly*, publication favorable à l'exportation, affirme que, si l'on remplissait chaque jour le réservoir d'un navire-citerne — d'une contenance de près de 4 millions de litres — à Sitka, en Alaska, ce volume ne représenterait que 10 % de l'eau utilisée quotidiennement dans la région. Le potentiel d'exportation de la ville d'Eklutna pourrait être de 113 millions de litres par jour. « Tout le monde s'accorde sur le fait que l'eau pourrait être le principal produit exporté par l'Alaska au XXIᵉ siècle, peut-on lire dans l'*Alaska Business Monthly*, et les communautés, de l'île Annette aux îles Aléoutiennes, pensent sérieusement à ouvrir le robinet. »

La compagnie canadienne Global H_2O a signé une entente de trente ans avec la ville de Sitka pour l'exportation annuelle, vers la Chine, de 69 milliards de litres d'eau provenant des glaciers. Cette eau sera embouteillée dans l'une des « zones franches » du pays, où l'on exploite à grande échelle la main-d'œuvre à bon marché. Pour assurer le transport de l'eau de Sitka vers les marchés chinois, Global a formé une « alliance stratégique » avec le Signet Shipping Group, société américaine de Houston, au Texas, qui possède une flotte de superpétroliers. Chaque navire de Signet (port en lourd de 50 000 tonnes) est censé transporter plus de 330 millions de litres d'eau. Global H_2O a également passé un contrat avec Singapour. « Pour alimenter Singapour de façon régulière, déclare en juin 1998 Fred Paley, PDG de la compagnie, nous avons l'intention de modifier des superpétroliers monocoques que l'industrie du pétrole compte mettre hors service. »

Pendant ce temps, celui qui fut l'architecte de la politique pionnière de l'Alaska en matière d'exportation d'eau a décidé lui aussi de suivre les tendances du marché et a fondé sa propre entreprise. Rick Davidge, en tant que directeur des réseaux d'eau de l'Alaska, était chargé de lancer le programme de mise sur le marché des eaux de l'État et d'établir le cadre politique qui autoriserait l'exportation d'eau. Avant d'occuper ce poste, il travaillait au département de l'Intérieur des États-Unis comme président du Federal Land Policy Group, et il a également été l'un des principaux conseillers à la fois du gouverneur fédéral et de plusieurs États pendant les opérations de nettoyage consécutives à la catastrophe de l'*Exxon Valdez*. Il a également fait partie du sous-cabinet de Reagan en tant que sous-secrétaire adjoint du Fish, Wildlife and Parks. Après avoir quitté son poste au gouvernement de l'Alaska pour travailler dans le secteur privé, il fonde donc sa propre société à laquelle participe la compagnie maritime japonaise NYK (Nippon Yusen Kaisha). Cette compagnie, la plus grande du monde dans le domaine, possède quelque 700 navires, dont une flotte de superpétroliers.

Il n'en reste pas moins que Global H_2O et World Water n'ont pas pour l'instant le droit d'acheminer de l'eau provenant des glaciers de l'Alaska vers la Californie, l'Arizona ou d'autres régions américaines en manque d'eau. Le transport de produits d'un port américain à un autre est soumis à une disposition du *Jones Act*, qui impose que l'on affrète des navires américains servis par un équipage américain. Jusqu'à ce jour, ni Global H_2O, ni World Water n'ont pu satisfaire totalement à ces exigences. Par conséquent, s'ils peuvent utiliser des superpétroliers pour transporter de l'eau en vrac en provenance de l'Alaska vers la Chine et le Moyen-Orient, il ne pourront pas fournir cette eau à Los Angeles ni à San Diego.

L'Alaska n'est cependant pas la seule réserve d'eau douce en Amérique du Nord pour les exportations mondiales par superpétroliers. Au printemps 1998, le gouvernement de l'Ontario a donné son approbation à un projet de Nova Group, société d'exportation canadienne, en vue d'acheminer vers l'Asie, par navires-citernes, des millions de litres d'eau du lac Supérieur. L'accord du gouvernement a néanmoins été annulé à la suite d'une levée de boucliers de la Commission mixte internationale et des citoyens vivant près des Grands Lacs, de chaque côté de la frontière américano-canadienne. Madeleine Albright, la secrétaire d'État américaine de l'époque, a déposé une plainte officielle, soulignant le fait que le lac Supérieur relève à la fois de la compétence territoriale des États-Unis et de celle du Canada. À Terre-Neuve, la société McCurdy Group a fait une demande en vue d'obtenir le droit d'exporter chaque année 52 milliards de litres d'eau du lac Gisborne, réserve d'eau pure située dans une région sauvage. L'entreprise projette de vendre cette eau, transportée par superpétroliers, sur les marchés du Moyen-Orient.

Les grands canaux

Ces dernières années ont vu renaître des méthodes de transport plus traditionnelles : les canaux. Grâce aux nouvelles techniques d'ingénierie et de construction, les canaux sont aujourd'hui conçus pour traverser les continents. Par exemple, la société Suez, le géant mondial de l'eau, projette de creuser un canal sur le modèle de celui de Suez, mais cette fois en Europe. Récemment, l'entreprise a annoncé son intention de construire un aqueduc géant de 260 kilomètres de long qui acheminera l'eau du Rhône captée en France jusqu'à Barcelone.

De nombreux plans de construction de canaux sont en cours d'élaboration ou de réalisation partout dans le monde, mais c'est en Amérique du Nord que l'on voit naître les rêves les plus ambitieux. Plusieurs projets visent à détourner des cours d'eau canadiens afin de fournir de l'eau en quantité massive aux États-Unis. L'un des plus importants porte le nom de GRAND Canal (Great Recycling and Northern Development Canal : Grand canal pour le recyclage des eaux et le développement du Nord). À l'origine, ce projet prévoyait la construction d'une digue qui fermerait la baie James, à l'extrémité de la baie d'Hudson (le courant des deux baies va vers le nord), dans le nord du Québec, afin de transformer la première en un gigantesque réservoir d'eau douce de 80 000 kilomètres carrés, alimenté par les vingt rivières qui s'y jettent. Grâce à un réseau de digues, de canaux, de barrages, de centrales électriques et d'écluses, l'eau serait détournée à partir du réservoir et redirigée vers le sud, au rythme de 282 000 litres d'eau à la seconde, par un canal de 269 kilomètres de long qui se déverserait dans la baie Géorgienne du lac Huron et du lac Supérieur. De là, l'eau serait chassée, à travers les Grands Lacs, vers des canaux qui l'achemineraient vers les marchés américains de la Sun Belt et du Midwest.

Au milieu des années 1980, le projet du GRAND Canal a été ardemment défendu par le Premier ministre du Québec de l'époque, Robert Bourassa, qui avait déjà joué un rôle important dans la construction du complexe hydroélectrique de la baie James, ainsi que par Simon Reisman, négociateur en chef de l'Accord de libre-échange entre le Canada et les États-Unis. Avant d'être nommé négociateur pour le Canada, Simon Reisman faisait partie d'un groupe de pression d'Ottawa œuvrant pour Grandco, consortium de quatre compagnies engagé dans le projet de 100 milliards de dollars canadiens du GRAND Canal. Le consortium était dirigé par Thomas Kierans, l'ingénieur qui avait élaboré le projet. Kierans était aussi l'un des principaux administrateurs canadiens du capital de placement. L'un des membres les plus importants du consortium était la Bechtel Corporation, le géant américain de l'ingénierie et de la construction qui est devenu, plus récemment, un joueur clé dans la privatisation des services d'eau. À titre de négociateur, Simon Reisman s'est servi du GRAND Canal pour intéresser les États-Unis au libre-échange. « Selon moi, a-t-il déclaré, l'eau est l'élément le plus critique dans la relation États-Unis/Canada pour les cent prochaines années. [...] La rapidité avec laquelle cette question sera traitée et l'importance qui lui sera accordée dépendront de la gravité du manque d'eau aux États-Unis. »

Une autre proposition de construction d'un mégacanal a été faite par la NAWAPA (North American Water and Power Alliance). Le canal transporterait de l'eau en vrac de l'Alaska et du nord de la Colombie-Britannique vers 35 États américains. La construction de plusieurs grands barrages permettrait de retenir les eaux du fleuve Yukon et des rivières Peace et Liard dans la tranchée des montagnes Rocheuses, un réservoir géant de 800 kilomètres de long qui inonderait un dixième de la Colombie-Britannique. Un canal traversant ce réservoir serait créé de l'Alaska jusqu'à l'État de Washington, où il serait dévié pour alimenter, par l'intermédiaire des canalisations et des pipelines déjà existants, les usagers des 35 États. Si le plan de la NAWAPA était adopté, le volume annuel d'eau détournée serait pratiquement équivalent au débit annuel moyen du fleuve Saint-Laurent.

Proposée par un groupe de chefs d'entreprise californiens, la construction du canal de la NAWAPA coûterait approximativement 500 milliards de dollars américains. Bien que ce projet ait été mis de côté en raison de son coût astronomique — qui en faisait à l'époque une entreprise non rentable —, certains signes indiquent qu'il pourrait reprendre vie, tout comme celui du GRAND Canal, qui a été abandonné pour la même raison. Comme on a pu le lire, en 1991, dans le magazine *Canadian Banker*: «Le concept de la NAWAPA [...] demeure un catalyseur doté d'un potentiel énorme en matière de changements économiques et environnementaux.» Pour ce qui est du marché, c'est bien sûr l'ampleur de la demande américaine qui déterminera si ces projets de canaux seront financièrement viables à longue échéance. Mais le prix à payer sur le plan écologique pour la réalisation de ces ouvrages colossaux serait effarant. Comme l'écrit Marq de Villiers dans son livre, *L'Eau,* la concrétisation du projet conçu par la NAWAPA causerait «autant de dommages à l'environnement que tous les détournements de cours d'eau américains réunis».

Ailleurs, de nombreux projets continuent à voir le jour. Le gigantesque barrage des Trois-Gorges, en Chine, exige le détournement du cours du puissant Yang-tseu-kiang vers Pékin, dans le but prioritaire de servir des intérêts industriels et commerciaux. Dix mille ouvriers ont presque terminé le forage des tunnels qui formeront un réseau de 420 kilomètres et draineront l'eau dans le cours moyen du Yang-tseu-kiang, d'où elle sera canalisée vers la capitale à travers une haute chaîne de montagnes ou par un autre canal de 1 230 kilomètres. Le Worldwatch Institute explique que l'on pourrait comparer ce projet au fait de détourner le fleuve Mississipi, aux États-Unis, afin de répondre aux besoins en eau de la ville de Washington. En outre, il semble qu'il existe, pour divers motifs stratégiques, des plans de construction de canaux du type canal de Panama à travers l'Amérique centrale. Andréas Berreda, cartographe et professeur de géographie à l'université de Mexico, affirme qu'il y a au moins cinq projets en cours sur des planches à dessin concernant la construction de canaux en Amérique centrale, destinés en premier lieu à permettre l'expansion de l'industrie multimilliardaire du transport maritime entre l'Europe et la Chine au sein du nouveau réseau de commerce mondial. Bien que ces canaux n'aient pas été conçus initialement pour l'exportation d'eau en vrac, ils pourraient être utilisés pour accroître le transport d'eau par superpétrolier.

Transport par sacs scellés

L'une des nouvelles méthodes imaginées pour concurrencer le transport transocéanique de l'eau douce par superpétrolier consiste à faire tirer, par des remorqueurs, d'énormes sacs en plastique scellés. Selon Medusa, entreprise canadienne spécialisée dans la recherche et le développement de cette technique, il est possible de fabriquer un sac ayant la capacité de cinq superpétroliers. Cette invention ne coûterait qu'environ 1,25 % du coût de transport par bateau. Si cette nouvelle technologie tenait ses promesses, les superpétroliers, qui ne peuvent généralement emporter plus de 400 000 mètres cubes d'eau par voyage, seraient probablement délaissés, pour des raisons économiques évidentes. Selon les responsables de Medusa, le but est de fabriquer des sacs qui pourront contenir un plus grand volume d'eau que les superpétroliers — entre 500 000 et 3 millions de mètres cubes. De plus, les sacs scellés pourraient être tirés par de simples remorqueurs ou par les bateaux utilisés pour les plateformes d'exploitation pétrolière off-shore, après quelques modifications mineures. Les ingénieurs de Medusa affirment également que cette technologie peut être développée de manière à répondre à des exigences particulières. La taille et la forme des sacs peuvent être conçues de façon à s'adapter à différentes situations et à prendre en considération certains éléments, comme le matériau de fabrication, le coût du remorquage, les volumes annuels d'eau à fournir et les caractéristiques de la route côtière empruntée. Les sacs d'une contenance de 1,75 million de mètres cubes seraient hydrodynamiques, de forme aplatie. Ils pourraient mesurer 650 mètres de long et 150 mètres de large une fois remplis, et auraient 22 mètres de hauteur. Dans la mesure où la fabrication d'un sac d'une dimension aussi impressionnante demande encore de longues recherches et de nombreux essais, les responsables de Medusa ont décidé, en 2000, de ne produire, au début, que de petites unités d'une contenance d'environ 100 000 mètres cubes.

Plusieurs entreprises ont par ailleurs commencé à se spécialiser dans cette nouvelle technologie. Au Royaume-Uni, Aquarius Water Trading and Transportation (qui compte Suez parmi ses actionnaires) a commencé ses premières livraisons commerciales d'eau douce dans des sacs de polyuréthanne tirés par des remorqueurs. La société dispose de huit sacs d'une contenance de 720 tonnes et de deux sacs de 2 000 tonnes (pouvant contenir 2 millions de litres). Aquarius utilise cette technologie pour livrer de l'eau aux îles grecques depuis 1997. Les sacs de polyuréthanne sont fabriqués au Royaume-Uni, où ils sont testés et approuvés par un organisme gouvernemental indépendant. En plus de ces sacs utilisés pour transporter l'eau en Méditerranée, Aquarius utilise les sacs de 2 millions de litres pour des voyages plus courts. Des sacs dix fois plus grands ont été conçus, mais leur fabrication demande plus d'investissement en capital. Aquarius n'en a donc pas acheté. Cependant, elle prévoit que la quantité d'eau transportée par sacs scellés excèdera bientôt les 200 millions de tonnes par an. En conséquence, la compagnie a l'intention de signer des contrats de livraison avec d'autres îles méditerranéennes, ainsi qu'avec Israël et les Bahamas.

En Norvège, la Nordic Water Supply Co. a fabriqué des sacs en polyester recouverts à l'intérieur comme à l'extérieur d'un composé polymère résistant à l'eau de mer et aux rayons ultraviolets. Depuis 2000, Nordic utilise ces sacs, tirés par des remorqueurs, pour transporter de l'eau potable du port turc d'Antalya jusque dans le nord de l'île de Chypre. Plus grands que les sacs utilisés par Aquarius, les contenants de Nordic ont 160 mètres de longueur et permettent de transporter 19 millions de litres d'eau. Testés pour être utilisés toute l'année, ils ont également été conçus pour résister aux tempêtes qui sévissent en mer du Nord. En décembre 2000, cependant, Nordic a perdu un de ses sacs à 10 kilomètres de la côte chypriote. La compagnie s'est remise de cet accident et, en 2001, négociait des contrats pour la livraison d'eau douce en Grèce, au Moyen-Orient, à Madère et aux Antilles.

Le chef d'entreprise californien Terry Spragg a eu le premier l'idée d'une autre méthode de transport par sacs scellés. Partant du principe qu'il était plus rentable de faire remorquer de gros volumes d'eau en un seul voyage que des volumes moins importants en plusieurs fois, Terry Spragg a imaginé de faire remorquer un train de 50 sacs plus petits (d'une contenance approximative de 17 000 mètres cubes chacun). Assisté par des spécialistes en ingénierie du Massachusetts Institute of Technology (MIT) et de la compagnie CH2M-Hill Co., il a conçu ce que le magazine *Water Resources* a décrit comme « un système unique de fermetures à glissière extrêmement résistantes qui relie les sacs à l'aide d'un manchon fabriqué dans un matériau non étanche qui peut se remplir d'eau de mer et expulser celle-ci graduellement afin de réduire la tension provoquée par le mouvement différentiel entre les sacs, causé par le courant sous-marin ». Pendant qu'il s'efforce de résoudre les nombreux problèmes techniques associés au remorquage d'un train de sacs d'eau en mer, Terry Spragg se contente de transporter de l'eau vers le sud de la Californie à partir de régions plus septentrionales.

La technologie des sacs scellés en est encore à ses débuts, et personne ne peut dire si elle se révélera viable du point de vue économique et non dommageable du point de vue écologique. Bien que certains États, comme la Turquie, aient manifesté un grand intérêt pour le transport de l'eau par sacs scellés, un investissement de capital plus important est nécessaire pour pouvoir développer cette méthode de manière à remplacer avantageusement le transport par superpétroliers. Il est à souligner que les sacs scellés sont beaucoup plus propres et plus sûrs que les pétroliers, mais que cela ne les rend pas nécessairement inoffensifs sur le plan écologique. Aussi longtemps que l'on extraira l'eau douce de son milieu naturel, il y aura des répercussions environnementales négatives.

L'eau embouteillée

La méthode d'exportation d'eau qui a vraiment réussi est celle de l'eau en bouteille. Elle compte parmi les industries qui se développent le plus rapidement au monde, et c'est aussi l'une des moins réglementées. Dans les années 1970, le volume annuel d'eau embouteillée vendue dans le monde était d'environ un milliard de litres. En 1980, le chiffre avait grimpé à près de 2,5 milliards et, vers la fin de la décennie, 7,5 milliards de litres d'eau en bouteille étaient consommés dans le monde. Mais le bond le plus spectaculaire s'est produit au cours des cinq dernières années, les ventes atteignant des sommets faramineux. En 2000, 84 milliards de litres ont été embouteillés et vendus. De plus, un quart de toute cette eau a été vendu et consommé en dehors de son pays d'origine.

Parmi les nombreuses marques connues, citons Perrier, Évian, Naya, Poland Spring, Clearly Canadian, La Croix, Purely Alaskan. Nestlé est le leader incontesté du marché de l'eau embouteillée, avec 68 marques, dont Perrier, Vittel et San Pellegrino. L'un des anciens présidents de Perrier a déclaré un jour : « Je suis frappé […] quand je réalise qu'il suffit d'extraire de l'eau du sol, puis de la vendre à un prix plus élevé que le vin, le lait, et même l'essence. » Alors que l'eau embouteillée semble avoir commencé sa carrière pour satisfaire un caprice des consommateurs occidentaux, c'est en fait dans les pays non industrialisés, où l'eau du robinet potable est rare, sinon inexistante, que la compagnie Nestlé s'est taillé un créneau grandissant. Dans ces pays, la marque principale de Nestlé est Pure Life, de l'eau du robinet purifiée et peu coûteuse à laquelle sont ajoutés quelques minéraux. Commercialisée sous le slogan « Pureté essentielle », la Pure Life de Nestlé se vend bien au Pakistan et au Brésil, tout comme d'autres marques de la compagnie en Chine, au Viêt-nam, en Thaïlande et au Mexique.

En 2000, les ventes mondiales d'eau en bouteille étaient estimées à environ 22 milliards de dollars américains. Mais ces chiffres pâlissent lorsqu'on les compare à ceux de 1998, présentés par l'agence statistique Euromonitor, qui indiquent des ventes totales dans 53 pays s'élevant à 36 milliards de dollars américains. Quels que soient les chiffres utilisés, l'industrie de l'eau embouteillée se développe à un rythme ahurissant. Outre Nestlé, d'autres géants mondiaux de l'alimentation et de l'industrie des boissons gazeuses sont également devenus des fournisseurs d'eau embouteillée, dont Coca-Cola, PepsiCo, Procter & Gamble et Danone. Avec l'entrée sur le marché des poids lourds de l'industrie des boissons gazeuses, on s'attend à ce que le marché se développe encore plus rapidement. PepsiCo a pris la tête avec Aquafina, tandis que Coca-Cola a lancé sa marque nord-américaine, Dasani, tout en continuant à vendre sa marque internationale, Bon Aqua.

Pourtant, malgré l'image d'une « eau de source pure » projetée par l'industrie, l'eau en bouteille n'est pas toujours aussi « sûre » que l'eau du robinet, et elle l'est parfois moins. C'est la conclusion d'une étude publiée en mars 1999 par le Natural Resources Defense Council (NRDC) des États-Unis. Cet organisme révèle que, sur les 103 marques d'eau embouteillée testées, un tiers est plus ou moins contaminé par des traces d'arsenic et de bactérie *E. coli*. Un quart de toutes les bouteilles ne contient en fait que de l'eau du robinet, mais traitée et purifiée à un certain degré. Dans un grand nombre de pays, l'eau en bouteille est soumise à des tests et à des critères de pureté moins rigoureux que pour l'eau du robinet. Le NRDC révèle qu'« une certaine "eau de source" […] provenait d'un puits se trouvant sur le terrain de stationnement d'une installation industrielle, non loin d'un dépôt de déchets dangereux. Elle était donc périodiquement contaminée par des produits chimiques industriels à des degrés bien supérieurs aux normes recommandées par le FDA (Office du contrôle pharmaceutique et alimentaire) ».

Le battage publicitaire autour de l'eau en bouteille visant à nous faire croire que cette eau est plus saine et respecte davantage l'environnement que l'eau du robinet est également trompeur. Selon l'Organisation des Nations Unies pour l'alimentation et l'agriculture (FAO), l'eau embouteillée n'est pas meilleure, sur le plan de la valeur nutritionnelle, que l'eau du robinet. L'idée selon laquelle l'eau « de source » ou « naturelle » aurait des qualités quasi miraculeuses et serait d'une grande valeur nutritive est « erronée », peut-on lire dans une étude de 1997 de la FAO sur « la nutrition humaine dans le monde en voie de développement ». « L'eau en bouteille peut contenir de petites quantités de minéraux, comme le calcium, le magnésium et le fluorure, mais l'eau du robinet d'un grand nombre de réseaux municipaux en contient également. » Le rapport de la FAO cite aussi une étude dans laquelle il est démontré que « les marques populaires d'eau en bouteille ne sont en rien supérieures à l'eau du robinet de la ville de New York ». Quant à la responsabilité environnementale, une étude réalisée par le WWF en mai 2001 révèle que l'industrie de l'eau embouteillée utilise 1,5 million de tonnes de plastique chaque année pour la fabrication des bouteilles. On sait que des substances chimiques toxiques sont libérées dans l'atmosphère au moment de la fabrication et de la mise au rebut de ces bouteilles. De plus, le combustible nécessaire à leur transport vers les marchés d'exportation — un quart de la production — produit des émissions de dioxyde de carbone, ou gaz carbonique, qui sont un facteur d'accentuation du réchauffement de la planète.

Ce qui est plus grave encore, ce sont les effets dévastateurs de la quête incessante des entreprises dans le but de s'assurer des réserves d'eau suffisantes. Presque partout dans le monde, les sociétés achètent des terres agricoles dans des communautés rurales afin d'avoir accès à leurs puits, puis abandonnent ces terres lorsque les puits sont à sec. En Uruguay et dans d'autres régions de l'Amérique latine, des entreprises étrangères achètent de vastes étendues de terres sauvages et même des réseaux hydrologiques entiers en vue de les exploiter dans l'avenir. Dans certains cas, elles finissent par épuiser non seulement les réserves des terres achetées, mais également le réseau de la région tout entière.

Par-dessus le marché, en vertu de supposés droits de propriété privée, les entreprises ne paient aucune redevance pour l'eau qu'elles extraient, bien que cette eau fasse partie du patrimoine commun. Au Canada, où le volume puisé a augmenté de 50 % au cours de la dernière décennie, la loi autorise les sociétés d'eau embouteillée à prélever environ 30 milliards de litres par an, soit 1 000 litres par habitant. Près de la moitié des bouteilles sont exportées aux États-Unis. Toutefois, contrairement à l'industrie pétrolière qui doit verser des royalties, et à celle du bois d'œuvre, qui paie des droits de coupe au gouvernement, l'industrie de l'eau en bouteille n'est pas tenue, dans la plupart des provinces canadiennes, de payer des droits d'extraction. Selon un sondage du quotidien *Globe and Mail*, tous les gouvernements provinciaux du Canada, à l'exception de celui de la Colombie-Britannique, permettent à ces compagnies d'extraire de l'eau des lacs, des fleuves et des rivières sans compensation financière. Quant aux redevances encaissées annuellement par la Colombie-Britannique pour l'extraction de l'eau sur son territoire, elles se montent à la très modique somme de 25 000 dollars canadiens.

L'écart entre riches et pauvres se reflète de façon on ne peut plus claire dans les stratégies de commercialisation des entreprises d'eau embouteillée. Dans une étude de 1999, le Natural Resources Defence Council fait remarquer que certains consommateurs paient jusqu'à 2 500 fois plus cher le litre d'eau embouteillée que le litre d'eau de leur robinet. Pour le prix d'une seule bouteille de ce produit haut de gamme, révèle l'American Water Works Association, 5 000 litres d'eau du robinet pourraient être livrés dans un foyer. L'ironie, dans tout cela, c'est que cette industrie, qui contribue à l'épuisement des sources d'eau publiques — dans le but d'offrir à l'élite de ce monde de l'eau « pure » dans des bouteilles de plastique —, prétend que son produit est sans danger pour l'environnement, et qu'il fait partie d'un mode de vie sain.

L'eau de « Coke »

Les fameuses « guerres du cola » entre PepsiCo et Coca-Cola commencent à s'étendre au commerce de l'eau embouteillée. D'après le classement annuel du *Global Fortune 500*, les deux géants des boissons gazeuses étaient quasi à égalité en 2000. Pepsi était au 233e rang et Coca-Cola au 234e, avec un revenu total de 20 458 milliards de dollars américains pour Pepsi, et de 20 438 milliards pour Coca-Cola. L'eau ayant toujours été un ingrédient essentiel dans la fabrication des boissons gazeuses, PepsiCo et Coca-Cola ont dû s'assurer, dès leur entrée dans l'industrie, un accès à des réserves d'eau potable. Toutefois, les deux géants sont aujourd'hui devenus des participants majeurs au marché de l'eau en bouteille, Pepsi avec Aquafina, Coke avec Dasani. Étant donné que l'industrie de l'eau embouteillée pourrait bien devenir, sur le plan mondial, la référence en matière de tarification de l'eau, il est important d'examiner attentivement les guerres du cola qui se dessinent à l'horizon, en particulier celle qui dresse Coke contre Pepsi.

C'est Pepsi qui, en 1994, déclenche les hostilités en mettant Aquafina sur le marché. Coke avait déjà commercialisé de l'eau en bouteille, comme Bon Aqua, dans 35 pays, mais ce n'est que cinq ans plus tard, en 1999, que la société a décidé de se mesurer sérieusement à Pepsi en lançant Dasani en Amérique du Nord. Au cours de l'année 2000, l'Aquafina de Pepsi prend la tête dans les ventes mondiales d'eau embouteillée, avec une part du marché de l'ordre de 7,8 %, tandis que la Dasani de Coke se place au cinquième rang avec 4,9 %. Durant le premier trimestre de l'année financière 2001, Pepsi et Coke deviennent respectivement n° 1 et n° 2 sur le marché américain, marché d'une importance cruciale. L'Aquafina de Pepsi s'empare de 15,1 % du marché, soit une augmentation de 59,4 %, alors que la Dasani de Coke enregistre une augmentation encore plus spectaculaire : 123,9 %. Autrement dit, 8,7 % des consommateurs américains achètent ces deux produits. Selon plusieurs analystes du marché, ces tendances indiquent que des dizaines de petites marques commencent à disparaître au fur et à mesure que les deux géants s'imposent comme les acteurs dominants du commerce de l'eau embouteillée, élargissant chaque année leur part de marché grâce à leurs immenses réseaux de distribution qui couvrent la planète.

Contrairement à d'autres sociétés d'embouteillage, Pepsi et Coke se spécialisent dans l'« eau purifiée » plutôt que dans l'« eau de source ». Aquafina et Dasani sont vendues en tant qu'eau locale purifiée étant donné qu'elles sortent des robinets du réseau de distribution municipal. Au lieu de puiser l'eau dans le sol et de la

transporter loin de sa source naturelle, Pepsi et Coke préfèrent utiliser l'eau du robinet en la filtrant grâce au procédé d'« osmose
inverse » : on y ajoute quelques minéraux et on vend le tout comme
de l'eau purifiée. Les deux géants des boissons gazeuses sont en
mesure de recourir à ce procédé sur une grande échelle car ils possèdent des entreprises locales d'embouteillage partout dans le
monde. L'eau qu'ils tirent des réseaux municipaux leur coûte moins
d'un cent le litre, mais après l'avoir purifiée et embouteillée, ils la
vendent près d'un dollar le litre. Bien que le procédé de filtration
utilisé par Pepsi et Coke permette d'ôter plus d'impuretés à l'eau
que ne le font les stations de production d'eau potable municipales,
certains observateurs font remarquer que l'eau purifiée en bouteille
n'est pas nécessairement plus « sûre » que celle qui sort des robinets
dans la plupart des agglomérations nord-américaines.

L'entrée de Coke sur le marché de l'eau embouteillée ne s'est
faite qu'après un long débat interne. Roberto Goizueta, PDG de
Coke de 1981 à 1997, déclare en 1986 qu'au début du XXIe siècle, la
population mondiale suivra la tendance des Américains à consommer des boissons gazeuses, dont du Coke, plus que tout autre
liquide. Autrement dit, l'entreprise faisait le pari que dans l'avenir
les boissons gazeuses supplanteraient l'eau du robinet « pour étancher la soif de l'humanité ». Mais à la fin des années 1990 le marché
des boissons gazeuses fléchit, tandis que celui de l'eau en bouteille,
en vogue en raison de son caractère prodigue, décolle, surtout dans
les pays industrialisés. Pour Coke, la question était de savoir comment rentabiliser l'eau embouteillée. Après tout, Coca-Cola a fait
fortune dans les boissons gazeuses en vendant des concentrés, ou
sirops, à des embouteilleurs franchisés indépendants chargés d'y
ajouter de l'eau et du gaz et de distribuer le produit. Avec l'eau en
bouteille, Coke ne pouvait plus vendre de sirops. Cependant, la
production d'eau purifiée nécessite certains minéraux et de faibles
quantités de potassium et de magnésium pour en améliorer le
goût. Donc, au lieu de vendre des concentrés, Coke a décidé de
vendre des minéraux préemballés à ses embouteilleurs. Ainsi, la

compagnie pouvait utiliser le même système qui avait fait sa fortune avec la production de Coke.

Dans leurs stratégies de commercialisation, Pepsi et Coke comptent sur la « fidélité envers la marque » pour les propulser au sommet de l'industrie de l'eau embouteillée, qu'elles veulent l'une et l'autre finir par dominer. Afin de vendre leur eau purifiée en Amérique du Nord et en Europe, les deux géants présentent leur produit comme nécessaire à un mode de vie sain. Les campagnes publicitaires de Pepsi mettent l'accent sur le fait que, dans la mesure où 70 % de notre organisme est composé d'eau, « notre corps tout entier a besoin d'eau pure » et qu'on peut lui procurer ce liquide vital en buvant de l'Aquafina. La campagne « vie simplifiée » de Coke présente l'eau Dasani en insistant également sur la réhydratation du corps, qui permet de rééquilibrer l'organisme grâce à la relaxation, une bonne santé et un bien-être général, en dépit de nos vies trépidantes et soumises à un stress constant. « Faites-vous du bien. Tous les jours », dit une autre publicité de Dasani. Cette campagne s'adresse particulièrement aux femmes de 25 à 49 ans. En mai 2001, Coke annonce du reste son partenariat avec iVillage, site Web essentiellement visité par des femmes. « L'équipe de bien-être » de Dasani prodigue des conseils en matière de cuisine, d'alimentation, de forme physique et de gestion du stress. Un coffret-cadeau baptisé « The Healing Garden » (Le jardin apaisant) contenant une lotion à la lavande, des sels pour le bain et des bâtons d'encens est offert durant la campagne, de même qu'un « indice d'équilibre personnel ». Et pour s'emparer du marché des adolescents, Coke mène une campagne de promotion intensive pour l'eau Dasani qui est maintenant vendue dans toutes les écoles américaines ayant signé un contrat de commercialisation avec la compagnie.

Coke est cependant consciente que son marché potentiel le plus important se trouve hors des États-Unis. Plus des trois quarts des revenus globaux de l'entreprise proviennent de ses ventes internationales. Selon Coca-Cola, près de 17 milliards de caisses de

Coke sont constamment en vente sur les marchés de 200 pays. Au cours du premier trimestre de l'année financière 2001, les ventes de Coke ont augmenté dix fois plus vite en Asie et en Afrique qu'en Amérique du Nord. Cela n'a rien de surprenant, car les études de commercialisation démontrent que l'étiquette rouge et blanc de Coca-Cola est connue de 98 % des adolescents du monde entier.

Étant donné la présence de l'entreprise sur toute la planète, les dirigeants de Coke ont décidé d'étendre le champ de leurs activités dans certains pays. En juillet 2001, la presse financière signale que Coke projette de mettre à profit ses installations d'embouteillage en Amérique latine pour mieux s'attaquer à ce que la société considère comme un marché considérable sur ce continent. Au Mexique, qui se situe, selon les analystes en placement de JPMorgan, à la deuxième place, derrière l'Italie, pour la consommation d'eau en bouteille par habitant, Coke dirige un réseau de 17 sociétés d'embouteillage, comparativement à 6 pour Pepsi. Au Brésil, Coke en exploite 19 et vend sa marque Bon Aqua depuis 1997. Et elle projette d'augmenter ses parts du marché de l'eau purifiée. Il en est de même au Chili, où la compagnie s'est déjà emparée de 30,8 % du marché de l'eau minérale, ainsi que de 69 % du marché des boissons gazeuses.

Le marketing de Coke, aussi bien pour ses boissons gazeuses traditionnelles que pour son eau en bouteille, est basé sur le besoin qu'éprouve l'être humain de s'hydrater. Une phrase du rapport annuel de 2000 de l'entreprise le résume avec clarté : « Nous redéfinissons la manière dont les consommateurs s'hydratent. » On sait qu'une personne a besoin d'environ huit verres d'eau par jour pour se réhydrater, mais les boissons gazeuses sont beaucoup moins hydratantes que l'eau. Marion Nestle, experte en nutrition de l'Université de New York, explique que non seulement les boissons gazeuses ont un effet *déshydratant* sur l'organisme, mais qu'« une personne assoiffée sera plus surexcitée qu'hydratée par l'absorption de huit boissons gazeuses à la caféine ». En outre, les boissons gazeuses sont très peu nutritives, contribuent à la carie dentaire et aux problèmes d'obésité. « Dans des régions où la vaste majorité des habitants manquent de calories nutritives et d'eau salubre, écrit Sonia Shah, ex-rédactrice en chef et éditrice de South End Press, à Boston, il semble doublement scandaleux de siphonner […] de l'eau potable […] et de la dénaturer avec du sirop. »

Récemment, Coca-Cola a envisagé un moyen encore plus radical d'élargir son réseau de distribution. En mars 2001, Douglas Daft, le PDG de la société, a annoncé que l'unité d'innovation technique de Coca-Cola avait créé un prototype permettant de fournir du Coke directement dans les habitations à l'aide d'un robinet intégré à l'évier de la cuisine. « L'eau se mélangera automatiquement au concentré, explique-t-il, […] et vous n'aurez plus qu'à ouvrir le robinet. » Afin de remédier aux différences de goût selon les régions, l'eau sera purifiée durant son acheminement vers le robinet, puis elle sera gazéifiée et mélangée au sirop en arrivant à l'évier. « Nous ne voulons pas seulement nous assurer de la qualité du produit, ajoute Douglas Daft, nous comptons aussi installer un dispositif scellé afin que personne ne puisse changer la formule, pour détruire la valeur de la marque. » En fait, le système de « Coke au robinet » exaucera peut-être un autre souhait de l'ancien PDG, Roberto Goizueta : que le « C » désignant habituellement le robinet d'eau froide soit en fait celui de « Coke ». Tout cela semble utopique aujourd'hui, mais ce projet s'accorde parfaitement avec l'objectif à long terme de la compagnie — redéfinir la manière dont les consommateurs « s'hydratent » — et avec le rêve de Goizueta, qui pensait que le monde entier boirait bientôt plus de boissons gazeuses que d'eau.

Il ne faut pas pour autant perdre de vue l'historique de Coca-Cola sur les plans de la qualité et de la promotion. En juin 1999, en Belgique et en France, plus de 200 personnes sont subitement tombées malades après avoir bu du Coke contaminé par l'adjonction de gaz carbonique de qualité inférieure dans une usine d'embouteillage d'Anvers et, à Dunkerque, par des additifs chimiques protégeant le bois des palettes utilisées pour transporter les cannettes.

Coca-Cola Enterprises, l'embouteilleur agréé pour la Belgique et une grande partie de la France, a rappelé, puis détruit quelque 17 millions de caisses déjà livrées pour la vente en magasin et pour les distributrices. Peu après, Coca-Cola a dû également rappeler de Pologne des bouteilles de Bon Aqua, l'une de ses marques d'eau minérale, après qu'y eurent été découvertes des moisissures et des bactéries.

Aux États-Unis, le jour de la Terre de l'an 2000, le GrassRoots Recycling Network a fait de la compagnie la « Championne de la fabrication de la bouteille déchet ». Depuis 1995, Coke a produit plus de 21 milliards de bouteilles en plastique qui ont été « jetées dans les rues, les parcs et sur les plages, ou ont été envoyées dans les sites d'enfouissement de déchets et dans des incinérateurs ». Le calcul a été fait par le docteur Bill Sheeham, coordinateur du Grass-Roots Recycling Network. Se basant sur le travail de l'organisation, les gouvernements de la Floride, du Minnesota et de la Californie ont fait passer des résolutions demandant que Coke fabrique désormais ses bouteilles en plastique recyclé. Parmi les nombreux problèmes rapportés au sujet du tiers-monde, une étude de 1991 réalisée par le ministère fédéral de l'alimentation à Rio de Janeiro nous apprend que les enfants pauvres de 6 à 14 ans souffrant de malnutrition et de carence protéique grave consomment de grandes quantités de Coke depuis leur prime enfance. Comme l'a dit récemment l'un des représentants des Nations Unies : « À la place de lait maternel, [...] les enfants du [tiers-monde] reçoivent du Coca-Cola. »

En 1980, Coke a été boycottée à l'échelle mondiale lorsque des rumeurs ont laissé entendre que l'entreprise avait des liens avec les escadrons de la mort au Guatemala. Les soupçons ont augmenté après l'assassinat de deux dirigeants syndicaux. Les allégations contre Coke n'ont jamais été portées devant les tribunaux.

Deux décennies plus tard, en Colombie cette fois, le 23 juillet 2001, des représentants de Coca-Cola comparaissaient devant un tribunal à la suite d'une plainte déposée par des dirigeants syndicaux. Ces derniers affirmaient que Coke n'avait pas fait tout ce qui était en son pouvoir pour empêcher ses embouteilleurs colombiens de faire appel à des organisations paramilitaires d'extrême droite accusées de recourir à la torture et à l'assassinat pour briser les syndicats de leurs usines. Une accusation est portée contre Coca-Cola et les embouteilleurs en vertu de l'*Alien Tort Claims Act*, qui permet à des étrangers de poursuivre des sociétés américaines en justice pour des dommages causés hors des États-Unis. Coca-Cola a repoussé les accusations avec véhémence et au 29 juillet 2001, selon un bulletin d'informations, les embouteilleurs n'avaient pas de déclaration à faire à ce sujet.

À Atlanta, en Géorgie — où se trouve le siège social de Coca-Cola —, des journalistes ont baptisé le 26 janvier 2001 « le jour des longs couteaux ». Ce jour-là, dans le monde entier, 21 % des 29 000 employés de Coca-Cola ont perdu leur emploi afin que l'entreprise puisse économiser 300 millions de dollars américains par année. Selon l'UITA, association internationale des travailleurs de l'alimentation, de l'hôtellerie et de la restauration, la réussite de Coke s'est édifiée sur une seule et unique stratégie d'entreprise : « produire, promouvoir et commercialiser la marque Coca-Cola dans le monde entier en réduisant au minimum le nombre d'employés directement embauchés par l'entreprise ». En sous-traitant avec des franchisés et des « embouteilleurs fixes », Coke a ainsi évité d'avoir à engager le grand nombre d'employés qui auraient été autrement nécessaires. Une entreprise transnationale qui fonctionne avec des franchisés ne commet rien d'illégal. Toutefois, cette stratégie permet à Coca-Cola d'être responsable d'un nombre beaucoup moins élevé de personnes.

Aux États-Unis, Coca-Cola a été accusée de racisme et elle a été condamnée à la suite de plusieurs plaintes. En 1999, huit ex-employés noirs ont poursuivi la compagnie en justice, l'accusant de priver les Noirs d'un salaire équitable, de possibilités d'avancement, d'augmentations et d'examens de rendement. Le 16 novembre 2000, la cour a enjoint Coca-Cola de payer près de 190 millions de dollars américains à quelque 2 000 travailleurs noirs.

Un cartel mondial

La question reste en suspens : verrons-nous émerger, avant 2010, un cartel mondial qui contrôlera les exportations d'eau ? Si les pays possédant de vastes réserves d'eau douce sous la forme de lacs, de fleuves, de rivières et de glaciers prennent l'OPEP pour modèle, ils constitueront ce cartel. Dans son livre intitulé *Water in Crisis*, Peter Gleick fait état des études réalisées par Igor Shiklomanov, hydrologue russe très écouté, qui a dressé la liste des pays les plus riches en eau douce. D'après ses études, 28 des plus grands lacs d'eau douce — dont le lac Baïkal en Russie, le lac Tanganyika en Afrique et le lac Supérieur, à la frontière des États-Unis et du Canada — contiennent, ensemble, 85 % du volume d'eau de tous les lacs de la planète. Les Grands Lacs, qui représentent le plus vaste réseau lacustre du monde, représentent 27 % du volume total des lacs. Les 25 plus grands fleuves se répartissent comme suit : 11 en Asie (le Gange, le Yang-tseu-kiang, le Ienisseï, le Lena, le Mekong, l'Irrawady, l'Ob, le Chutsyan, l'Amour, l'Indus et le Salween) ; 5 en Amérique du Nord (le Mississippi, le Saint-Laurent, le Mackenzie, le Columbia et le Yukon) ; 4 en Amérique latine (l'Amazone, le Parana, l'Orénoque et le Magdalena) ; 3 en Afrique (le Congo, le Niger et le Nil) ; et 2 en Europe (le Danube et la Volga).

Si l'on se base sur ces statistiques, c'est le Brésil qui possède la plus grosse portion des réserves mondiales d'eau douce (environ 20 %), suivi par les pays de l'ex-Union soviétique, avec 10,6 % ; la Chine, avec 5,7 % ; et le Canada, avec 5,6 %. Ces chiffres, néanmoins, ne comprennent pas les énormes sources potentielles que constituent les glaciers de l'Arctique, de l'Alaska, du Groenland, de la Sibérie et de l'Antarctique, ni ceux des chaînes de montagnes, comme les Alpes, par exemple. Si l'on fait le calcul en incluant les sources d'eau des glaciers, il faut ajouter à la liste des pays comme la Norvège, l'Autriche et les États-Unis (Alaska). Mais étant donné le caractère transnational de l'ensemble, il n'est pas du tout évident qu'un cartel similaire à l'OPEP puisse se former. À l'exception de l'intérêt de longue date des États-Unis pour l'eau du Canada, aucun de ces États n'a encore manifesté une volonté ou une capacité quelconque d'organiser un tel cartel. En fait, il est plus probable que ce seront des entreprises transnationales, et non des gouvernements, qui prendront le contrôle des réserves mondiales d'eau douce, ce qui ouvrira la voie à un futur cartel de l'eau.

Toutefois, à l'heure actuelle, les seules entreprises qui envisagent sérieusement de prendre le contrôle des réserves d'eau douce encore disponibles pour l'exportation d'eau en vrac sont de petites sociétés indépendantes qui œuvrent en consortium avec de plus grosses entreprises. Comme nous l'avons vu précédemment, Global H$_2$O s'est alliée à Signet Shipping pour le transport — vers la Chine et d'autres marchés lointains — de l'eau des glaciers de l'Alaska.

En Alaska, Rick Davidge, que l'on surnomme « le tsar de l'eau de l'Alaska », a formé un consortium pour ses exportations, World Water S.A., et s'est assuré l'accès aux réserves d'eau des glaciers de l'Alaska et de la Norvège. Ses associées à l'heure actuelle sont la compagnie japonaise NYK Line, pour le transport par superpétroliers, et la société norvégienne Nordic Water Supply, pour le transport par sacs scellés. Global H$_2$O et World Water pourraient être en quelque sorte les prototypes des coentreprises qui domineront dans l'avenir les exportations mondiales d'eau en vrac. Mais cette industrie n'en est encore qu'à ses débuts.

Parallèlement, de grandes entreprises œuvrant dans d'autres domaines et jouissant d'un accès plus large à des sources d'investissement de capital pourraient également devenir des acteurs de premier plan dans l'exportation de l'eau. Au fur et à mesure que le marché de l'eau prend de l'importance, les géants de l'industrie de l'énergie, comme Exxon, Shell et British Petroleum, ainsi que des entreprises de services énergétiques comme la défunte Enron, pourraient décider qu'il est dans leur intérêt de mettre la main sur certaines ressources hydriques pour acheminer l'eau par pipeline ou par superpétrolier. De la même façon, si la demande de transferts transcontinentaux, par le biais de grands canaux, augmentait, les entreprises qui associent déjà ingénierie, construction et intérêts dans le domaine de l'eau, comme Suez, Bechtel et RWE, en viendraient probablement à jouer un rôle déterminant dans les exportations d'eau. Ce sont là les « types de projets » que le Global Power Fund de George Soros financerait très probablement grâce à l'investissement de capitaux provenant de la Banque mondiale et de GE Capital (la source privée d'investissement de capital la plus puissante du monde, appartenant à General Electric). Pendant ce temps et quoi qu'il arrive sur le front de l'exportation de l'eau en vrac, l'industrie de l'eau embouteillée, par l'entremise des géants des boissons gazeuses, PepsiCo et Coca-Cola, continuera à jouer un rôle clé dans l'établissement du prix de l'eau à l'échelle mondiale.

À l'heure qu'il est, cependant, il semble que la concentration du pouvoir dans l'industrie d'exportation de l'eau pourrait revêtir d'autres formes — sur le plan sectoriel et régional —, selon la manière dont les pénuries et le manque d'eau affecteront la planète. Au cours des cinq prochaines années, les principales entreprises de diverses industries évalueront sans aucun doute les demandes du marché et les possibilités de revenus et détermineront s'il est préférable de transporter l'eau par pipeline ou par canal, par superpétroliers ou par sacs scellés. En même temps, les liens stratégiques entre certaines réserves d'eau en vrac et la demande du marché se développeront sans doute davantage sur le mode régional, les réserves de la Norvège et de l'Autriche venant combler le manque d'eau en Europe et au Moyen-Orient, celles du Brésil allant à d'autres pays de l'Amérique latine, et celles du Canada et de l'Alaska au Mexique et aux régions assoiffées des États-Unis. Au fur et à mesure que l'industrie de l'exportation mondiale d'eau prendra forme, au cours des prochaines années, selon ces plans, les liens entre les entreprises et les gouvernements se resserreront. Après tout, les entreprises ont toujours besoin que les gouvernements leur accordent la sorte de légitimité politique, et peut-être même morale, requise pour exploiter et vendre à profit une ressource aussi essentielle et vitale que l'eau.

Ce besoin de légitimité pourrait bien s'accroître sous peu. En 2002, on rapporte qu'une vingtaine de pays au moins sont sur le point de prendre des initiatives pour permettre l'exportation d'eau.

Plus les liens entre entreprises et gouvernements se resserrent, plus nous pouvons nous attendre à ce que les organismes supervisant l'économie mondiale, comme l'Organisation mondiale du commerce, le Fonds monétaire international et la Banque mondiale, jouent un rôle décisif dans la définition du cartel mondial de l'eau qui sera probablement en place d'ici à 2010.

CHAPITRE 7

CONNEXIONS MONDIALES

*Les institutions financières et le commerce
international sont devenus les instruments
des compagnies transnationales de l'eau*

Tôt un matin d'avril 2000, un petit homme frêle monte à bord d'un avion en partance pour les États-Unis. C'est la première fois qu'Oscar Olivera, quarante-cinq ans, machiniste à Cochabamba, quitte la Bolivie. Il se rend à Washington où il espère affronter James Wolfensohn, le directeur de la Banque mondiale. Oscar Olivera emporte avec lui un message de son peuple.

En 1998, la Banque mondiale a fait savoir au gouvernement bolivien qu'elle refuserait de cautionner un prêt de 25 millions de dollars américains destiné à refinancer les services d'eau de la ville de Cochabamba si la municipalité ne vendait pas ses services d'eau au secteur privé et n'en faisait pas assumer les coûts par les consommateurs. Pour répondre à cette exigence, les autorités boliviennes ont transféré le contrôle des services d'eau de Cochabamba à Aguas del Tunari, filiale nouvellement formée de Bechtel, le géant américain de l'eau et du bâtiment. La Banque mondiale a alors accordé des monopoles à des concessionnaires d'eau privés, a exigé que l'eau soit facturée à prix plein, a aligné le coût de l'eau sur le dollar américain et a ensuite avisé le gouvernement bolivien que l'argent du prêt ne pouvait pas être utilisé pour subventionner les services d'approvisionnement dans les quartiers pauvres.

En janvier 2000, après avoir vu le prix de leur eau bondir de près de 35 %, les habitants de Cochabamba sont descendus dans la rue par dizaines de milliers. Ils ont érigé des barricades et se sont mis en grève, paralysant la ville pendant quatre jours. La protestation était organisée par la Coordinadora de Defensa del Agua y de la Vida (Coalition pour la défense de l'eau et de la vie) que dirigeait Oscar Olivera. Les sondages auprès du public ont révélé que 90 % des citoyens de Cochabamba voulaient que la filiale de Bechtel restitue le réseau de distribution d'eau à la ville. Après une semaine de manifestations, le président bolivien, Hugo Banzer, a finalement eu recours à la loi martiale et a annoncé que le gouvernement était prêt à rompre son contrat avec Bechtel. Mais ce ne fut qu'après qu'un jeune homme de dix-sept ans eut été tué par balle.

Lorsqu'on lui a demandé son opinion sur ces manifestations, le directeur de la Banque mondiale, James Wolfensohn, a maintenu que laisser la gestion de services publics aux mains du peuple mène inévitablement au gaspillage, et que des pays comme la Bolivie ont besoin « d'un système de tarification plus adéquat » pour leurs services d'eau. Il faisait ainsi écho à un rapport de la Banque mondiale de juin 1999 dans lequel on pouvait lire : « Aucune subvention ne devrait être accordée pour compenser l'augmentation des tarifs de l'eau à Cochabamba. » Le rapport expliquait que tous les usagers, y compris les très pauvres, devaient supporter le coût complet du réseau d'alimentation en eau ainsi que celui des travaux d'expansion prévus. James Wolfensohn a pourtant catégoriquement nié que les plans de privatisation nuisaient aux pauvres.

« J'aimerais rencontrer M. Wolfensohn pour lui expliquer pourquoi la privatisation a été une attaque directe contre les pauvres de Bolivie, a rétorqué Oscar Olivera. Les familles qui ont un revenu mensuel de 100 dollars ont vu leur facture d'eau grimper à 20 dollars par mois — plus que ce qu'elles dépensent pour leur nourriture. J'aimerais inviter M. Wolfensohn à venir à Cochabamba pour qu'il voie la réalité en face, réalité qu'il ne peut apparemment pas voir de son bureau de Washington. »

À Washington, Oscar Olivera a la surprise de se retrouver plongé dans une atmosphère étonnamment familière. Des dizaines de milliers de contestataires, venus des quatre coins des États-Unis, ainsi que des représentants de mouvements sociaux du monde entier se sont rassemblés dans les rues de la capitale afin de protester contre la politique et les programmes de la Banque mondiale et du Fonds monétaire international. Depuis le début des années 1980, les deux institutions imposent des « programmes d'ajustement structurel » aux pays du tiers-monde comme condition au renouvellement de leur financement et au remboursement de leur dette extérieure. Ces programmes contraignent les gouvernements des pays du tiers-monde à prendre une série de mesures radicales, allant de la vente pure et simple d'entreprises publiques pour rembourser la dette à des réductions massives dans les dépenses consacrées à la santé, l'éducation et les services sociaux. Ces changements structurels ont à leur tour produit, au cours des quinze dernières années, des effets dévastateurs sur les conditions de vie de la majorité pauvre de ces pays.

C'est la raison pour laquelle la lutte livrée à Cochabamba par Oscar Olivera et par la Coordinadora a prêté un visage humain aux manifestations de Washington, où la Banque mondiale et le FMI tenaient, en avril 2000, leurs réunions annuelles. Comme l'ont révélé les événements de Cochabamba, les exigences de la Banque mondiale visent d'abord et avant tout à permettre aux entreprises d'exploitation de l'eau, comme Bechtel, d'en tirer des profits. Ils ont également démontré à quel point les grandes entreprises comptent sur les institutions financières internationales pour construire un marché mondial de l'eau. Mais le pouvoir et l'influence de l'industrie de l'eau ne s'arrêtent pas là. Les liens étroits qu'entretiennent les entreprises et les gouvernements ont créé un réseau d'institutions visant à gouverner l'économie mondiale, réseau qui a établi un ensemble de règles régissant les finances, le commerce et l'investissement, règles que les sociétés qui œuvrent dans la distribution et l'exportation de l'eau peuvent aujourd'hui utiliser de façon efficace.

Puissants lobbies

Les « gros joueurs » de l'industrie mondiale de l'eau n'ont rien laissé au hasard. Ils savent très bien qu'ils doivent préparer le terrain pour la privatisation et les exportations de cette ressource à l'échelle mondiale. Les principales institutions régissant l'économie mondiale — l'Organisation mondiale du commerce, la Banque mondiale et le FMI — leur sont indispensables car elles seules peuvent leur procurer les moyens de pression financiers et juridiques nécessaires pour édifier un marché mondial de l'eau. Obtenir l'accord des gouvernements des pays clés est également un facteur majeur dans l'exécution de leur programme.

Pour mener à bien leur stratégie, ces entreprises ont compris qu'elles devaient mettre au point des mécanismes de « pression » politiques. C'est la raison pour laquelle elles ont mis en place un réseau intégré de puissants lobbies, d'associations professionnelles, doté de la machinerie politique adéquate.

En 1992, deux jalons ont été posés dans la formation d'un réseau d'organismes internationaux consacrés à l'eau : la Conférence internationale sur l'eau et l'environnement (CIEE), de Dublin, en Irlande, et la Conférence des Nations Unies sur l'environnement et le développement (CNUED), à Rio de Janeiro, au Brésil. Trois organismes étroitement liés ont également vu le jour : le Partenariat mondial pour l'eau (PME), le Conseil mondial de l'eau et la Commission mondiale sur l'eau pour le XXIᵉ siècle. À première vue, chacune de ces agences internationales semble être neutre car créée, en théorie du moins, pour faciliter le dialogue entre les divers acteurs et mettre en place un système durable d'exploitation des ressources hydriques. Mais un examen plus approfondi révèle que ces organismes, en raison même de leurs liens étroits avec les sociétés transnationales engagées dans le commerce de l'eau et les institutions financières, font la promotion de la privatisation et de l'exportation des ressources d'eau douce.

Le Partenariat mondial pour l'eau a été constitué en 1996 afin de « venir en aide à des pays dans le cadre de l'exploitation durable de leurs ressources d'eau douce ». Son principe directeur consiste à reconnaître avant toute chose que l'eau est un « bien économique », qui a « une valeur économique dans tous ses usages ». Ce principe de base est au cœur même des principaux programmes de l'organisme, qui vise à réformer les réseaux d'alimentation en eau ainsi que la gestion de cette ressource dans certains pays du monde. Le président du comité de réflexion et de défense du PME se nomme Ismaël Serageldin, vice-président de la Banque mondiale, tandis que le PME est financé par des agences gouvernementales de pays comme le Canada, le Danemark, la Finlande, l'Allemagne, le Luxembourg, les Pays-Bas, la Norvège, la Suède, la Suisse et le Royaume-Uni, ainsi que par des institutions financières internationales comme la Banque mondiale, le Programme des Nations Unies pour le développement, et par la Fondation Ford.

Le Conseil mondial de l'eau, également constitué en 1996, se considère comme une cellule politique de réflexion dont la tâche principale est de conseiller et d'assister les décideurs sur les questions liées à l'eau. Les 175 éléments qui forment le CME comprennent des associations professionnelles, des entreprises mondiales d'exploitation de l'eau, des organismes des Nations Unies, des ministères chargés des ressources en eau, des institutions financières, ainsi que des représentants de quelques organisations non gouvernementales, des décideurs politiques, des scientifiques et, enfin, les médias. Tout comme le Partenariat mondial pour l'eau, le Conseil mondial de l'eau a joué un rôle primordial dans l'organisation du Forum mondial de l'eau de La Haye, en 2000, qui était destiné à promouvoir l'idée de partenariats public-privé comme unique solution à la crise de l'eau. Le Conseil mondial de l'eau a également produit un rapport intitulé *World Water Vision*, dans lequel 85 individus et associations (la plupart clairement affiliés aux barons de l'eau ou à d'autres organismes qui y sont liés) tracent les grandes lignes d'un programme de privatisation des services d'eau.

Le troisième organisme, la Commission mondiale sur l'eau pour le XXIe siècle, fondée en 1998, a été créée dans un but précis : encourager une utilisation durable des ressources. Dirigée par Ismaël Serageldin (qui est aussi, comme nous venons de le voir, le président du comité directeur du Partenariat mondial pour l'eau et le vice-président de la Banque mondiale), la Commission est composée de 21 personnalités éminentes du monde entier. Elle bénéficie de l'appui officiel de tous les organismes importants des Nations Unies ayant un mandat lié à l'eau — l'UNESCO (Organisation des Nations Unies pour l'éducation, la science et la culture), le Programme des Nations Unies pour le développement (PNUD), l'Organisation des Nations Unies pour l'alimentation et l'agriculture (FAO), le Programme des Nations Unies pour l'environnement (PNUE), l'Organisation mondiale de la santé (OMS) et l'UNICEF. Étant donné les liens directs qu'entretient la Commission mondiale sur l'eau avec le Partenariat mondial pour l'eau et le Conseil mondial de l'eau, la commercialisation des ressources en eau et des services de distribution sera sans doute un facteur important dans la manière dont elle envisage le XXIe siècle.

Des représentants des entreprises mondiales de l'eau occupent un poste stratégique au sommet de ces trois agences mondiales.

Parmi eux figurent un certain nombre de directeurs de la société Suez. En 1999, par exemple, René Coulomb, ex-directeur de Suez, a été vice-président du Conseil mondial de l'eau et également membre influent du comité directeur du Partenariat mondial pour l'eau. Ivan Chéret, premier conseiller du président de Suez, faisait partie du comité technique du Partenariat mondial pour l'eau. Quant à Jérôme Monod, président du Conseil de supervision de Suez, il a été membre de la Commission mondiale sur l'eau. Margaret Catley-Carlson, ex-présidente de l'Agence canadienne de développement international (ACDI) et actuelle présidente du Water Resources Advisory Committee, parrainé par Suez, est également membre de la Commission mondiale sur l'eau.

Parallèlement, les entreprises engagées dans le commerce de l'eau ont leur propre réseau d'associations qui font la promotion de l'industrie. Elles défendent leurs projets de privatisation et d'exportation, exercent des pressions sur les gouvernements afin d'obtenir une assistance sur le plan législatif et financier, et rassemblent citoyens et collectivités qui acceptent de soutenir leur programme. Parmi elles, on trouve l'International Private Water Association, dont les membres comprennent de grandes sociétés telles que Vivendi-USFilter et Bi-Water, entreprise britannique de services d'eau. Créée « pour promouvoir le développement de projets privés d'exploitation de l'eau à l'échelle mondiale » et organisant des rencontres entre les chefs d'entreprise et les décideurs politiques, l'International Private Water Association a formé des groupes de travail couvrant l'Europe, le Moyen-Orient, l'Afrique, l'Asie, l'Amérique du Nord et l'Amérique latine. Certains pays ont également leurs propres associations. Aux États-Unis, la National Association of Water Companies (NAWC) a été mise sur pied pour représenter « l'industrie privée des services d'eau ». Plus précisément, la NAWC élabore des stratégies en réponse aux initiatives législatives de Washington ou des États, ou aux décisions des organismes de réglementation qui ont une incidence négative sur l'industrie de l'eau et sur les marchés.

Parmi les stratagèmes employés par les entreprises figure également la mise en valeur d'une image publique rassurante. En réac-
tion à la Décennie de l'eau potable et de l'assainissement (1981-
1990), les entreprises britanniques de distribution d'eau, dirigées
par Severn Trent, ont créé WaterAid, organisation non gouvernementale dont l'objectif déclaré est d'« aider les pauvres des pays en
voie de développement à améliorer de façon durable leurs réseaux
d'alimentation en eau ainsi que les pratiques d'hygiène qui y sont
associées ». WaterAid projette l'image d'une association qui appuie
la lutte des populations du tiers-monde privées d'eau, tandis que
dans les faits les entreprises privées continuent à faire des affaires
comme si de rien n'était. Une autre association, Business Partners
for Development, mise sur pied par la Banque mondiale, a créé le
Groupe Eau et Assainissement, qui veut promouvoir « une bonne
gestion du secteur privé » pour les services d'assainissement et la
distribution de l'eau aux populations urbaines des pays non industrialisés. Cette association de gens d'affaires travaille en collaboration avec les gouvernements et certains organismes civils. Enfin, il
y a également des liens croisés entre différentes associations et
entreprises. En 1998-1999, par exemple, WaterAid, Vivendi et la
Banque mondiale ont organisé une série de rencontres internationales sur les problèmes de l'eau, sous l'égide de Business Partners
for Development.

En plus d'entretenir des relations étroites avec la Banque mondiale et d'autres organismes financiers internationaux, les barons
de l'eau se sont placés de façon stratégique afin de jouer un rôle
important dans l'Organisation mondiale du commerce, en particulier dans le cadre des négociations visant à établir un nouvel
ensemble de règles pour le commerce transfrontalier des services.
Deux puissants groupes de pression se sont formés afin de défendre les intérêts des entreprises dans les négociations de l'OMC
entourant les services — à savoir la Coalition américaine des
industries de services et le Forum européen sur les services (voir
chapitre 5). Le géant Vivendi était un membre actif de cette coali-

tion américaine, et Vivendi et Suez sont des joueurs clés dans le Forum européen sur les services. Vivendi est, de plus, l'une des seules entreprises à jouer un rôle actif dans les deux groupes de pression. Aux côtés des plus grandes entreprises mondiales de services dans d'autres domaines, dont la banque, les télécommunications, l'énergie, l'ingénierie et les services sociaux, Vivendi et Suez seront sans doute à l'origine d'un nouvel ensemble de règles qui régiront la commercialisation et la vente de services dans l'économie mondiale. Et la position privilégiée des trois entreprises leur permettra bien sûr de veiller à ce que ces règles favorisent la privatisation et l'exportation de l'eau.

Finances internationales

Lorsqu'il s'agit de financer des services d'alimentation en eau dans les pays non industrialisés, les fonds proviennent surtout des organismes de prêt internationaux, comme le Fonds monétaire international ou la Banque mondiale. Le FMI joue le rôle de véhicule multilatéral de prêt pour les banques centrales des gouvernements, tandis que la Banque mondiale sert surtout d'organisme multilatéral de prêt pour les banques privées. Les politiques et les programmes des deux organismes, cependant, sont étroitement liés. Cette architecture financière mondiale est en outre étayée par un réseau de banques de développement régionales, comme la Banque européenne d'investissement, la Banque de développement interaméricaine, la Banque asiatique de développement, la Banque africaine de développement, la Banque européenne pour la reconstruction et le développement et la Banque islamique de développement. Il faut noter que les barons de l'eau ont utilisé une tactique qui leur a réussi en ne faisant pas seulement appel, dans leurs offres pour le contrôle des réseaux d'eau d'un grand nombre de pays non industrialisés, à la Banque mondiale et au Fonds monétaire international, mais aussi à la plupart des banques régionales.

En association avec la Banque mondiale, deux organismes servent les intérêts des barons mondiaux de l'eau. Il y a d'abord la Banque internationale pour la reconstruction et le développement (BIRD), qui consent des prêts aux gouvernements et se trouve ainsi en position d'imposer des conditions, comme la privatisation des réseaux publics d'alimentation en eau. En 1999, par exemple, la Banque mondiale a obligé le Mozambique à privatiser ses services d'eau comme condition d'un prêt destiné à financer le développement de l'infrastructure du réseau et à alléger sa dette extérieure. Par l'intermédiaire de la BIRD, la Banque mondiale a œuvré en collaboration avec la Banque africaine de développement et d'autres organismes de financement afin de consentir un prêt de 117 millions de dollars américains au Mozambique. Mais la BIRD a posé comme condition que les services d'eau soient privatisés, et c'est SAUR, la compagnie d'exploitation de l'eau appartenant à Bouygues, qui en a profité, obtenant ainsi la concession à long terme pour les services d'eau et d'assainissement destinés à 2,5 millions de personnes, contrat qui génère quelque 9 millions de dollars américains de revenus par an. Ce modèle a été repris pour les prêts de la Banque mondiale dans beaucoup d'autres pays non industrialisés, dont celui accordé à Cochabamba, en Bolivie, que nous évoquons au début de ce chapitre. Une filiale de Bechtel y avait initialement acquis la concession d'exploitation du réseau d'adduction et de distribution d'eau grâce à la Banque mondiale — lorsque celle-ci avait déclaré au gouvernement bolivien qu'elle ne prêterait les 25 millions de dollars américains demandés par Cochabamba que si la ville acceptait la privatisation de ses services d'eau.

Parallèlement, la Banque mondiale accorde, par l'entremise d'une de ses composantes, la Société financière internationale (SFI), du financement en capital aux grandes entreprises de distribution d'eau. Dans le cas de la privatisation « modèle » des services d'eau de Buenos Aires, Suez et ses partenaires s'étaient engagés à investir jusqu'à un milliard de dollars américains au cours de la première année. C'était le projet de privatisation le plus important du monde à l'époque. Mais Suez n'a investi que 30 millions de dollars, le reste de la somme provenant de la Société financière internationale et d'autres institutions. La SFI aurait apporté 300 millions de dollars en subsides, et 115 à 250 millions de dollars de plus sous forme de prêts. Quant au reste du capital, il provenait également d'institutions financières, dont 100 millions de dollars de la Banque internationale de développement, et de prêts des banques argentines. Suez a également réussi à obtenir des fonds de la SFI pour un grand nombre de ses concessions en Amérique du Sud, dont celle de São Paulo, au Brésil, et de La Paz, en Bolivie. Pendant ce temps, en Afrique, la SFI prenait la direction d'un projet estimé à 1,2 milliard de dollars destiné à amener des entreprises à investir dans le réseau d'alimentation en eau de Lagos, au Nigeria, et à en gérer les services. Un autre projet, celui-là de 800 millions de dollars, touchait l'exploitation des services de distribution d'eau du Ghana. En mars 2001, la SFI était, semble-t-il, l'investisseur étranger le plus important dans un vaste projet de services de distribution d'eau mis sur pied en Thaïlande par la nouvelle filiale de RWE, Thames Water International. La valeur des investissements de la Société financière internationale dans ce pays est estimée à 10 milliards de bahts thaïlandais (environ 225 millions de dollars américains).

La Banque européenne pour la reconstruction et le développement (BERD), qui consent des prêts aux investissements tant du secteur privé que du secteur public en Europe centrale et en Europe de l'Est, a également accordé de fortes sommes aux barons de l'eau. Le consortium dirigé par Vivendi a par exemple reçu, pour l'exploitation de la compagnie privatisée des égouts municipaux de Budapest, un prêt de 27 millions d'euros destinés à refinancer ses 25 % de participation en capital. Selon l'Internationale des services publics, association qui représente les syndicats de service public à l'échelle mondiale, ce prêt a réduit les coûts d'investissement de Vivendi et de ses partenaires, tout en faisant croître les marges bénéficiaires du consortium, mais il n'a pas servi pour autant à améliorer le fonctionnement de l'entreprise. La Banque européenne a également prêté, en février 2000, 90 millions de dollars américains à Suez « afin [que la compagnie] puisse pénétrer les marchés de l'eau de l'Europe centrale et de l'Est » pour y « exploiter les très nombreux projets de concession qui s'y présenteront dans un proche avenir ». Depuis lors, en République tchèque, un projet de traitement des eaux usées dirigé par Suez a obtenu 70 % de son financement de la BERD.

Parmi les autres agences régionales, la Banque asiatique de développement a récemment accordé du financement pour de nombreuses privatisations projetées par Vivendi et Suez. En mars 2001, Vivendi a signé l'accord de concession des services d'eau et de traitement des eaux usées à Tianjin, la quatrième plus grande ville chinoise. Dans le cadre de ce projet, la Banque asiatique de développement a consenti un prêt de 130 millions de dollars américains (près de 40 % du financement total). Vivendi fait également partie d'un consortium thaïlandais qui bénéficiera d'un prêt (annoncé en juin 2001) de 230 millions de dollars américains de la part de la Banque asiatique de développement pour le projet de gestion des déchets de Samut Prakarn. Il faut noter que ce projet est la cible des protestations des fermiers et des défenseurs de l'environnement. Et en juin 2001, la Banque asiatique de développement a annoncé qu'elle financerait la part du lion (106 millions de dollars américains sur les 154 millions requis) de l'investissement nécessaire à la réalisation d'un projet de traitement des eaux usées à Ho Chi Minh-Ville, au Viêt-nam. Les installations seront construites par une filiale de Suez, Lyonnaise Vietnam Water Co.

En plus de la Banque mondiale et de ses affiliés régionaux, le Fonds monétaire international lui-même est récemment devenu un acteur important dans le financement des privatisations de l'eau dans l'hémisphère sud. Selon *News & Notices,* un rapport de Globalization Challenge Initiative, un examen sommaire des prêts accordés à 40 pays par le FMI révèle que cet organisme a imposé, en 2000, à titre de condition, la privatisation des réseaux d'alimentation en eau et la récupération des coûts à douze de ces pays. Parmi eux, huit font partie de régions subsahariennes, souvent les plus petites et les plus pauvres, et pour la plupart couvertes de dettes. Selon la philosophie du FMI, « récupération des coûts » signifie que chaque usager doit payer des frais d'utilisation afin de couvrir complètement le coût de revient du réseau d'alimentation en eau, ce qui comprend non seulement les coûts d'exploitation et d'entretien, mais également les dépenses en capital. Étant donné les relations étroites qu'entretiennent le FMI et la Banque mondiale, expliquent les auteurs du rapport, « on peut supposer que, dans les pays où les conditions de prêt du FMI comprennent la privatisation des systèmes d'eau et la récupération des coûts, la Banque mondiale pose des conditions similaires et a dans ses tiroirs des projets qui prévoient dans les moindres détails la structure financière, la gestion et l'ingénierie nécessaires à la "restructuration" du secteur de l'eau ».

Neuf des contrats de prêt du FMI, dans ces douze pays, ont été établis en vertu d'un programme appelé Mécanisme de croissance et de réduction de la pauvreté. La Tanzanie, par exemple, a été tenue, afin de bénéficier d'un allègement de sa dette auprès du FMI, de « céder les avoirs de la Dar es Salaam Water and Sewage Authority à des compagnies de gestion privées ». L'accord qu'a conclu le Niger avec la Banque mondiale stipulait que ce pays privatiserait ses quatre plus grandes entreprises publiques (eau, télécommunications, électricité et pétrole) et que le montant des recettes serait affecté au remboursement de la dette extérieure. Pendant ce temps, le FMI annonçait au Rwanda qu'il fallait placer sa compagnie nationale d'eau et d'électricité sous gestion privée au plus tard en juin 2001. En Amérique centrale, le FMI forçait le Honduras à approuver, avant décembre 2000, une « loi-cadre » pour la privatisation de ses services d'eau et de traitement des eaux usées, et donnait un « repère structurel » au Nicaragua. Ce « repère » comprenait une augmentation de 1,5 % par mois, sur une base permanente, des tarifs des services d'eau et d'épuration des eaux usées, afin d'assurer le recouvrement du coût de revient complet, ainsi que l'offre au secteur privé de concessions pour les mêmes services dans quatre régions du pays.

Il faut cependant noter que le rôle de la Banque mondiale, en matière de financement de projets relatifs à l'eau, est plus important que celui du FMI. Depuis qu'elle existe, une des principales priorités de la Banque a été de financer la construction de barrages hydroélectriques dans les pays non industrialisés de l'hémisphère sud. Selon un rapport de The CornerHouse, organisme de recherche du Royaume-Uni spécialisé dans les questions environnementales, la Banque mondiale a déboursé, entre 1944 et 2000, environ 58 milliards de dollars américains pour la construction de 527 barrages dans 93 pays. Comme pour les autres prêts de la Banque mondiale, presque tous les fonds sont dépensés dans l'hémisphère nord plutôt que dans l'hémisphère sud. En fait, la promotion de projets de grands barrages dans le Sud a véritablement sauvé des entreprises, des fournisseurs de matériel et des consultants techniques dans les domaines de la construction et de l'énergie hydroélectrique lorsque les marchés se sont rétrécis dans le Nord. « Les entreprises rencontrent régulièrement le personnel de la Banque, précise le rapport de The CornerHouse. Elles invitent les responsables de projet aux meetings de la compagnie et sont présentes à chaque étape du processus. » Les autorités de la Banque, quant à elles, sont devenues particulièrement habiles dans l'art de « sensibiliser » les gouvernements des pays du tiers-monde à la nécessité d'adopter des stratégies de développement basées sur la construction de barrages.

On commence cependant, en Afrique du Sud, à faire le lien entre les projets de grands barrages et les privatisations des services d'eau financées par la Banque mondiale, qui ont eu pour résultat de priver d'eau des populations démunies et d'entraîner l'apparition de cas de choléra. Selon un rapport publié par l'Alternative Information and Development Centre, ONG sud-africaine fondée par des organismes internationaux de développement, le projet d'aménagement hydroélectrique des hautes terres du Lesotho, financé par la Banque mondiale et amorcé durant les dernières années du régime de l'apartheid, comprend deux grands barrages (Katse et Mohale) conçus pour fournir un plus grand volume d'eau et d'électricité à Johannesburg. Pour ce projet, le plus important en Afrique du Sud, la Banque mondiale a grandement surestimé la demande en eau du Lesotho et sous-estimé le coût des barrages (plus de 4 milliards de dollars américains). Sept mois après l'élection de Nelson Mandela à la présidence en 1994, des responsables de la Banque mondiale esquissaient les grandes lignes de l'Urban Infrastructure Investment Framework (Cadre de financement de l'infrastructure urbaine) pour le nouveau gouvernement. Dans ce document, la Banque interdisait au gouvernement central et aux autorités locales, qui espéraient venir ainsi en aide aux collectivités démunies, de financer conjointement des services d'eau. Lorsque les tarifs ont subitement grimpé à Alexandra, un *township* de Johannesburg, afin de couvrir le dépassement des coûts des barrages, les habitants de ce quartier ont subi des coupures d'eau massives en raison de factures impayées. Sans eau potable, les habitants d'Alexandra ont contracté le choléra et la diarrhée. Au cours d'un seul week-end, quatre personnes sont mortes.

Le commerce mondial

Tout comme la Banque mondiale et le FMI, l'Organisation mondiale du commerce (OMC) a joué un rôle majeur dans l'ouverture des marchés aux entreprises transnationales en faisant la promotion de la privatisation et de l'exportation des biens et services. C'est du reste dans ce dessein que l'organisme a été créé en 1995. L'OMC s'est vu confier le mandat d'éliminer, progressivement, toutes les barrières tarifaires et non tarifaires, afin d'assurer la libre circulation du capital, des biens et des services de part et d'autre des frontières. Cette élimination a pu se faire grâce à la création et à l'imposition d'un ensemble complet de règles commerciales internationales, dont l'Accord général sur les tarifs douaniers et le commerce (GATT) et une batterie d'accords commerciaux négociés par les 142 États membres. Essentiellement, l'OMC prône donc à la fois la déréglementation et la privatisation. En imposant ses règles commerciales, elle cherche à compliquer la tâche des États qui veulent empêcher les importations ou contrôler les exportations de capital, de biens et de services, y compris l'eau.

Selon les règles du GATT, l'eau — définie comme « eau naturelle ou artificielle ou eau carbonatée » — est considérée comme une marchandise commercialisable. L'article XI des règles du GATT interdit expressément le recours à des contrôles d'exportations, pour quelque motif que ce soit, et élimine toutes restrictions quantitatives sur les importations et les exportations. Cela signifie que, si un pays riche en eau, pour de sérieuses raisons environnementales, interdisait ou fixait des quotas sur l'exportation d'eau en vrac, cette décision pourrait être contestée, en vertu des règles de l'OMC, à la fois comme une mesure restrictive à l'égard du commerce et comme une violation des règles du commerce international.

Cette règle de base s'appliquerait à tout pays qui tenterait, pour des raisons environnementales, de restreindre son importation d'eau en tant que « bien ». Les règles de l'OMC vont jusqu'à forcer les nations à renoncer à leur pouvoir de prendre des mesures discriminatoires contre certaines importations sur la base de leur production ou de leur consommation. L'article I, « Le traitement de la nation la plus favorisée », et l'article III, « Le traitement national », exigent que tous les pays placés sous la bannière de l'OMC traitent les produits « similaires » comme étant exactement identiques du point de vue commercial — qu'ils soient produits dans des conditions respectant l'environnement ou non. Si un pays importateur découvrait, par exemple, que l'eau qu'il reçoit a été extraite selon des méthodes dommageables pour un bassin hydrographique et qu'il voulait alors interdire ou restreindre cette importation en raison de préoccupations écologiques, il ne le pourrait pas. L'OMC préviendrait de telles restrictions, car une mesure de préservation de l'eau et de sauvegarde de l'environnement pourrait alors être interprétée comme étant opposée à la clause stipulant que toute mesure doit être « la moins restrictive possible pour le commerce ».

Les partisans de l'Organisation mondiale du commerce soutiendront que cette dernière a inclus une « exception » qui offre une certaine protection à l'environnement et aux ressources naturelles, dont l'eau. Selon l'article XX des règles du GATT, les pays membres peuvent encore adopter des lois « nécessaires pour protéger la vie humaine, animale ou végétale, et la santé […] relatives à la préservation de ressources naturelles non durables, si de telles mesures sont appliquées conjointement avec des restrictions sur la production nationale ou la consommation ». Cependant, il existe ce que l'on appelle dans le jargon commercial un « chapeau » à l'article XX; autrement dit, l'article ne peut être appliqué que de manière « non discriminatoire » et il ne peut constituer un obstacle déguisé au commerce. Ce chapeau procure aux tribunaux de l'OMC une « clause échappatoire », qu'ils peuvent invoquer en prétendant qu'une objection particulière, émise en raison d'inquiétudes environnementales, est en fait un « obstacle déguisé au commerce ». Malheureusement, dans les litiges entre pays qui ont été portés devant l'OMC en invoquant ces « protections », les tribunaux ont utilisé cette disposition pour balayer les objections basées sur des inquiétudes environnementales. En fait, cette tactique a été utilisée si souvent qu'il semble que le « chapeau » ait fini par primer sur l'article.

En bref, les règles de l'Organisation mondiale du commerce n'ont pas été conçues pour protéger l'environnement. Dans toutes les disputes — sauf une — qui ont été portées devant les groupes de travail de l'OMC, les droits du commerce l'ont emporté sur les droits de l'environnement. De plus, les règles de l'OMC placent toutes les mesures internationales de protection de l'environnement dans le contexte de l'économie mondiale. Elles ne reconnaissent pas, par exemple, la validité des Accords multilatéraux sur l'environnement lorsqu'il est question de commerce (ou de litiges commerciaux) et elles menacent de saper des accords comme la Convention sur le commerce international des espèces de faune et de flore sauvages menacées d'extinction. Selon Public Citizen, association américaine de défense du consommateur fondée par Ralph Nader, « la nouvelle tendance de la jurisprudence [...] démontre que l'OMC continue à faire obstacle aux lois environnementales ». En conséquence, l'OMC met en péril la préservation de l'eau, malgré la soi-disant « exception » de l'article XX.

En qualifiant l'eau de « bien » commercialisable et en refusant d'imposer l'article XX du GATT, l'OMC fait parfaitement le jeu des barons de l'eau. Les entreprises qui font la promotion de l'exportation d'eau — par pipelines, superpétroliers, sacs scellés ou canaux — ne peuvent qu'être encouragées par le fait que les règles de l'OMC ont été édictées et sont mises en application dans le but de protéger leurs intérêts. Cette situation est assez grave pour faire des ravages dans d'autres dispositions de protection environnementale édictées par des nations souveraines; pourtant, l'OMC persiste à qualifier l'eau de bien commercialisable. En outre, comme on l'a vu, en vertu de l'Accord général sur le commerce des services de l'OMC (AGCS), l'eau est désormais considérée comme un « service ». Des centaines de types de services d'eau sont énumérés dans cette catégorie — distribution, égouts, traitement des eaux usées, protection de la Nature et de l'environnement, installation de conduites d'eau, voies d'eau, pétroliers, évaluation des nappes souterraines, irrigation, barrages et transport de l'eau, pour n'en citer que quelques-uns.

L'AGCS se définit comme un « accord-cadre multilatéral », ce qui signifie que, dès le départ, on lui a assigné un rôle très large mais que de nouveaux secteurs et règles peuvent être ajoutés à l'ensemble en vertu d'un processus de négociations permanentes. Établi en 1994, le régime actuel de l'AGCS est déjà complet et d'une portée considérable. Ses règles s'appliquent à toutes les manières de fournir des services, incluant l'investissement étranger, le commerce électronique et les voyages internationaux. Les règles elles-mêmes sont un ensemble de contraintes ayant valeur de lois et conçues pour restreindre les limites qu'un État voudrait imposer aux droits des fournisseurs du secteur privé de vendre librement leurs services. Jusqu'à présent, aucun autre accord international n'a menacé aussi directement les pouvoirs législatif et réglementaire des États. Dans leur conception et dans leur application, les règles de l'AGCS constituent les instruments de pouvoir indispensables pour les entreprises transnationales de l'industrie des services qui désirent prendre le contrôle de ce qui reste des « biens communs » de cette planète.

Les règles de l'AGCS contiennent une clause d'exclusion pour les services qui sont « fournis dans l'exercice de l'autorité gouvernementale ». Bien que cette clause semble, au premier abord, destinée à protéger les services publics, comme l'eau, elle se réfère strictement aux « services fournis directement par les États aux citoyens », sans aucune implication commerciale. À partir du moment où le secteur privé ou le secteur communautaire s'engage dans la fourniture d'un service, ou dès que de l'argent est échangé, par exemple dans la facturation de l'eau, un service n'est plus considéré comme gouvernemental et doit donc se plier aux règles de l'AGCS. Par conséquent, la plupart, sinon tous les réseaux publics d'alimentation en eau ne peuvent bénéficier de l'exemption de l'AGCS.

AGCS 2000

En février 2000, l'Organisation mondiale du commerce entamait une nouvelle série de négociations sur les règles régissant le commerce transfrontalier des services. Les négociations formelles, ou plus exactement la renégociation de l'Accord général sur le commerce des services (négociations de l'AGCS 2000), ont commencé en 2000 pour se terminer en 2005. Parmi les propositions qui seront examinées, il y a l'extension de l'article VI sur les « réglementations nationales », auquel il est question d'inclure un « test de nécessité », en vertu duquel les gouvernements devraient prouver que toute mesure ou réglementation relative au maintien d'un service public (comme celui de l'eau) est « nécessaire ». Le contenu de l'ébauche de l'article révèle que le test serait basé sur des « critères transparents et objectifs », en accord avec « les normes internationales » et avec « les mesures les moins restrictives possible pour le commerce ». Si les normes sur l'eau potable d'un État, par exemple, étaient remises en question par un autre État en raison de l'obstacle qu'elles posent au commerce de ses entreprises à but lucratif, il incomberait à l'État fournisseur de prouver qu'il a sondé tous les moyens possibles d'améliorer la qualité de son eau, que ses normes ont été soumises à une étude d'impact sur le commerce international des services d'eau, et qu'il a opté pour l'approche la moins restrictive possible pour les droits des fournisseurs d'eau privés étrangers. Autrement dit, cet État sera tenu de prouver, à ses frais si c'est nécessaire, qu'il a évalué (de toutes les façons possibles) tous les fournisseurs de services privés qui pouvaient aider à améliorer la qualité de l'eau et qu'il a étudié les conséquences de ses décisions sur les fournisseurs de services internationaux et sur les marchés, avant d'opter pour l'approche la plus favorable aux fournisseurs privés de services (dans le contexte des règles de l'AGCS qui favorisent la pénétration des marchés transnationaux). Le fardeau de la preuve, en conséquence, reposera entièrement sur les épaules de l'État accusé, et non sur celles de l'État et des entreprises qui déposeront la plainte. Face à un tel écheveau d'études à effectuer et d'arguments à défendre, de discussions et de recherches, les États seront évidemment tentés d'abandonner leurs responsabilités aux sociétés privées pour se débarrasser de la tâche fastidieuse et coûteuse de monter un dossier complexe pour défendre leur droit de fournir des services par l'intermédiaire de leurs propres sociétés publiques.

D'autres propositions de l'AGCS 2000 comprennent des mesures destinées à aider les fournisseurs de services étrangers à avoir accès à des contrats publics. Dans ce scénario, les règles existantes de traitement national sur la non-discrimination seraient appliquées aux subventions gouvernementales. En d'autres mots, les fournisseurs de services privés comme Vivendi, Suez et d'autres méga-entreprises auraient le droit de réclamer l'accès aux fonds publics d'un gouvernement pour obtenir des avantages, tels des subventions et prêts gouvernementaux. Une autre proposition de l'AGCS 2000 met l'accent sur les droits spéciaux des fournisseurs de services transnationaux à établir leur présence commerciale là où ils le désirent. Contrairement aux biens, qui peuvent tout simplement être transportés par bateau d'un pays à un autre, la fourniture de services exige la présence de l'entreprise dans le pays où elle dispense ces services. D'après cette proposition, les entreprises de services devraient donc être autorisées à investir et à étendre leur champ d'activités commerciales dans n'importe quel pays, sans restriction aucune. En bref, si les nouvelles règles de l'AGCS sont adoptées, elles offriront aux barons de l'eau les instruments juridiques dont ils ont besoin pour avoir accès à tous les réseaux publics d'alimentation en eau du monde. Ainsi que le note Steven Shrybman, spécialiste du droit commercial, dans son avis juridique de mars 2001 sur l'AGCS : « Sont en danger la propriété publique des ressources hydriques, les services d'eau du secteur public et le pouvoir des États de réglementer l'activité des entreprises de manière à préserver l'environnement et la santé publique. »

Les discussions de l'AGCS 2000 mettent une fois de plus en évidence l'objectif principal de l'OMC, qui est de protéger les intérêts des entreprises transnationales au détriment des citoyens et des sociétés démocratiques. Le pouvoir de l'Organisation mondiale du commerce réside non seulement dans les règles qu'elle édicte mais aussi dans sa capacité à les imposer grâce à son mécanisme de règlement des litiges. En vertu de ce mécanisme, les États membres, agissant au nom des entreprises basées dans leurs pays, peuvent remettre en question les lois, les politiques et les programmes d'un autre pays et accuser ce dernier de violer les règles de l'OMC. Lorsque c'est le cas, des tribunaux composés d'experts *non élus* sont investis du pouvoir de se prononcer sur les plaintes et d'imposer les règles de l'OMC grâce à des mécanismes entraînant des obligations juridiques. Si un pays jugé « coupable » refuse d'abroger ou de modifier une loi dite « illégale », les tribunaux ont le pouvoir d'autoriser le pays plaignant à demander des sanctions économiques. Appliquées de manière progressive, ces sanctions peuvent être si destructrices qu'un gouvernement démocratiquement élu en arrive parfois à plier devant le jugement d'un tribunal non élu ou à réviser ses lois dans la crainte d'une décision négative.

En d'autres termes, contrairement à toute autre institution mondiale, l'Organisation mondiale du commerce dispose de pouvoirs aussi bien juridiques que législatifs. Non seulement ses tribunaux se prononcent sur des conflits entre pays et infligent des sanctions, mais leurs décisions peuvent avoir un effet dévastateur. Ils anéantissent des lois, des politiques et des programmes qu'un corps non élu estime être en violation avec les règles de l'OMC, ou encore ils promulguent de nouvelles lois en conformité avec ces règles. Bien que l'OMC ne puisse ordonner directement à un État membre de changer ses lois, la menace de sanctions économiques constitue à elle seule une « douche froide » qui pousse des États à modifier leurs lois, de crainte d'être la cible d'un tribunal de l'OMC.

Blocs régionaux

L'Organisation mondiale du commerce est également épaulée par des régimes de commerce régionaux, comme la Zone de libre-échange des Amériques (ZLEA), qui soutient des entreprises internationales dans leur incessante conquête des marchés mondiaux. Bien que les règles et les structures de la ZLEA soient encore en négociation — elles ne seront définitivement établies qu'en 2005 —, le cadre de base est déjà en place. La future ZLEA s'édifie sur deux régimes de commerce déjà en place dans les Amériques — l'Accord de libre-échange nord-américain (ALENA), rassemblant le Canada, le Mexique et les États-Unis, et le MERCOSUR, ou marché commun du cône Sud, réunissant le Brésil, l'Argentine, l'Uruguay et le Paraguay. Comme nous le verrons, la ZLEA a été largement calquée sur l'ALENA et ses règles. L'ébauche du manifeste de la ZLEA, rendue publique en 2001, ainsi que les rapports des neuf groupes principaux de négociation qui élaborent les règles touchant les « services », l'« investissement », l'« accès aux marchés », exprime clairement le fait que ce régime régional sera une véritable aubaine pour les géants des services d'eau et de l'exportation. Comme tous les accords de commerce régionaux, la ZLEA se conforme à l'ensemble des règles de l'OMC, mais elle peut aussi les contourner.

Comme l'ALENA, la ZLEA sera étayée par un mécanisme de règlement des litiges. Contrairement aux dispositions de l'Organisation mondiale du commerce, selon lesquelles les entreprises doivent convaincre leur propre gouvernement d'amener leurs causes devant des tribunaux de commerce pour obtenir un jugement, la clause « investisseur-État » donnerait aux entreprises transnationales le droit sans précédent de poursuivre directement en justice des gouvernements nationaux, en ignorant à la fois les lois et le système judiciaire de ces pays. Selon ce mécanisme, les réclamations des entreprises seraient évaluées en secret par un groupe spécial d'arbitrage commercial, qui pourrait obliger les États accusés de violer les règles à payer des dommages et intérêts substantiels. Si la ZLEA est ratifiée et que ce mécanisme est mis en place, les barons de l'eau auront le pouvoir de poursuivre directement tout gouvernement de l'Amérique du Nord ou du Sud qui menacera leurs activités. Il leur suffira de déclarer que ce gouvernement a violé certaines règles de commerce ou d'investissement.

Mais qu'en est-il de ces règles ? Toutes les entreprises de services d'eau dont les activités se déroulent à l'étranger seront censées recevoir un « traitement national » et un statut de « nation la plus favorisée », ce qui signifie que tout participant au régime devra étendre à ces entreprises le meilleur type de traitement accordé à un investisseur, qu'il soit local ou étranger. Les règles seront basées sur une définition extrêmement large de ce qu'est l'investissement et couvriront pratiquement tous les types de participations. Selon une proposition des États-Unis, les règles d'investissement empêcheraient les États de contrôler l'entrée ou la sortie de capital. Cette liberté permettrait aux entreprises d'expatrier les bénéfices tirés des services d'eau d'un pays ou de spéculer sur les droits de vente d'eau dans un autre pays, sans que des restrictions soient imposées par le pays hôte pour des raisons d'intérêt public. Les règles d'investissement proposées vont bien au-delà de la définition classique d'« expropriation » dans les lois nationales. Elles comprennent la « mainmise par réglementation », qui permettrait aux entreprises de poursuivre n'importe quel gouvernement qui adopterait une loi ou un règlement susceptible de réduire la valeur de leurs avoirs ou de leurs bénéfices, y compris les bénéfices à venir (les règlements relatifs à la protection de l'environnement et des consommateurs ainsi que ceux destinés à pourvoir aux besoins de la santé publique en feraient partie).

Bien que l'ébauche du texte de la Zone de libre-échange des Amériques soit généralement en harmonie avec les intentions de l'Accord général sur le commerce des services (AGCS), on peut s'attendre à ce que le champ d'application des règles régissant les services publics soit encore plus étendu. Tous les secteurs de services sociaux seront non seulement englobés, y compris les services d'alimentation en eau et de traitement des eaux usées, mais les règles de la ZLEA s'appliqueront à « toutes les mesures [définies comme "lois, règlements et autres types de réglementation"] ayant trait à la vente de services assurés par l'administration publique à tous les échelons de l'État ». Même si les gouvernements ont encore le droit de « réglementer » ces services, ils ne pourront le faire qu'en conformité avec les règles et « les disciplines établies dans le contexte de l'accord de la ZLEA ». Ainsi, bénéficiant des pouvoirs que leur accorderont les règles de la ZLEA, les entreprises étrangères auront des droits concurrentiels sur l'éventail complet des services d'eau de tout pays signataire, ainsi que le droit de poursuivre en justice tout État qui résisterait ou s'opposerait à ces droits, et de réclamer une compensation financière.

Le véritable objectif du « rouleau compresseur » de la ZLEA en ce qui touche les services d'investissement, c'est d'encourager la privatisation des services publics, comme la distribution de l'eau, en réduisant ou en détruisant la capacité des États de maintenir, et surtout de créer, des services publics. En traçant des règles pour une « réglementation intérieure », par exemple, le texte préparatoire de la ZLEA propose sa propre version du « test de nécessité » en demandant aux gouvernements de « limiter l'étendue de la réglementation à ce qui est nécessaire » et « d'éviter les réglementations inutiles ». Ces formulations ont une portée inquiétante : des règlementations gouvernementales qui exigeraient certaines normes de qualité pour l'eau, des tarifs moins élevés pour les pauvres ou des améliorations dans l'infrastructure des conduites pourraient être considérées par un tribunal, en vertu de la ZLEA, comme « non nécessaires ». Au lieu de permettre aux États de défendre les intérêts de leurs citoyens en réglementant les activités des entreprises par l'intermédiaire de lois, de politiques et de programmes, la ZLEA leur demanderait de « stimuler l'utilisation des mécanismes du marché à des fins de régulation ». Ce qui signifie qu'il faudrait, pour que les entreprises consentent à agir dans l'intérêt public, leur accorder des réductions d'impôt.

Le problème fondamental, dans ce scénario, c'est qu'il est peu vraisemblable que, lorsque les conditions commerciales sont favorables, les entreprises transnationales fassent preuve de responsabilité civique envers les habitants des pays dans lesquels se déroulent leurs activités. Les consommateurs sont donc laissés à la merci d'entreprises transnationales qui ne ressentent probablement aucune nécessité morale d'agir dans l'intérêt des personnes à qui elles facturent leurs services. En raison d'un climat commercial favorable créé par des allègements fiscaux et autres « mécanismes de marché à des fins de régulation », une entreprise pourrait tout aussi bien décider de garder pour elle les bénéfices qu'elle en tire, plutôt que de chercher à améliorer la manière de fournir ses services. Traditionnellement, dans les cas où la nécessité morale n'est pas considérée comme un motif suffisant, une conduite socialement responsable est imposée par le biais d'une législation et par la menace de mesures punitives si elle n'est pas respectée. Le régime proposé par la ZLEA démantèlera cette vieille tradition démocratique. Si cet accord est entériné, les collectivités aussi bien que les citoyens, soumis à des entreprises qui n'obéissent qu'aux seules lois du marché, se trouveront dans une situation de vulnérabilité.

Les mesures de la ZLEA seront aussi renforcées par les règles de l'accord sur l'accès aux marchés, qui fixeront des échéances aux États pour l'élimination de leurs barrières tarifaires (par exemple les tarifs douaniers), et en particulier de leurs barrières au libre-échange non tarifaires. Les barrières non tarifaires comprennent toutes les lois, politiques et pratiques gouvernementales — allant des services de distribution d'eau aux initiatives visant à protéger la santé et la sécurité publiques — qui font obstacle au commerce transfrontalier. Et bien évidemment, lorsqu'il est question de services publics, ces règles gouvernementales sont considérées comme des barrières « non tarifaires »; si, par exemple, un réseau d'alimentation en eau géré par un État est considéré comme un

« monopole », la règle du « traitement national » peut être utilisée pour déclarer ce monopole public « discriminatoire » envers des entreprises étrangères en quête de marchés pour leurs services.

Si la ZLEA adopte des dispositions sur les ressources naturelles similaires à celles figurant déjà dans l'ALENA, il en résultera une augmentation considérable du pouvoir des exportateurs d'eau qui seront ainsi munis d'instruments supplémentaires pour servir leurs objectifs. Pour simplifier, disons que l'ALENA empêche déjà tout gouvernement d'interdire l'exportation de ressources naturelles, y compris l'eau. L'article 309 de l'ALENA spécifie que « aucune des Parties ne pourra adopter ou maintenir une interdiction ou une restriction à l'importation d'un produit d'une autre Partie ou à l'exportation ou à la vente pour exportation d'un produit destiné au territoire d'une autre Partie ». Cet article sous-entend également qu'aucun État ne peut recueillir de taxes d'exportation sur l'eau transportée par bateau au-delà de ses frontières. En outre, l'ALENA comprend une « clause proportionnelle » (article 315) qui spécifie que le gouvernement d'un pays membre ne peut réduire ou limiter l'exportation d'une ressource vers un autre pays membre une fois que le flux d'exportation a été établi. Autrement dit, si les exportations d'eau entre le Canada et les États-Unis ou le Mexique devaient commencer, le robinet ne pourrait plus être refermé et le débit ne pourrait même pas être réduit par rapport à des niveaux d'exportation précédents. Au lieu de cela, les exportations d'eau seraient garanties au niveau établi durant les 36 mois précédents.

Il est plus que vraisemblable qu'une variante de ce règlement de l'ALENA sur l'exportation sera incorporée à la ZLEA, surtout si l'on prend en compte le rêve du président George W. Bush d'aménager un corridor continental pour le transport du gaz, de l'énergie et de l'eau. Une fois ces règles d'exportation mises en application, elles ne pourront être annulées par un pays membre, même si de nouvelles données démontrent que l'extraction massive d'eau est destructrice pour l'écosystème. Si le Brésil, par exemple, devait interdire des exportations d'eau en vrac pour des raisons

environnementales, dans le cadre d'une ZLEA incluant ces règles
d'exportation sur les ressources naturelles, il pourrait être poursuivi directement en justice, en vertu de la clause investisseur-État,
par une entreprise d'exportation d'eau. De façon similaire, si
l'Alaska devait inverser sa politique et interdire les exportations
d'eau, ou changer ses lois de façon que seules des sociétés américaines puissent exporter de l'eau de l'Alaska, afin de garder des
emplois dans la région, les États-Unis pourraient être attaqués en
justice grâce à la clause investisseur-État par une compagnie basée
au Canada, comme Global H_2O, par exemple, qui a conclu une
entente avec la Chine pour transporter par bateau 69 milliards de
litres d'eau des glaciers à partir de Sitka, en Alaska.

À ce jour, une seule poursuite judiciaire importante a été lancée
contre l'interdiction d'un État sur les exportations d'eau en vertu
de la clause investisseur-État de l'ALENA. En automne 1998, la Sun
Belt Water Corporation de Santa Barbara, en Californie, a intenté
une action en justice contre le Canada pour la perte d'un contrat
d'importation d'eau vers la Californie lorsque la province canadienne de Colombie-Britannique a interdit l'exportation d'eau en
vrac en 1991. La Sun Belt affirme que l'interdiction de la Colombie-
Britannique enfreint les règles de l'ALENA sur l'investissement et
l'exportation, et réclame 10 milliards de dollars américains en
dommages et intérêts au Canada. « À cause de l'ALENA, a déclaré
Jack Lindsay, PDG de la Sun Belt, nous sommes maintenant parties
prenantes dans la politique nationale canadienne de l'eau. » Ce
type de problèmes ne peut que se multiplier dans un proche avenir,
surtout si les pénuries d'eau dans des pays comme les États-Unis et
le Mexique s'accentuent comme prévu et si les inquiétudes environnementales au sujet des extractions massives s'accroissent. Et si
des règles d'exportation de ce type sont incorporées à la ZLEA, le
nombre des poursuites ne fera qu'augmenter.

Les procédures intentées par les entreprises ne sont cependant
pas les conséquences les plus graves de ces dispositions. La simple
existence de ces règles, renforcée par la crainte d'un procès possible

en raison de la clause investisseur-État, suffira à « jeter un froid » sur les politiques et législations des États. Face à la menace de poursuites de plusieurs millions, voire de plusieurs milliards de dollars, les gouvernements ont tendance à ne pas promulguer de nouvelles lois ou de nouvelles réglementations s'ils savent qu'ils courent le risque de les voir contestées en tant que violation des régimes commerciaux. De plus en plus, les gouvernements révisent les projets de lois et de règlements en fonction de critères commerciaux, avant de les faire adopter par leurs législatures élues. En bref, les régimes de commerce comme la ZLEA sont destinés à faciliter le transfert du pouvoir politique des États vers les entreprises, afin de permettre à ces dernières de se lancer à l'assaut, chaque fois qu'elles le jugeront utile, des marchés les plus lucratifs des Amériques. Les États peuvent difficilement s'opposer aux entreprises, pour la bonne raison que ces dernières possèdent les armes juridiques qui peuvent contraindre les autorités compétentes à transformer des services publics, dont les réseaux d'alimentation en eau, en marchandises et à les privatiser.

Parallèlement, les « programnes d'ajustement structurel » du Fonds monétaire international et de la Banque mondiale sapent la capacité des États souverains à agir selon les principes démocratiques. Après tout, ces fameux programmes sont les mêmes instruments financiers qui ont été utilisés pour obliger les pays débiteurs du Sud à s'intégrer à l'économie mondiale en réduisant leurs secteurs publics, en sabrant dans les dépenses pour la santé, l'éducation et les services sociaux, en privatisant les sociétés d'État et en réorientant l'économie intérieure vers la production destinée à l'exportation. Au cours des deux dernières décennies, les programmes d'ajustement structurel ont déjà établi les conditions nécessaires à la mainmise des entreprises sur les réseaux d'alimentation en eau des Amériques. Épaulée par l'Organisation mondiale du commerce, la ZLEA fournira aux entreprises mondiales les outils juridiques qui leur permettront de poursuivre leur programme de privatisation et d'exportation.

Traités d'investissement

Les traités d'investissement jouent également un rôle déterminant dans la transformation du patrimoine commun en marchandise et dans la mainmise de quelques entreprises sur ces richesses.
Au début des années 1960, l'Allemagne et la France, ainsi que
d'autres pays, ont conclu des traités bilatéraux d'investissement
(TBI) avec un certain nombre de pays. Pour la plupart, ces traités
ont été conçus dans le but d'établir les droits des entreprises à
investir dans ces pays, à y faire affaire sans restrictions et à permettre l'accès à leurs marchés et à leurs ressources. Depuis 1994, la
plupart des TBI négociés entre pays ont commencé à incorporer
dans leur texte quelques-unes des règles clés de l'ALENA, dont les
droits des investisseurs, une définition large de l'investissement, des
restrictions sur les exigences de rendement formulées par les États,
tels les quotas d'exportation, les formes directes et indirectes
d'expropriation, et la clause investisseur-État elle-même.

Selon la Conférence des Nations Unies sur le commerce et le
développement (CNUCED), au mois de janvier 1997, 1 310 traités
bilatéraux d'investissement avaient été conclus dans le monde ; le
plus grand nombre d'entre eux l'avaient été par des pays de
l'Europe de l'Ouest. En 2001, ce nombre est passé à 1 720, en constante augmentation tous les ans. Mais, en dépit de leur grande portée, ces accords continuent à faire partie des « secrets les mieux gardés » de la communauté internationale. Un nombre très limité de
politiciens, et encore plus limité de citoyens, sont au courant de
leur existence, et les personnes qui connaissent exactement leur
contenu et les pouvoirs qu'ils accordent aux entreprises transnationales sont encore moins nombreuses. De plus, si les pays dans
lesquels certaines entreprises mondiales d'exploitation de l'eau
sont déjà présentes ont ratifié des traités avec des pays dans lesquels
ces entreprises veulent s'installer, ces traités procurent à ces dernières le poids économique et politique supplémentaire dont elles

ont besoin pour accéder aux marchés et aux ressources. Et ce pouvoir est encore plus grand lorsque ces accords sont pourvus d'une clause investisseur-État qui permet aux entreprises de poursuivre directement en justice le gouvernement de leur pays d'accueil.

C'est justement ce qu'a fait Bechtel, en représailles contre le gouvernement bolivien qui, après d'imposantes manifestations dans les rues de Cochabamba, avait résilié son contrat de services de distribution d'eau. Invoquant un traité signé entre la Bolivie et les Pays-Bas, Bechtel a utilisé une de ses sociétés de holding basées en Hollande pour poursuivre en justice le gouvernement bolivien. L'entreprise réclame 40 millions de dollars américains d'indemnités pour « expropriation » au gouvernement bolivien, suite aux « pertes » essuyées après l'annulation du contrat des services de distribution d'eau de Cochabamba. Bechtel, bien sûr, est une société américaine, mais, en 1999, elle a déménagé son holding Aquas del Tunari des îles Caïmans aux Pays-Bas, obtenant ainsi le droit d'attaquer en justice le pays le plus pauvre d'Amérique latine devant le Centre international pour le règlement des différends relatifs aux investissements, une division de la Banque mondiale. Depuis que les intentions de Bechtel ont été rendues publiques en novembre 2000, le gouvernement bolivien a déclaré qu'il comptait se défendre. Néanmoins, certains responsables au sein de ce même gouvernement pensent qu'il serait préférable d'indemniser Bechtel afin de prouver que la Bolivie est prête pour la mondialisation et peut devenir un « bon joueur » dans le nouvel ordre mondial instauré par l'OMC. On peut donc craindre que le gouvernement bolivien ne soit déjà engagé à l'heure actuelle dans des négociations secrètes afin de régler le conflit hors cour.

Dans un autre cas, Vivendi s'est servie d'un TBI entre son propre pays, la France, et l'Argentine pour intenter un procès à cette dernière et au gouvernement de la province de Tucumán. En 1995, la compagnie d'eau de Vivendi, la Générale des eaux, et sa filiale argentine, Compania de Aguas del Aconquija, signaient un accord de concession avec la province de Tucumán pour la gestion des services d'eau et d'assainissement. Le désaccord s'est installé lorsque des responsables de la santé publique de la province ont infligé des amendes aux deux entreprises parce qu'elles n'avaient pas fait installer l'équipement adéquat pour les analyses d'eau, et que les protecteurs du citoyen de la province ont interdit aux compagnies de couper l'eau aux usagers qui n'avaient pas payé leur facture. Le gouvernement a ensuite refusé que les compagnies augmentent leurs tarifs. Vivendi a alors déposé une plainte auprès du gouvernement français par l'intermédiaire de ses filiales. Après quelques tentatives des gouvernements français et argentin en vue de trouver une solution au conflit, Vivendi s'est servie du TBI, qui comprend des dispositions similaires à celles de l'ALENA, pour réclamer 300 millions de dollars américains à l'Argentine. Le conflit a suscité de nombreuses controverses et des débats publics dans les deux pays. Après avoir étudié le cas, un tribunal a recommandé à Vivendi de porter d'abord sa plainte devant un tribunal de la province de Tucumán avant de recourir à un arbitrage international.

Pour des entreprises transnationales comme Vivendi et Bechtel, les traités bilatéraux d'investissement ont pris de plus en plus d'importance depuis l'échec, en 1998, de l'Accord multilatéral sur l'investissement (AMI). Ébauché par la Chambre de commerce internationale en 1996, l'AMI avait été négocié sous les auspices de l'Organisation pour la coopération et le développement économiques (OCDE), mieux connue sous le nom de « club des pays riches ». L'AMI aurait donné aux entreprises des pouvoirs souverains sur les États, dont les instruments juridiques qui leur auraient permis de démanteler des entreprises publiques (ou ce que l'AMI appelait des « monopoles d'État »). Les compagnies auraient également été en mesure d'empêcher des États d'imposer des interdits ou des quotas sur l'exportation des ressources naturelles, de neutraliser les lois, politiques et programmes non conformes aux règles d'investissement de l'AMI et d'imposer les règles de cet accord par le biais de la clause investisseur-État, qui permet aux entreprises étrangères de poursuivre directement des États en justice. L'AMI a été la cible des premières manifestations du mouvement contre la mondialisation économique. L'opposition publique montante, combinée à des désaccords entre plusieurs pays de l'Union européenne et au soutien plutôt tiède des États-Unis, ont finalement provoqué, en octobre 1998, l'abandon des négociations de l'AMI. Si l'AMI avait été ratifié en tant que traité international, cependant, il aurait donné aux entreprises, dont les géants de l'eau, les pouvoirs constitutionnels et juridiques d'exploiter ce qui reste du patrimoine commun. Appelé à l'origine « Constitution pour l'économie mondiale » par le directeur général de l'Organisation mondiale du commerce, l'AMI aurait eu le pouvoir d'outrepasser les constitutions d'un grand nombre d'États. Si le traité avait été adopté, des amendements auraient été nécessaires pour rendre la Constitution de chaque pays signataire compatible avec ses dispositions.

Malgré l'échec de l'AMI, les connexions entre entreprises et gouvernements ont progressé à vive allure. En juillet 2000, les Nations Unies ont lancé un projet baptisé « Global Compact » dans le cadre duquel un certain nombre d'entreprises transnationales connues ont accepté d'adopter plusieurs lignes directrices en matière de responsabilité sociale. La liste comprend des entreprises notables comme Shell, Nike et le géant de l'eau Suez. En effet, le débat public entourant l'Accord multilatéral sur l'investissement et son échec, associé à l'opposition grandissante aux institutions de la mondialisation économique que sont l'OMC, le FMI et la Banque mondiale, avait démontré clairement à un grand nombre d'entreprises transnationales qu'elles étaient en train de perdre leur légitimité morale et politique, ainsi que le soutien du public. De plus, le *lifting* proposé par le Global Compact aurait pu se faire à moindres frais. Contrairement à des régimes commerciaux comme l'ALENA ou la ZLEA, dans lesquels les droits de l'investisseur sont exécutoires et obligatoires, l'adhésion aux lignes directrices en matière de responsabilité sociale du Global Compact était entièrement volontaire et par conséquent inefficace comme contrepoids.

Enfin, à la quatrième rencontre ministérielle de l'Organisation mondiale du commerce, en novembre 2001, au Qatar, une section « commerce et environnement » a été apportée à la dernière minute par l'Europe (siège des grosses sociétés d'exploitation de l'eau), section qui met en danger les réserves d'eau douce. Elle demande la « réduction ou, le cas échéant, l'élimination des barrières tarifaires et non tarifaires aux biens et services environnementaux ». L'eau figure déjà, dans l'AGCS, comme un « service », et comme un « bien » dans le GATT. Bientôt, si l'OMC réussit dans son entreprise, elle deviendra également un « investissement ». Selon cette nouvelle et dangereuse disposition de l'OMC, une règle nationale protégeant l'eau en tant que service public et droit humain pourrait être considérée comme une « barrière non tarifaire » au commerce et, en conséquence, éliminée, comme pourrait l'être toute règle qui risquerait de limiter les privatisations. De plus, d'après ce nouveau texte, les « services environnementaux » nationaux (réglementation sur l'eau) doivent être « compatibles » avec d'autres règles de l'OMC, comme celles qui empêchent les pays d'utiliser des « barrières non tarifaires », telles les lois sur l'environnement, d'une manière qui interfère avec la libéralisation des échanges. Les normes environnementales nationales destinées à protéger l'eau seraient menacées dès qu'on assujettirait le commerce des services à ces accords déjà dangereux.

En dépit de ces tentatives de la part des entreprises pour accroître leur légitimité aux yeux du public, des citoyens de nombreux pays continuent à penser que les sociétés transnationales songent davantage à leurs marges de profit qu'au bien de la population. Tandis qu'on siphonne les nappes souterraines pour l'exportation, les puits s'assèchent. Lorsque les services publics ont été privatisés dans le tiers-monde, le prix de l'eau est monté en flèche et les pauvres se sont vus privés des services essentiels d'eau et d'assainissement. Des entreprises du monde entier ont recours à des clauses d'accords bilatéraux d'investissement, à l'OMC, à l'ALENA et à l'AGCS, ainsi qu'au FMI et aux programmes d'ajustement structurel de la Banque mondiale, en guise de représailles contre les États qui tentent de leur imposer des pénalités lorsqu'elles n'agissent pas selon les normes qu'ils préconisent. Devant ces pratiques qui restreignent le pouvoir des gouvernements démocratiques, les citoyens du monde ont commencé à se mobiliser afin de résister aux privatisations massives et de reprendre ainsi le contrôle du patrimoine commun de l'humanité.

Troisième partie

L'AVENIR

CHAPITRE 8

LA RIPOSTE

*Des citoyens du monde se rassemblent
pour lutter contre le vol de leur droit à l'eau*

Pour la troisième fois en 1999, la vallée de la Narmada, en Inde, était inondée après une nouvelle phase de la construction du barrage Sardar Sarovar. Une fois de plus, les villageois et les activistes persistaient dans leur refus de déménager vers les zones de relogement, même au risque de leur vie.

Les villageois et ceux qui les soutenaient faisaient partie d'un mouvement connu sous le nom de Narmada Bachao Andolan (NBA), réunissant les communautés touchées par la construction de trois énormes barrages : le Sardar Sarovar, le Narmada Sagar et le Maheshwar, dans la vallée de la Narmada. Le mouvement a été inspiré au départ par une femme, Medha Patkar, venue dans la vallée pour y mener une étude sur les terres qui seraient submergées à cause du barrage de Sardar Sarovar et de son système de rétention destructeur de rivières. Lorsque l'ampleur des dégâts écologiques et sociaux qui allaient résulter de la réalisation de ce projet lui est apparue, Medha Patkar a décidé de passer son temps à sillonner les zones menacées afin de rencontrer les habitants et de les inciter à se mobiliser au plus vite.

Après examen des documents officiels, Medha Patkar et ses collaborateurs sont arrivés à la conclusion que des études essentielles sur les effets environnementaux n'avaient pas été effectuées, que l'on n'avait aucune idée du nombre d'habitants à déplacer, que les estimations portant sur la superficie des terres qui seraient irriguées grâce au barrage étaient grandement exagérées, et enfin que les fonds nécessaires à la construction du réseau d'alimentation en eau, l'un des principaux éléments du projet, n'étaient même pas compris dans les évaluations financières. Depuis 1990, la NBA s'est engagée à lutter activement contre la construction des barrages par le biais d'actions directes et non violentes jusqu'à ce qu'une commission indépendante et participative réalise une étude sur le projet et sur ses conséquences.

L'une des batailles les plus cruciales menées par la NBA s'est déroulée en 1991, lorsque des milliers de villageois et de militants ont organisé une « longue marche » et un jeûne de trois semaines. Cette action avait pour but d'obliger la Banque mondiale, qui finançait la construction du Sardar Sarovar, à créer une commission indépendante chargée de revoir le projet dans son ensemble. Sous les feux des projecteurs des médias internationaux, la Banque mondiale a accepté, et la commission indépendante a produit un rapport intitulé *Morse Report,* dans lequel on pouvait lire que le projet ne respectait pas l'environnement. En outre, la commission critiquait le rôle joué par la Banque mondiale et le gouvernement indien dans le déroulement des opérations.

Par la suite, lorsque le gouvernement indien a refusé de satisfaire à certaines exigences minimales, la Banque mondiale a pris la décision, sans précédent, de se retirer du projet. Mais le gouvernement, déterminé à achever malgré tout la construction du barrage, est parvenu à réunir les sommes nécessaires auprès d'autres sources. Entre 1993 et 1995, en pleine mousson, la police a procédé à plusieurs reprises à l'arrestation d'habitants des terres les plus basses, sur le point d'être inondées, pour les emmener de force dans des endroits situés à plus haute altitude. Finalement, au début de l'année 1995, à l'issue d'un procès intenté par le NBA, la Cour suprême de l'Inde a ordonné l'arrêt de tous travaux de construction. L'injonction a été maintenue jusqu'en 1999, année où le gouvernement a persuadé la Cour d'autoriser la surélévation du barrage de plusieurs mètres, ce qui a entraîné à nouveau des inondations et une reprise de la résistance. En été 2002, le barrage a atteint 102 m, soit 12 m de plus que l'entente. Des manifestants et des villageois menacés par les eaux ont refusé de quitter les lieux et ont été arrêtés par la police.

Durant la dernière décennie, le mouvement antibarrage dirigé par le NBA dans la vallée de la Narmada est devenu le symbole de la lutte des citoyens de la planète pour le droit à l'eau. Outre leur opposition à la construction du Sardar Sarovar, les villageois de la région se sont organisés contre la construction de grands barrages dans la vallée. En janvier 2000, par exemple, des contestataires ont occupé le barrage Maheshwar pour la huitième fois en trois ans. Ce mouvement n'est toutefois pas seulement motivé par le déplacement et la relocalisation des populations, il est également dirigé contre la destruction des systèmes traditionnels de récupération de l'eau, provoquée par la création de réservoirs qui tarissent les cours d'eau. Les habitants de la vallée savent parfaitement que l'accès à l'eau est un droit fondamental car l'eau représente l'essence même de la vie. Ils savent également que l'eau potable et celle qui sert à l'irrigation peuvent être puisées dans la vallée sans qu'on ait à construire d'énormes barrages ni à détruire le réseau fluvial naturel.

Si la résistance citoyenne aux barrages est au premier rang de la bataille pour le droit à l'eau, partout dans le monde, des gens s'engagent de plus en plus dans des luttes collectives pour mettre fin au vol de leur eau. Ces batailles menées à l'échelle locale portent sur un large éventail de problèmes, allant de la privatisation, de l'exportation et de la qualité de l'eau jusqu'à la préservation des lacs, des cours d'eau et des bassins hydrographiques. Au cœur même de ces luttes communautaires, on retrouve une résistance grandissante à la transformation en marchandise des ressources hydriques et à la mainmise des entreprises sur les réseaux d'alimentation en eau.

Un service public

Les litiges les plus importants en matière de droit à l'eau, au cours de ces dernières années, impliquaient des collectivités qui se sont battues pour que leur service municipal de distribution et de traitement de l'eau, privatisé, redevienne un service public. Deux de ces controverses, que nous avons déjà évoquées, ressortent particulièrement. Il s'agit, d'une part, de la bataille contre la privatisation du réseau d'alimentation menée à Cochabamba, en Bolivie et, d'autre part, des efforts déterminés de la population, sur plusieurs années, pour renverser la privatisation des réseaux de distribution et de traitement de l'eau de Grenoble, en France.

Ainsi que nous l'avons vu au début du chapitre 7, la Coordinadora de Defensa del Agua y de la Vida, dirigée par Oscar Olivera, a obtenu gain de cause après un vaste mouvement de résistance à Cochabamba. Devant les conditions stipulées par la Banque mondiale, le gouvernement avait accepté qu'une filiale de Bechtel Corporation reprenne le réseau public d'alimentation en eau de la ville. Mais les principaux objectifs de la Coordinadora, qui regroupait des personnes issues d'horizons très différents : travailleurs, paysans, fermiers et autres citoyens touchés par le problème, étaient la « déprivatisation » du réseau local et la défense du droit de la collectivité « à l'eau et à la vie ». Lorsque le prix de l'eau, fournie par la filiale de Bechtel, a grimpé en flèche et que le gouvernement s'est vu refuser le droit d'utiliser les prêts accordés par la Banque mondiale pour subventionner l'approvisionnement en eau des usagers pauvres, des milliers de Boliviens ont marché sur la ville, où ils ont déclenché une grève générale et un blocage des transports qui a paralysé l'agglomération au début du mois d'avril 2000. Le gouvernement a eu recours à la loi martiale, tandis que la police avait déjà réagi violemment aux manifestations, effectué des rafles et arrêté des militants en pleine nuit. Certains programmes de radio et de télévision avaient également été interrompus en cours de diffusion.

Mais la contestation massive menée par la Coordinadora n'en a pas moins remporté la victoire sur deux tableaux : la filiale de Bechtel quittait la ville, et le gouvernement bolivien renonçait à la privatisation des services d'eau. Le 10 avril 2000, les directeurs de la société Aguas del Tunari, filiale de Bechtel, pliaient bagage et quittaient le pays. Sous la pression populaire, le gouvernement abrogeait alors sa loi sur la privatisation de l'eau. Toutefois, comme il n'y avait maintenant plus personne à la tête de l'entreprise locale d'alimentation en eau, la direction du Servicio Municipal del Agua Potable y Alcantarillado (SEMAPA) a donc été confiée aux employés du service et aux habitants de la ville.

Déterminés à relever le défi, les habitants ont décidé d'élire un nouveau conseil d'administration et de donner à l'entreprise un nouveau mandat, fondé sur une série de principes d'équité, qui est encore en vigueur à l'heure actuelle. Ses règles exigent que le SEMAPA se montre efficace, incorruptible et équitable envers ses employés. Dans un souci de justice sociale, le service municipal doit fournir de l'eau en priorité aux démunis et encourager la participation de la population à la gestion de l'eau. Guidée par ce mandat, la nouvelle société a fait construire une énorme citerne destinée à l'approvisionnement en eau des quartiers les plus pauvres de Cochabamba. Elle a également créé des liens avec les quatre cents petites collectivités qui avaient été délaissées par la filiale de Bechtel et a commencé à travailler directement avec les associations de quartier pour trouver des solutions aux problèmes d'eau. Au cours de l'été 2000, la Coordinadora a elle-même organisé le premier d'une série de débats publics sur l'avenir du SEMAPA.

Pendant ce temps, de l'autre côté de l'Atlantique, les citoyens de Grenoble, en France — patrie du numéro un mondial du secteur de l'eau —, fêtaient, au terme de dix longues années de lutte, le retour au sein du secteur public de leurs services de distribution d'eau et d'évacuation des eaux usées. En 1989, le maire de Grenoble avait entamé une procédure de privatisation après avoir conclu un accord avec la Lyonnaise des eaux, filiale de Suez, le géant mondial. En dépit d'une opposition publique, le projet a eu le feu vert. Mais comme nous l'avons relaté au chapitre 5, la transaction était foncièrement malhonnête, le marché ayant été conclu en échange d'une contribution financière à la campagne électorale du maire. Lorsque la Lyonnaise des eaux avait ensuite procédé à des augmentations scandaleuses des prix, l'opposition s'était intensifiée et les citoyens s'étaient mobilisés. En 1995, le maire de Grenoble et un cadre supérieur de la Lyonnaise des eaux étaient poursuivis en justice et, en 1996, reconnus coupables de corruption.

Le mouvement créé par les Grenoblois était porté par deux organismes : l'Association pour la démocratie, l'écologie et la solidarité (ADES) et Eau Secours. Les deux associations avaient d'abord effectué des recherches sur l'accord conclu avec la filiale de Suez, puis elles avaient élaboré une stratégie pour porter la question de la privatisation de l'eau devant les tribunaux. Grâce à ces démarches, les Grenoblois ont obtenu justice. Le tribunal a annulé les hausses de prix, renversé la décision de 1989 touchant la privatisation et invalidé l'impartition subséquente des services municipaux d'alimentation en eau et d'évacuation des eaux usées. Le conseil municipal de Grenoble avait alors opté pour la création d'une « société mixte » et confié les services en sous-traitance à une autre filiale de la Lyonnaise des eaux, mais le contrat a été déclaré nul et non avenu par une décision judiciaire rendue à la suite d'autres poursuites engagées par le mouvement des citoyens.

La voie vers la déprivatisation des réseaux de distribution et d'assainissement de Grenoble était dès lors ouverte. Depuis 1995, des citoyens militants menaient des campagnes basées sur le retour de ces réseaux au secteur public. Après l'obtention de plusieurs sièges au conseil municipal, le premier jour de printemps du nouveau millénaire a donné aux militants de Grenoble l'occasion de fêter un autre événement heureux : à l'issue d'une décennie de privatisation, la Lyonnaise des eaux recevait les documents officiels ordonnant son retrait. Et en mars 2000, les Grenoblois reprenaient possession de leur service d'alimentation en eau et d'évacuation des eaux usées.

La lutte contre la privatisation

Les événements de Cochabamba et de Grenoble démontrent ce que peuvent faire des citoyens lorsqu'ils s'organisent pour récupérer leurs réseaux d'alimentation en eau. Ces combats contre la privatisation des réseaux, ou contre la mainmise des entreprises, se sont intensifiés partout sur la planète. Ils sont soutenus par plusieurs organisations, dont l'Internationale des services publics (ISP), regroupement international des syndicats de la fonction publique.

En Afrique du Sud, le seul pays au monde où le droit à l'eau est écrit en toutes lettres dans la Constitution, les *townships* de la périphérie des grandes villes comme Johannesburg et Durban sont récemment devenus des foyers de résistance à la privatisation. Des syndicats — comme la South Africa Municipal Workers' Union — s'opposent ouvertement aux projets de privatisation élaborés par Suez, Bi-Water et d'autres barons de l'eau, et travaillent d'arrache-pied à la promotion de « partenariats public-public ». Quant aux habitants des *townships* pauvres de Johannesburg, ils sont victimes de coupures d'eau étant donné leur incapacité à faire face aux augmentations de tarifs décrétées par les entreprises. Ces citoyens ont organisé la résistance au niveau des quartiers. Lorsqu'il y a des coupures d'eau, des équipes se rendent de maison en maison, rétablissent le service et retirent les compteurs d'eau. De la même façon, lorsque l'eau a été coupée dans le *township* de Empangeni, en banlieue de Durban, les citoyens se sont rebellés en arrachant les compteurs d'eau. Et en mai 2001, après s'être vu refuser par le maire le droit de tenir leur propre conférence sur la crise de l'eau dans un édifice municipal, ces mêmes citoyens ont décidé d'occuper un terrain appartenant au gouvernement.

Au Ghana, où le FMI et la Banque mondiale ont imposé la privatisation comme condition au renouvellement de prêts, un large éventail de représentants de la société civile se sont regroupés pour créer une coalition nationale contre la privatisation de l'eau. En réponse à des rapports selon lesquels 44 % des Ghanéens n'ont pas accès au réseau d'alimentation, la coalition a publié la « Déclaration d'Accra sur le droit à l'eau » le 5 juin 2001. La déclaration se fonde sur le refus de transformer l'eau en marchandise et sur le rejet du modèle de privatisation, préconisé par des sociétés transnationales basées à l'étranger et présenté comme « la solution appropriée aux problèmes dans le secteur de l'eau ». Les signataires de la déclaration demandent au gouvernement du Ghana de « revenir sur sa décision d'accélérer le processus de privatisation », d'examiner d'autres solutions favorisant le recours aux collectivités, autorités et entreprises locales, et de mener « un débat public à l'échelle nationale sur les options possibles pour la réforme du secteur de l'eau ». La coalition s'est elle-même engagée dans un programme d'action poursuivant plusieurs objectifs : une vaste campagne afin que tous les Ghanéens aient accès à l'eau d'ici 2010, des garanties constitutionnelles protégeant le droit à l'eau des citoyens, le maintien de la propriété, du contrôle et de la gestion des services liés à l'eau dans le secteur public, et la recherche de solutions nouvelles aux problèmes d'efficacité liés à la gestion de l'eau.

De l'autre côté de l'Atlantique, en Uruguay, des syndicats et des organisations sociales ont également formé une coalition, baptisée Mouvement pour une initiative populaire (MIP), dans le but de proposer des lois qui mettraient un terme à la privatisation des services d'alimentation en eau et d'évacuation des eaux usées. Dans un référendum effectué en 1992, 70 % des Uruguayens ont dit « non » à la privatisation des services publics. Pourtant, en janvier 2000, l'entreprise espagnole Agua de Barcelona a remporté une concession de trente ans pour gérer les réseaux d'alimentation en eau de Montevideo et d'autres villes. Alors que, par le passé, les habitants avaient le choix entre le réseau d'égouts public et un réseau privé, ils sont maintenant obligés d'utiliser le second. En outre, une filiale de Suez a eu la permission de créer une base de données sur les abondantes réserves d'eau souterraine de l'Uruguay. Dans la mesure où le système législatif uruguayen permet aux citoyens de proposer des projets de loi, le MIP a rédigé en 2001 un projet de loi qui obligerait le gouvernement à empêcher toute nouvelle privatisation et à abroger les dispositions du budget relatives à la privatisation du réseau d'eau. La loi prévoit que, si le gouvernement ne retient pas un projet de loi, il est alors soumis au peuple par voie référendaire.

Aux États-Unis, il arrive souvent que des groupes communautaires, des fonctionnaires et des conseillers municipaux se rassemblent pour s'opposer à la privatisation de l'eau dans leur agglomération. L'une des cibles les plus fréquemment visées est la société American Water Works Company. En 1995, après deux années de débats devant les tribunaux, la ville d'Huber Heights, en banlieue de Dayton, dans l'Ohio, a gagné un procès contre cette société. Les trois quarts des habitants ont ensuite voté en faveur du rachat du réseau d'alimentation. En 1999, par exemple, après plusieurs années de frustration, la ville de Pékin, en Illinois, a procédé au rachat de son réseau d'eau, qui avait été acquis par American Water. Par ailleurs, en 1998, les habitants de Birmingham, dans l'Alabama, ont refusé l'offre de 390 millions de dollars américains présentée par American

Water pour l'acquisition de leur réseau de distribution d'eau. Quant à ceux de Nashville, dans le Tennessee, ils ont fait le nécessaire pour s'assurer que leur réseau resterait dans le secteur public. Dans le comté d'Orange, en Californie, qui s'est déclaré en faillite en 1994 après avoir perdu 1,7 milliard de dollars à la Bourse, le Santa Margarita Water District a décliné l'offre de 300 millions de dollars américains que proposait American Water pour l'achat de son réseau, préférant qu'il demeure entre les mains du secteur public.

Un peu partout au Canada, on a mené des batailles similaires pour éviter que des entreprises privées ne s'emparent des réseaux d'adduction d'eau et d'évacuation des eaux usées. En juin 2001, à Vancouver, un millier de personnes ont assisté à un débat organisé par le Greater Vancouver Regional District (GVRD) demandant le retrait des propositions relatives à la privatisation de la station de purification de Seymour, qui comptait parmi ses acquéreurs potentiels des filiales de Vivendi et de Bechtel. Ce mouvement d'opposition, orchestré par des groupes comme le Syndicat canadien de la fonction publique, le Conseil des Canadiens et la Society Promoting Environmental Conservation, a insisté sur le fait que, une fois les installations de traitement de l'eau privatisées, des accords commerciaux comme l'ALENA et l'OMC pourraient empêcher les municipalités de les réintégrer dans le secteur public. Le GVRD a du coup renoncé à ses projets de privatisation de l'eau, sur lesquels il travaillait apparemment depuis trois ans.

À Kamloops, en Colombie-Britannique, des groupements de citoyens et des fonctionnaires ont réussi à bloquer les projets de la municipalité qui cherchait à établir un partenariat avec le secteur privé pour la construction d'une nouvelle usine de traitement des eaux usées. De l'autre côté du pays, les édiles des localités côtières de Terre-Neuve se sont engagés à améliorer les stations d'épuration des eaux usées, lesquels effluents encombraient le port de St. John's. Le Syndicat canadien de la fonction publique a alors rencontré les maires de la région pour les exhorter à maintenir la propriété et la gestion de ces stations dans le secteur public. En dépit des pressions exercées par le milieu des affaires de St. John's, les maires ont jusqu'à présent refusé d'examiner les offres présentées par les barons de l'eau.

L'exportation

Bien que la construction de barrages sur les cours d'eau fasse maintenant l'objet d'une vaste résistance et que les manifestations contre la privatisation se multiplient, la lutte contre l'exportation de l'eau n'en est qu'à ses débuts. Cet état de choses est probablement dû en partie au fait que la plupart des projets d'exportation d'eau en vrac, par le biais de pipelines, de canaux, de navires-citernes ou dans d'énormes sacs scellés, en sont encore au stade de l'expérimentation et de la planification. La situation est toutefois bien différente pour l'eau embouteillée, et certains signes indiquent que, sur ce front, l'opposition commence à croître.

Dans l'État du Wisconsin, aux États-Unis, Perrier, la marque vedette des eaux en bouteille de Nestlé, est devenue le point de mire de la résistance. À la suite d'une autorisation de pompage accordée par le ministère des Ressources naturelles du Wisconsin, les eaux souterraines de cet État sont devenues la principale réserve d'eau de source de la marque Ice Mountain, propriété de Nestlé. Un groupe formé par les citoyens de Newport, le Concerned Citizens of Newport, mène la bataille pour empêcher le pompage massif que le commerce de cette eau embouteillée nécessite, et pour mettre un terme à la dégradation des zones humides de la région. « Prendre l'eau de source d'un écosystème, c'est comme prendre le sang d'un peuple », affirme le militant John Steinhaus. Dans deux référendums municipaux, la population s'est opposée à ce que Perrier puise chez elle de l'eau de source. En octobre 2000, après de nombreuses réunions d'information et plusieurs déclarations faites au cours d'audiences organisées par le sénat de l'État, le Concerned Citizens of Newport a fini par entamer des poursuites judiciaires contre le ministère des Ressources naturelles du Wisconsin.

Dans le Michigan, le Michigan Citizens for Water Conservation (MCWC) s'est énergiquement opposé, en juillet 2001, à une demande adressée par le Perrier Group of America pour l'obtention d'une licence d'État qui lui permettrait de réaliser un projet visant la privatisation, le détournement et l'exportation de l'eau d'une partie des Grands Lacs. En construisant « un réseau privé de puits de grande capacité » — qui, bien entendu, ne fourniront pas d'eau à la collectivité —, le groupe Perrier compte extraire un peu plus de 64 millions de litres d'eau de source par mois, soit 772 millions de litres par an, de quoi remplir chaque année un lac de 5 hectares et de 15 mètres de profondeur. Le MCWC soutient que de telles activités « risquent d'avoir des effets désastreux et durables sur les ressources hydriques naturelles de la région, et qu'elles compromettront sérieusement le pouvoir de l'État du Michigan de protéger les eaux des Grands Lacs ». L'organisme affirme que ces puits abaisseraient le niveau des eaux de surface du lac Osprey ainsi que le débit des cours d'eau en aval, et que le pompage provoquerait la dégradation de plus de 16 hectares de milieux humides. S'appuyant sur trois lois de l'État régissant la protection de l'environnement (*Environment Protection Act*), celle des milieux humides (*Wetlands Protection Act*) et celle des lacs et des cours d'eau (*Inland Lakes and Streams Act*), le MCWC maintient que les autorités du Michigan ne peuvent accepter, et encore moins autoriser, le projet de Perrier.

Il faudrait mener bien d'autres campagnes locales contre le pompage de l'eau de source à des fins d'exportation, d'autant plus que PepsiCo et Coca-Cola s'affrontent pour la suprématie dans le marché de l'eau embouteillée. Pour l'instant, l'une des principales campagnes s'organise autour des ressources hydriques des territoires cédés aux autochtones en vertu de traités. Selon un rapport effectué pour le compte du gouvernement canadien et obtenu grâce à la Loi sur l'accès à l'information, des courtiers en placements ont déjà fait aux organisations autochtones plusieurs offres s'élevant à des millions de dollars pour obtenir l'autorisation de puiser et d'exporter l'eau de leurs lacs et de leurs rivières. Le lien étroit entre l'eau et la vie est profondément enraciné dans les traditions spirituelles et culturelles de la plupart des collectivités autochtones, et l'Assemblée des Premières Nations du Canada a clairement pris position contre ce type de commerce. Elle s'est du reste jointe à d'autres organismes de la société civile pour demander au gouvernement canadien d'interdire l'exportation d'eau en vrac. Néanmoins, comme le souligne le rapport, il y a tout lieu de craindre que des collectivités pauvres ne puissent résister à des offres faramineuses et cèdent leurs droits d'accès à l'eau. Si l'exportation de l'eau n'est pas prohibée, nombre de ces collectivités pourraient succomber à la tentation.

Au Canada, la question de l'exportation de l'eau en vrac est déjà au centre de diverses campagnes de protestation. Quand le groupe McCurdy a présenté son projet d'extraction d'eau du lac Gisborne, dans l'île de Terre-Neuve, afin de l'exporter par navires-citernes au Moyen-Orient, le Conseil des Canadiens a déclenché une vaste levée de boucliers. Des rassemblements ont été organisés en octobre 1999 et des réunions ont eu lieu avec le gouvernement terre-neuvien, qui s'est à son tour empressé d'annoncer qu'il n'accorderait pas la licence d'exportation demandée. Bien que le mouvement de contestation se soit calmé depuis, il est à prévoir qu'il reprendra tôt ou tard, le nouveau premier ministre de la province ayant récemment déclaré que Terre-Neuve pourrait bien être obligée d'accorder au groupe McCurdy l'autorisation de réaliser son projet. En parallèle, le Conseil des Canadiens a également entrepris une campagne pour obtenir du gouvernement canadien qu'il légifère et interdise l'exportation d'eau en vrac. Jusqu'à présent, le gouvernement Chrétien a refusé, bien qu'il reconnaisse que la population soutient fortement la position du Conseil sur cette question. Le gouvernement a proposé qu'un accord soit plutôt conclu entre les provinces, accord qui s'opposerait à ce type d'exportation. Mais, prévient le Conseil, en refusant de prendre les choses en main, le gouvernement permet tout simplement à des accords commerciaux comme l'ALENA et l'OMC de dicter la politique canadienne.

Ailleurs au Canada, le Conseil des Canadiens a également joué un rôle actif en contestant par voie judiciaire des projets d'exportation d'eau à partir de certaines rivières, comme la Tay, près de Perth, dans le sud-est de l'Ontario. Le Conseil a aussi mis sur pied une campagne destinée à soutenir l'interdiction d'exporter émise par l'ancien gouvernement néo-démocrate de la Colombie-Britannique. Mais le Canada n'est certainement pas le seul foyer de résistance potentiel à l'exportation d'eau en vrac. En Europe, par exemple, des mouvements écologistes ont organisé des campagnes pour empêcher l'exportation d'eau puisée dans les Alpes autrichiennes et en Norvège. Au fur et à mesure que le public prendra conscience des dommages environnementaux causés par les extractions d'eau massives, l'opposition citoyenne est appelée à s'intensifier.

La qualité de l'eau

Contrairement à la lutte contre l'exportation de l'eau, le combat contre sa contamination dure depuis un certain temps. Les activités de l'agro-industrie, grande utilisatrice de produits chimiques, et celles des compagnies pétrolières, gazières et minières, qui connaissent des problèmes d'évacuation des déchets, polluent les réseaux hydrologiques à grande échelle. Cette réalité alarmante a donné naissance à une multitude de combats, partout dans le monde, visant à préserver la qualité de l'eau. Les batailles ont pris différentes formes.

En Colombie, par exemple, depuis le milieu des années 1990, une coalition de groupes de défense de l'environnement, de paysans, de travailleurs et de militants des droits de la personne lutte contre l'Occidental Petroleum Corporation pour des questions relatives à la contamination de l'eau. Les énormes installations de Caño Limón, qui appartiennent à cette société pétrolière, ont été construites en 1986 au milieu d'une plaine d'inondation, ce qui a eu des effets désastreux sur le réseau hydrologique de la région. Chaque fois qu'il pleut abondamment, explique un rapport de la coalition, l'eau lessive les puits à ciel ouvert, emportant les résidus chimiques toxiques et cancérigènes vers les cours d'eau voisins, comme l'Arauca. L'alarme a sonné pour la première fois en 1988, quand l'Institut des ressources naturelles de la Colombie, l'INDE-RENA, a révélé que le type de traitement des eaux utilisé à Caño Limón serait considéré, aux États-Unis, comme inacceptable sur le plan de l'environnement, dans la mesure où il ne protège pas les eaux de surface de la contamination. En outre, les installations sont forcées de traiter chaque jour un volume d'eaux usées bien plus important que ne le permet leur capacité maximale, et elles ne possèdent pas l'équipement nécessaire pour traiter les boues toxiques. Au cours d'une étude environnementale menée en 1992, l'INDE-RENA a mesuré dans le réseau local d'alimentation en eau des concentrations de métaux lourds et d'hydrocarbures toxiques dangereusement élevées, jusqu'à 300 fois supérieures aux normes relatives à l'eau potable en vigueur dans le Nord. En 1998, l'Occidental Petroleum Corporation a été poursuivie en justice pour dommages causés à l'environnement, dont la contamination des ressources hydriques de la région.

L'année suivante, au Canada, des agriculteurs, des éleveurs et des citoyens de l'Alberta se regroupaient pour protester contre le pompage intensif d'eau douce dans les aquifères dans le but d'« exploiter au maximum » les gisements pétrolifères. Cette méthode consiste à injecter de l'eau jusqu'au fond du puits, ce qui provoque un jaillissement massif de pétrole. Or non seulement l'eau ainsi utilisée est retirée du cycle de l'eau, mais elle finit par être entièrement contaminée. On estime qu'en 2000 les permis d'utilisation de l'eau délivrés aux exploitations pétrolières de l'Alberta ont autorisé l'extraction de près de 206 milliards de litres d'eau, dont 77 milliards ont été puisés dans les seules nappes souterraines. Lorsque Petro-Canada a déposé une demande de permis pour puiser de l'eau à des profondeurs allant jusqu'à 500 mètres pour l'exploitation d'un vaste champ pétrolifère, les militants ont déclenché différentes actions, dont l'envoi de lettres de protestation et de pétitions. Et quand le permis réclamé par Petro-Canada a été malgré tout accordé, le groupe a décidé de se faire le porte-parole des Albertains opposés « au mauvais usage et à l'usage abusif de l'eau par les producteurs de pétrole ». Les militants se sont alors attaqués publiquement au ministère de l'Environnement de l'Alberta, lui reprochant de défendre les intérêts de l'industrie pétrolière plutôt que de veiller à préserver la qualité de l'eau. Les contestataires ont également dénoncé le gaspillage des ressources hydriques et la contamination des réserves d'eau douce, en raison des activités de certaines sociétés pétrolières.

Parallèlement, l'utilisation intensive de pesticides et d'engrais chimiques dans l'agriculture industrielle est aujourd'hui une cause majeure de contamination de l'eau et la cible de dénonciations. Quand il pleut, les substances toxiques et cancérigènes employées dans les exploitations agricoles pénètrent dans le sol ainsi que dans les eaux de surface et souterraines. Ce phénomène et ses conséquences occupent une place primordiale dans les campagnes que mène l'association internationale Pesticide Action Network (PAN). Le PAN regroupe plus de 400 organisations œuvrant dans 60 pays. Présent en Afrique, en Asie, en Europe, en Amérique du Nord et en Amérique latine, le PAN a déjà organisé un grand nombre de campagnes axées sur les dangers liés à l'utilisation de pesticides chimiques dans l'agriculture, dont la contamination des eaux souterraines. Il a ainsi donné à nombre d'agriculteurs et de collectivités l'occasion de connaître les différents produits chimiques, leurs usages, normaux et abusifs, et leurs effets néfastes aussi bien sur l'écosystème et la biodiversité que sur les êtres humains (chez qui ils provoquent cancers, anomalies congénitales et lésions neurologiques). Pour éviter l'emploi de tels produits, le PAN plaide vigoureusement en faveur de la culture biologique, qui aurait, entre autres avantages, énormément d'effets positifs sur la qualité de l'eau.

Ces dernières années, la prolifération de fermes industrielles consacrées à l'élevage de porcs est elle aussi devenue une cible importante des campagnes en faveur de la qualité de l'eau. En tant que président d'une coalition américaine pour la préservation de l'eau, la Water Keeper Alliance, Robert F. Kennedy Jr. a entamé en décembre 2000 une grande bataille judiciaire contre ce type d'exploitations. Dans ces fermes, où l'on confine un grand nombre de porcs dans de petits enclos, on a supprimé la litière afin de liquéfier le lisier et de s'en débarrasser plus facilement. On laisse ensuite le lisier s'écouler, et les matières toxiques se retrouvent dans les cours d'eau et pénètrent les nappes souterraines, ce qui entraîne l'émission de gaz dangereux. Considérant ces agissements comme un crime majeur contre l'environnement, Robert F. Kennedy et la Water Keeper Alliance accusent le gouvernement américain de ne pas faire respecter les lois sur la protection de l'environnement en matière d'élevage porcin industriel. Au Canada, des agriculteurs et des habitants de petites agglomérations rurales se sont lancés dans des combats similaires. Ils craignent que les déchets toxiques produits par les fermes qui pratiquent ce type d'élevage ne contaminent gravement leurs eaux souterraines. En outre, il faut souligner que ces fermes sont, purement et simplement, des « camps de concentration pour animaux », dans lesquels les truies ne peuvent ni marcher ni même se retourner.

Comme nous l'avons vu au premier et au quatrième chapitres, l'industrie de l'informatique de pointe se trouve, elle aussi, au cœur des campagnes contre la pollution de l'eau, notamment dans la Silicon Valley et dans des villes comme Phoenix, en Arizona. Depuis une dizaine d'années, divers groupes, dont la Silicon Valley Toxics Coalition, le Southwest Network for Economic and Environmental

Justice et la Campaign for Responsible Technology, organisent des mouvements contre la pollution et l'empoisonnement constants des ressources hydriques par les entreprises du secteur de l'informatique. Leurs campagnes d'information ont, dans une certaine mesure, permis de dévoiler l'hypocrisie de ce secteur, dont les responsables, qui prétendent utiliser des méthodes de production « propres », ont déjà légué à la planète un héritage de pollution effarant. Les campagnes ont également révélé que les organismes gouvernementaux, en ne faisant pas respecter les lois sur la protection de l'environnement et sur le nettoyage des régions polluées qui s'appliquent à cette industrie, favorisent les intérêts des sociétés de haute technologie.

Dans leurs batailles contre la privatisation, les citoyens et les fonctionnaires ont également mis l'accent sur la pollution de l'eau. Dans sa lutte contre la mainmise des entreprises privées sur les réseaux publics d'adduction et d'assainissement des eaux, le Syndicat canadien de la fonction publique s'est aperçu que les citoyens s'intéressaient de plus en plus aux problèmes de pollution de l'eau. Les petits épiciers et les restaurateurs, en particulier, savent qu'il est nécessaire de protéger la qualité de l'eau et se demandent si le public aurait encore droit de parole si les infrastructures de production d'eau potable et d'épuration des eaux usées étaient reprises par le secteur privé. « Remettre nos installations de traitement d'eau entre les mains d'une société privée n'a aucun sens, déclare un restaurateur de Kamloops, en Colombie-Britannique. Pourquoi mettrions-nous notre santé en péril en confiant la responsabilité des normes régissant la qualité de l'eau à une entreprise plus désireuse de satisfaire ses actionnaires que les citadins ? »

Sauver les cours d'eau

La lutte peut prendre différentes formes, allant de la protection d'un cours d'eau précis à celle de bassins hydrographiques entiers (toute la région drainée par un ensemble particulier de lacs, de baies et de cours d'eau). Comme dans les autres batailles, certaines personnes décident parfois de prendre les choses en main. Dans le cas de la préservation des cours d'eau et de bassins hydrographiques, elles travaillent de concert sur les mesures à prendre pour les assainir, les sauver ou les revitaliser, les protégeant ainsi au profit des générations à venir.

En 1990, un groupe d'environnementalistes américains, connu sous le nom d'Ecotrust — organisation qui avait déjà lutté avec acharnement pour préserver des forêts tropicales à l'extérieur des États-Unis —, s'est battu pour sauver un bassin hydrographique vierge situé dans le nord de la Colombie-Britannique. Ecotrust s'est engagé dans cette bataille aux côtés de la Première Nation des Haislas, qui vivent depuis la nuit des temps dans la vallée de la Kitlope. Cette vallée est dotée de lacs, de cours d'eau et d'une riche plaine inondable. Six espèces de saumon vivent dans les eaux de la rivière qui a donné son nom à la vallée. En 1992, après avoir fait l'inventaire écologique de ce bassin, Ecotrust et les Haislas se sont joints à un groupe d'autochtones et de non-autochtones de la région pour établir le cadre d'un programme visant à garder la vallée à l'état sauvage. Le programme proposait, au lieu de l'exploitation forestière et de l'extraction de ressources naturelles, une économie durable fondée sur le tourisme, l'étude de l'écosystème, l'observation de la vie animale et la création de camps de redécouverte de la nature. Afin de mettre ce programme en œuvre, les Haislas et Ecotrust ont créé en 1993 l'institut Nanakila (nom tiré du vocabulaire des Haislas signifiant « protéger, surveiller »), qui a notamment pour mission de former les autochtones dans les domaines en question. Leur travail a par la suite servi de base à la

négociation d'une entente avec le gouvernement provincial et avec
une entreprise d'exploitation forestière (qui détenait des droits de
coupe dans la région). L'entente vise à protéger l'ensemble du bassin hydrographique.

À des centaines de kilomètres plus au sud, en Oregon, les habitants du bassin hydrographique de l'Applegate ont formé une association pour sauver leur région. D'une superficie d'environ
200 000 hectares, ce bassin comprend toutes les terres arrosées par
les affluents de l'Applegate. Cette vallée, autrefois magnifique, est
maintenant défigurée par un enchevêtrement de zones déboisées,
de routes menant aux aires de coupe et de maigres cours d'eau aux
flots brunâtres. Dans le passé, d'âpres disputes autour de cette
région ont vu s'affronter agriculteurs, bûcherons et environnementalistes. Une association, baptisée Applegate Partnership, les a
réunis et leur a permis de travailler en collaboration avec des éleveurs, des pédagogues et d'autres habitants de la région, ainsi
qu'avec des fonctionnaires œuvrant dans le secteur des ressources
naturelles, afin de mettre au point un programme à long terme
visant à revigorer le bassin hydrographique. Après avoir appris à
conjuguer leurs efforts, ces militants ont adopté un mot d'ordre :
« Que la confiance règne : "Eux et nous, c'est pareil" ». Au fil du
temps, l'Applegate Partnership a travaillé avec divers organismes
gouvernementaux à l'élaboration d'un plan « forêt en bonne
santé » afin de faciliter la reconstitution du bassin, puis elle a négocié avec les sociétés d'exploitation forestière. Ce plan, ainsi que
d'autres projets similaires s'appliquant à des terres cultivées et à des
fermes d'élevage, a graduellement redonné vie à la vallée.

La préservation d'un bassin hydrographique a également servi
à réunir les habitants d'une ville californienne dont l'activité économique était largement basée sur l'exploitation forestière. Durant
les années 1970 et 1980, la ville de Hayfork, dans le nord-ouest de
la Californie, a été le théâtre de batailles féroces entre bûcherons et
écologistes. En 1990, une décision des tribunaux visant à protéger
l'habitat de la chouette tachetée, menacée de disparition, a quasi-

ment mis fin à l'industrie forestière dans la région. Les habitants n'ont pas tardé à comprendre qu'ils devaient reconstruire leur économie sur une base plus durable. C'était une question de survie. En 1992, des membres de la communauté (écologistes, bûcherons, ouvriers de scierie, restaurateurs et fonctionnaires) ayant pour objectif commun la reconstitution du bassin hydrographique ont décidé de se réunir régulièrement pour débattre de la question. Ils ont créé un centre de recherche et de formation, et se sont en quelque sorte formés eux-mêmes afin de s'attaquer à la reconstitution de la région drainée par le bras sud de la rivière Trinity. En 1993 et 1994, assistés par le service fédéral des forêts, ces défenseurs de l'environnement ont élaboré un programme relatif à un bassin de 9 000 hectares. Même si le programme ne mentionnait pas la vente de bois d'œuvre, une série de projets ont été mis en chantier pour revitaliser les forêts et les cours d'eau de la région.

De l'autre côté des États-Unis, dans le Maine, une rivière a été libérée en juillet 1999 après avoir été emprisonnée, pendant 162 ans, par un barrage hydroélectrique. Depuis sa construction en 1837, le barrage Edwards nuisait à l'écosystème de la rivière Kennebec. De surcroît, il barrait la voie aux poissons, car les propriétaires du barrage avaient refusé de construire une passe pour permettre aux migrateurs de frayer en amont. Malgré tout, un certain nombre de poissons avaient réussi à survivre en aval. Au cours des années 1990, un organisme créé par des groupes de défense de l'environnement, la Kennebec Coalition, a mené une guerre sans relâche — soutenue par une longue campagne d'information — pour que le barrage soit démantelé. En 1997, la Federal Energy Regulatory Commission a pris une mesure sans précédent : contre la volonté des propriétaires, elle a ordonné la démolition du barrage. Grâce à la campagne de la Kennebec Coalition, et à un dossier de 7 000 pages, la commission en est arrivée à la conclusion que les bienfaits économiques et environnementaux liés à la libération de la Kennebec l'emportaient sur les supposés avantages du barrage. Pour fêter l'événement, les habitants portaient des tee-shirts

avec l'inscription : « River reborn. Kennebec flows free » (« Une
rivière qui renaît. La Kennebec coule librement »).

La reconstitution de bassins hydrographiques n'est assurément
pas l'apanage des États-Unis. À des degrés divers, des luttes de ce
genre sont menées sur les cinq continents. En Inde, par exemple, les
personnes militant contre la construction de barrages se concentrent de plus en plus sur les moyens d'irriguer les exploitations
agricoles et de fournir de l'eau potable sans dépendre de ces ouvrages. Des organisations civiles s'unissent aux collectivités afin de
rétablir les méthodes traditionnelles de récupération de l'eau. En
Afrique du Sud, des « collectivités de captage », collectivités vivant
dans un bassin hydrographique (ou bassin versant), se montrent
très actives. Parmi ces collectivités figurent l'Okavango Liaison
Group, coalition régionale de groupes communautaires engagés
dans la revitalisation du fleuve Okavango et de son delta, ainsi que
le Greater Elendale Environmental Network (GREEN), mouvement populaire agissant de concert avec différentes organisations
de la région de Pietermaritzburg-Msunduzi pour recréer, d'ici
2009, « une rivière Msunduzi propre et sans danger ».

La croisade contre les barrages

Partout dans le monde, le mouvement antibarrages est à
l'avant-scène de la lutte pour le droit à l'eau. Selon Patrick McCully,
d'International Rivers Network, qui s'est donné pour mission de
s'attaquer aux mégabarrages, 40 000 grands barrages ont été construits sur la planète au cours du siècle dernier. Il en a résulté l'inondation de surfaces représentant presque 1 % des terres émergées et le
déplacement de 60 millions de personnes qui, pour la plupart, n'en
sont devenues que plus pauvres. Les barrages ont également causé
des dommages incalculables à la biodiversité et aux écosystèmes. Il

arrive cependant qu'on puisse empêcher la construction de l'un de ces ouvrages. En 1981, des autochtones aux Philippines se sont révoltés et ont obtenu l'abandon du projet de construction d'un barrage sur le Chico, projet subventionné par la Banque mondiale. Cette révolte a déclenché un immense mouvement mondial en faveur de la protection des cours d'eau et des collectivités riveraines.

D'après Patrick McCully, ce mouvement populaire, grâce à l'activisme de nombreuses associations, petites ou grandes, n'a cessé de s'amplifier pour finalement inclure des milliers de groupes de défense des droits de l'homme et de l'environnement dans le monde entier. À mesure que la voix de ces associations a gagné en force, les barrages ont été de moins en moins acceptés comme moyens valables de procurer eau et électricité. Les dépassements de coûts de ces mégaprojets sont souvent devenus des fardeaux économiques pour les nations qui en ont payé la construction, spécialement lorsque les barrages n'ont pas tenu leurs promesses de fournir de l'énergie et de l'eau en abondance et à bas prix. En outre, le mouvement de protestation a également rendu de plus en plus difficile la construction de barrages dans la plupart des pays. Comme le souligne Patrick McCully, la construction de barrages — qui a atteint 540 ouvrages par an dans les années 1970 — a connu un net déclin dans les années 1990, où elle est tombée à 200 barrages par an. En 1992, Wolfgang Pircher, alors président de la Commission internationale des grands barrages (CIGB), a servi cet avertissement à ses collègues : « Un sérieux mouvement d'opposition [...] a diminué le prestige de l'ingénierie des barrages aux yeux du public, et ces protestations commencent à rendre l'exercice de notre profession difficile. »

La croisade mondiale contre les grands barrages est jalonnée d'histoires émouvantes, dont certaines peuvent nous aider à mieux saisir l'importance du mouvement. L'une d'elles provient des pays qui faisaient autrefois partie du bloc de l'Est soviétique. En Hongrie, une association de citoyens indépendante, le Duna Kor, ou

Cercle du Danube, s'est constituée illégalement au début des années 1980 pour arrêter la construction du barrage Nagymaros. Étant donné la nature autoritaire du gouvernement communiste hongrois, le premier objectif du Cercle du Danube a été de dévoiler l'existence du projet, tenu secret, en faisant circuler une pétition dans laquelle les signataires réclamaient un débat parlementaire sur la question. En 1985 paraissait une étude sur les incidences négatives de l'ouvrage sur l'environnement. Un an plus tard, au cours d'une conférence de presse du Cercle, des militants étaient arrêtés et interrogés, ce qui a donné lieu à une marche de protestation. Ces incidents n'ont fait que consolider le mouvement. En octobre 1988, 15 000 Hongrois ont envahi les rues de Budapest pour protester contre l'endiguement du Danube. En mai 1989, le nouveau gouvernement hongrois, qui n'était plus communiste, a interrompu la construction du Nagymaros, et quelques mois plus tard, en octobre, le Parlement a voté une résolution exigeant l'abandon de l'ensemble du projet.

Au Guatemala, au début des années 1980, un combat similaire s'est terminé par un massacre. En 1982, la construction du barrage hydroélectrique de Chixoy, subventionnée par la Banque mondiale et la Banque interaméricaine de développement, était presque terminée. Lorsque le moment de remplir le réservoir est venu, les Mayas Achis du village voisin de Rio Negro ont refusé de quitter leur foyer et leurs terres : la région où la société d'État productrice d'électricité avait prévu de les réinstaller ne leur offrait que de misérables demeures et des terres peu fertiles. Des troupes paramilitaires envoyées au village par le gouvernement ont alors perpétré quatre massacres en huit mois, assassinant 440 Mayas Achis de Rio Negro. « Ils nous ont tués simplement parce que nous défendions nos droits sur nos terres », a déclaré Cristobal Osorio, qui a perdu sa femme, son jeune enfant et 19 autres membres de sa famille dans le carnage. L'écosystème de Rio Negro n'a bien sûr pas été épargné. Cristobal Osorio préside aujourd'hui un comité regroupant 150 familles de Rio Negro qui ont perdu des êtres chers, ainsi que leurs terres ancestrales, à cause de la construction du barrage de Chixoy. Depuis cette tragédie, une « commission de la vérité » mise sur pied par l'ONU a dénoncé les atrocités commises à Rio Negro, les qualifiant de génocide, et la Commission mondiale des barrages a demandé que des indemnités soient accordées aux familles des victimes.

En Thaïlande, les collectivités touchées par la construction du barrage de Pak Mun, qui est également subventionnée par la Banque mondiale, poursuivent leur mouvement de protestation depuis la fin des travaux, en 1994. Centrant leurs revendications sur la Banque mondiale et le gouvernement thaïlandais, les villageois de Pak Mun réclament la destruction du barrage, la restauration de la rivière dont il bloque le cours et la reconstitution des pêcheries (la chute phénoménale de la population aquatique résultant de la construction du barrage a eu des effets directs très négatifs sur les moyens d'existence de plus de 25 000 personnes). Dans son rapport sur l'affaire, la Commission mondiale des barrages a déclaré que l'ouvrage ne procurait aucun des avantages promis et que les pêcheries avaient été gravement endommagées. C'est grâce à ce constat que les collectivités de Pak Mun ont compris qu'elles étaient en droit de demander des indemnités. Toutefois, les représentants de la Banque mondiale ont refusé de reconnaître les défauts du projet — et, cela va sans dire, n'ont strictement rien fait pour améliorer la situation. Les villageois ont alors intensifié leur action. En mars 1999, quelque 5 000 personnes ont bâti un « village de protestation » au pied du barrage. Quelques mois plus tard, en novembre, l'endroit était envahi par des militaires qui, après avoir chassé les contestataires, ont incendié les cabanes en bois. Mais les villageois ne se sont pas laissé décourager. Ils ont juré de continuer le combat.

Aux États-Unis, des militants antibarrages ont vécu un remarquable retournement de situation. Les autorités gouvernementales, reconnaissant que l'époque des barrages était pratiquement révolue, ont décidé de mettre certains d'entre eux hors service, libérant ainsi

des réseaux fluviaux naturels. En 1998, le haut responsable du
département de l'Intérieur a entamé une tournée nationale, que
l'on a baptisée *Sledgehammer tour* (« Tournée coups de massue »),
afin de préparer la démolition d'une série de petits barrages vieillis-
sants qui nuisaient aux pêcheries. Deux ans plus tard, on menait de
vigoureuses campagnes portant sur la mise hors service de plus
d'une centaine de barrages aux quatre coins du pays. Au cours de
ces campagnes, des partenariats très spéciaux se sont formés :
groupes de protection des cours d'eau, experts en pêcheries, scientifiques travaillant pour divers organismes gouvernementaux,
citoyens et politiciens des régions concernées se sont associés pour
travailler ensemble sur la question. Dans le Wisconsin, la campagne « 20 pour 2000 » lancée par la River Alliance visait à ce que
20 barrages, répartis dans six collectivités, soient détruits ou prêts
à l'être en l'an 2000. C'est au cours de cette période que l'organisation internationale Les Amis de la Terre s'est jointe à American
Rivers et à des autochtones vivant dans le bassin de la Columbia et
de la Snake River pour aider ces derniers à obtenir la mise hors
service des barrages de la région. Le Sierra Club, de son côté, est
devenu le fer de lance du mouvement en faveur de la mise hors
service des barrages qui ont entraîné l'inondation de la vallée
Hetch Hetchy, dans le parc national de Yosemite, et de la reconstitution des cours d'eau qui sillonnaient autrefois cette vallée.

On peut affirmer que le mouvement contre les barrages a
atteint une certaine maturité. L'accent n'est plus simplement mis
sur l'arrêt de la construction de barrages colossaux sur les grands
cours d'eau, mais sur la mise au point de méthodes plus durables,
plus équitables et plus efficaces en matière de gestion des rivières et
des fleuves, ainsi que sur l'instauration d'un processus décisionnel
plus démocratique et mieux ancré dans les intérêts des collectivités.
Parallèlement, certains militants ont compris qu'il fallait effectuer
des changements plus profonds au sein même des systèmes économique et politique dominants. En Inde, par exemple, le combat
contre les grands barrages de la vallée de la Narmada « représente

aujourd'hui bien plus que la lutte pour la préservation d'un fleuve », déclare Arundhati Roy, écrivain de renom. Et elle ajoute : « [Ce combat] a semé le doute quant à la valeur de l'ensemble du système politique. Ce qui est remis en question, c'est la véritable nature de notre démocratie. À qui appartient ce pays, cette terre ? À qui appartiennent les cours d'eau, les forêts qu'ils arrosent, les poissons qui y vivent ? »

Combats internationaux

Bien que de nombreux groupes de citoyens aient choisi d'axer leurs campagnes sur leur gouvernement local, dans d'autres pays des mouvements ont décidé de mettre le gouvernement national face à ses responsabilités. En France, des militants se sont préparés avec soin au grand débat public de 2001 portant sur la révision des lois en matière de gestion de l'eau. Au Canada, des groupes talonnent le gouvernement fédéral pour qu'il engage des fonds dans la reconstruction de l'infrastructure publique des services d'alimentation en eau partout au pays, et pour qu'il formule des directives nationales interdisant l'exportation de l'eau. Au Ghana et en Uruguay, les militants font campagne pour que soient modifiées les lois et la politique nationale en matière de gestion de l'eau. En Afrique du Sud, dans les *townships* de la périphérie des grandes villes, la lutte déclenchée par les interruptions de service vise à forcer l'État à se conformer à la Constitution du pays, selon laquelle le droit à l'eau est un droit humain fondamental. Aux États-Unis, les pressions exercées par des citoyens ont poussé le gouvernement fédéral à mettre des barrages hors service — ce qui prouve que les citoyens militants n'ont pas totalement renoncé à voir leurs gouvernements comme un instrument démocratique de changement social —, en dépit de cette campagne de mondialisation menée par les entreprises.

En parallèle, les campagnes relatives à l'eau prennent une dimension internationale. Les batailles contre les barrages, notamment en Inde, dans la vallée de la Narmada, sont maintenant au cœur des revendications des militants aux quatre coins du globe, pas seulement en raison du rôle négatif que jouent la Banque mondiale et le FMI, mais en vertu des efforts déployés par des groupes de la société civile, comme l'International Rivers Network, en vue d'organiser un mouvement à l'échelle planétaire. De manière similaire, le combat en faveur de la récupération, par le secteur public, des services d'alimentation en eau de Cochabamba, en Bolivie, n'a pas été repris à l'échelle mondiale parce qu'il s'attaquait à la Banque mondiale et à la société internationale Bechtel, mais parce que la Coordinadora et ses alliés — dont l'Internationale des services publics — ont tout fait pour qu'il le soit. La plupart des militants ont compris qu'ils ne gagneraient pas la bataille s'ils ne la livraient qu'à l'échelle locale. La nature de plus en plus internationale de l'industrie de l'eau, et le marché lui-même, exigent que les campagnes prennent des dimensions planétaires. C'est à cette condition qu'elles pourront être efficaces à long terme. Cette condition est d'autant plus nécessaire lorsque ce sont les géants mondiaux qui sont la cible des mouvements pour la défense du droit à l'eau.

En outre, les réunions au sommet et les conférences internationales ayant trait à la gestion des ressources hydriques se révèlent d'excellents terrains d'action. Le Forum mondial de l'eau, qui s'est tenu à La Haye en mars 2000, a été déterminant sur ce point. Sans le projet de traité proposé par le Blue Planet Project, lancé en 2000 par le Conseil des Canadiens, et sans l'intervention des alliés du Conseil, comme l'Internationale des services publics, la grande majorité des représentants gouvernementaux venus des quatre coins du monde n'auraient entendu que le message — tristement incomplet — des entreprises internationales du secteur de l'eau. Par ailleurs, la lutte pour le droit à l'eau prend une place considérable dans les campagnes contre la mondialisation axées sur ce que des militants indiens appellent la « Trinité impie » : le Fonds monétaire international, la Banque mondiale et l'Organisation mondiale du commerce. Pendant de nombreuses annnées, les combats contre les barrages ont généralement été l'élément déclencheur des offensives internationales contre le FMI et la Banque mondiale, mais depuis 1999 les campagnes de protestation massives se concentrent également sur la manière dont ces institutions usent de leur pouvoir financier pour contraindre les gouvernements à privatiser leurs services d'eau. De façon analogue, la lutte pour le droit à l'eau est l'une des questions soulevées aujourd'hui dans la campagne internationale visant à mettre fin ou à donner une nouvelle direction aux renégociations de l'Accord général sur le commerce des services (AGCS) qui se déroulent au sein de l'OMC.

Ce bref survol des combats que livrent des citoyens du monde entier pour défendre leur droit à l'eau révèle que les graines de la résistance n'ont pas seulement été semées, mais qu'elles germent et se multiplient. Il reste néanmoins de sérieux vides à combler et de grands obstacles à franchir. De toute évidence, les différents types de mouvements que les citoyens ont organisés jusqu'à présent n'ont pas encore mesuré l'ampleur de la crise mondiale qui se prépare, non plus que le pouvoir de l'élite économique et politique qui fait si vigoureusement la promotion de sa « solution ». Mais la situation est loin d'être décourageante, et nous n'en sommes encore qu'aux prémisses de la construction d'un mouvement mondial. Il est encore temps de prendre des mesures efficaces pour protéger l'eau partout dans le monde. Il convient pour cela de baser ces mesures sur une série de principes communs. Déjà, le mouvement a gagné du terrain lorsqu'il s'est joint aux groupes de défense de l'environnement et de la justice sociale qui s'efforcent eux aussi de mettre un terme à la mainmise des entreprises sur les ressources hydriques de la Terre.

CHAPITRE 9

NOTRE POSITION

*Des principes et des buts communs
sauveront l'eau douce*

Selon Ursula Franklin, professeur émérite de l'Université de Toronto, les grands mouvements sociaux de l'histoire sont étayés par une « position ». Une position, explique Ursula Franklin, est un cadre éthique qui soutient et renforce nos objectifs et nos efforts. « L'endroit où vous vous tenez et ce que vous voyez vous permettent de distinguer ce qui est au premier plan et ce qui est à l'arrière-plan, ce qui est important et ce qui l'est moins. » Une position permet d'acquérir le sens des priorités, le sens des proportions et le sens du devoir. Avant d'être en mesure d'effectuer de véritables changements sociaux, les individus et ceux qui dirigent des mouvements doivent avoir le courage de prendre position et, le cas échéant, de combattre pour défendre leurs convictions. Le drame qui se déroule à l'heure actuelle, explique Ursula Franklin, c'est que la plupart des gouvernements ont accepté la mondialisation de l'économie, position qui va à l'encontre de la gestion communautaire et écologique en privilégiant le profit. Pour les entreprises et les gouvernements, le profit est au premier plan, tandis que le bien des individus et de la Nature ainsi que les principes démocratiques s'évanouissent à l'arrière-plan. Par conséquent, les millions de citoyens du monde qui veulent préserver l'eau de la planète pour les générations futures se voient contraints d'adopter une position basée sur un éventail de principes et de considérations éthiques à l'extrême opposé de la position prédominante de l'économie mondiale.

À l'aube de ce nouveau millénaire, l'humanité est sur le point de prendre des décisions cruciales, peut-être irrévocables, à l'égard de l'eau. Aux quatre coins de la Terre, des êtres humains, des pays et des entreprises continuent de polluer cette même eau qui leur apporte la vie. Dans les pays pauvres, les réseaux d'assainissement sont inexistants, vétustes ou saturés, et même dans les pays plus riches des produits chimiques mortels et des hormones contaminent les ressources hydriques. Certains pollueurs continuent de déverser des poisons dans les cours d'eau et les égouts, et qu'on leur démontre la gravité des déprédations ne change rien à leurs pratiques. Mais, jusqu'à présent, la pollution de l'eau n'a généralement pas été intentionnelle. Elle résulte de la négligence, de l'ignorance, de l'avidité, d'une demande trop forte par rapport à des réserves limitées, de l'insouciance face à la pollution et du détournement irréfléchi de cours d'eau. Dans l'ensemble, l'humanité a toujours tenu l'or bleu pour acquis, et elle s'est grossièrement trompée quant à la capacité de la planète à tolérer les mauvais traitements qu'elle lui fait subir. En bref, si personne n'a délibérément provoqué les pénuries mondiales et la destruction des sources d'eau douce, il faut néanmoins tous nous considérer comme responsables du mal que nous avons causé.

La croisée des chemins

Toutefois, l'absence de préméditation n'est plus une excuse suffisante. On connaît trop bien les problèmes. Certaines méthodes ou habitudes portant atteinte à l'environnement, comme la coupe à blanc et le déversement de produits toxiques, détruisent nos cours d'eau. Les pratiques — aussi bien industrielles qu'individuelles — qui entraînent une grande consommation d'énergie et provoquent le réchauffement de la planète ruinent les milieux aquatiques. Bien que des preuves de ces déprédations apparaissent chaque jour, l'humanité continue à épuiser les réserves d'eau souterraines à une vitesse effarante car nous sommes incapables de mettre un terme à la pollution. Quant à nos méthodes d'irrigation, nous savons que non seulement elles provoquent la désertification des terres, mais qu'elles détruisent les nappes phréatiques.

Pourtant, tous les pays du monde, ou du moins leurs gouvernements et les chefs de file du secteur privé, ont adopté le principe de la mondialisation économique fondé sur un schéma de croissance illimitée et de consommation sans frein. On continue de créer les conditions qui forcent les petits fermiers à quitter leurs terres pour aller s'installer dans les villes surpeuplées. En matière de commerce, on élabore des politiques mondiales qui favorisent des méthodes de production non viables d'un point de vue écologique. On approuve les gouvernements qui permettent de réduire le prix de détail des produits en assouplissant leurs réglementations à l'égard de l'agriculture, de l'industrie alimentaire, des déchets industriels et de l'usage de produits chimiques. En fait, presque tout ce que nous faisons dans nos pays modernes et industrialisés ne fait qu'aggraver la crise mondiale de l'eau. De gigantesques entreprises transnationales exercent leurs activités sous la protection d'accords commerciaux, comme l'Accord de libre-échange nord-américain, qui poussent les États à édulcorer leurs lois et règlements en matière de protection de l'environnement par crainte des représailles des tribunaux de commerce. En outre, ces sociétés ne paient que des impôts minimes, quand elles ne camouflent pas leurs bénéfices grâce à des abris fiscaux. Elles privent ainsi les gouvernements de bénéfices qu'ils auraient pu investir dans l'amélioration de leurs réseaux d'alimentation et d'assainissement, ainsi que dans la promotion de pratiques ne présentant aucun danger pour l'eau. Bref, nos dirigeants ont remis la vie de leurs administrés entre les mains de chefs d'entreprise.

Comme nous l'avons vu dans les chapitres précédents, les sociétés transnationales, soutenues par des institutions financières comme la Banque mondiale et le Fonds monétaire international, comptent maintenant tirer un profit direct de la crise mondiale de l'eau douce. Or permettre à de puissantes entreprises de s'emparer des réserves d'eau douce et de déterminer son usage en fonction de leurs intérêts équivaudrait à perdre cette ressource vitale. Pour éviter une telle catastrophe, il est nécessaire d'aider les collectivités, petites et grandes, à prendre la responsabilité de ce patrimoine commun et à le gérer de manière à le conserver, afin que les générations futures soient à l'abri des pénuries.

Qu'on envisage le phénomène d'un point de vue éthique, environnemental ou social, la transformation en marchandise de ressources hydriques en voie d'épuisement est indéfendable. Les décisions relatives à la distribution et à l'usage de l'eau dépendent alors presque exclusivement de considérations commerciales, au détriment des questions écologiques et sociales. Les actionnaires visent les plus gros bénéfices possibles, non un accès équitable aux ressources hydriques. La durabilité de ces ressources ne fait pas plus partie de leurs préoccupations. La privatisation signifie une gestion de l'eau basée sur la rareté et la maximisation des bénéfices, et non sur la durabilité de la ressource. Les entreprises dépendent d'une augmentation constante de la consommation et elles sont donc portées à investir dans l'utilisation de procédés chimiques, dans le dessalement et dans le détournement des eaux de surface plutôt que dans la conservation.

En outre, la transformation des services publics en entreprises commerciales rend très malaisée la participation des citoyens à la répartition et à la gestion de leurs ressources hydriques. La concentration du pouvoir entre les mains des entreprises et l'impossibilité dans laquelle se trouvent les gouvernements de récupérer la gestion de services d'eau qu'ils ont cédée à des sociétés privées permettent à ces dernières de restreindre les pouvoirs démocratiques des citoyens. À mesure que les entreprises transnationales accumulent les victoires en matière de législation environnementale et de déréglementation du secteur de l'eau, leur influence indue sur les politiques gouvernementales ne fait que croître.

En dépit des dangers évidents de la transformation de l'eau douce en marchandise, la commercialisation progresse à un rythme alarmant. Les prises de décision concernant cette précieuse ressource relèvent désormais d'un nombre limité d'instances : les bureaucrates de la Banque mondiale et de l'ONU, les experts qui les conseillent, certains organismes (gouvernementaux) d'assistance, des économistes, et de puissantes entreprises qui estiment avoir tout intérêt à miser sur l'eau. Pour ce groupe de décideurs, le débat est clos. « Tout le monde » est en faveur de la privatisation de l'eau, affirment-t-ils. C'est un mensonge éhonté. Les citoyens n'ont pas été consultés. Ils n'ont même pas été informés des enjeux de la privatisation. En fait, comme nous le faisions remarquer au chapitre 8, on constate de plus en plus que, lorsque des collectivités se voient offrir la possibilité de s'exprimer sur le sujet, elles optent pour une administration publique, locale et transparente.

Il semble clair que les gouvernements n'ont pas l'intention d'approfondir le débat. En conséquence, les citoyens devront eux-mêmes élaborer les arguments politiques qui permettront de conserver pour de bon les ressources hydriques mondiales dans le patrimoine commun. Pour ce faire, ils auront d'abord à s'entendre sur les principes fondamentaux qui assureront à l'humanité un avenir à l'abri des pénuries. Cet accord est subordonné à cinq questions d'éthique relatives à l'eau. Elles portent sur le patrimoine commun, la gouvernance, l'équité, l'universalité et la paix.

L'eau comme patrimoine commun

Le seul moyen d'empêcher la transformation de l'eau en marchandise, c'est d'en faire une ressource commune. L'eau doit être, une fois pour toutes, considérée comme un bien collectif, un legs appartenant à l'humanité tout entière. Dans un monde où tout est en passe d'être privatisé, les citoyens doivent établir clairement les frontières qui vont protéger tous les domaines essentiels à la vie ou nécessaires à la sauvegarde de la justice sociale et économique. L'accès équitable à l'eau est au centre même de cette problématique.

Comme le souligne la physicienne et militante indienne Vandana Shiva, l'eau, détenue en commun, n'a pas disparu — et ne disparaîtra pas tant que son usage sera soumis à des règles de défense de l'environnement. En fait, la seule stratégie de protection de l'eau qui se révèle efficace en période de pénurie consiste à élargir et à remettre à jour les droits de propriété en commun, de manière à ce que l'utilisation de l'eau se fasse dans les limites de renouvellement permises par la nature et dans les limites sociales exigées par l'équité — en matière d'accès à l'eau. Les collectivités qui possèdent des ressources hydriques doivent établir des règles quant à leur utilisation. Elles éviteront ainsi qu'une poignée de personnes en prennent plus que leur juste part. « Privatiser l'eau en créant des droits de propriété n'inversera pas le processus de dégradation, cela l'accélérera, au contraire, soutient Vandana Shiva. La privatisation déclenchera des guerres de l'eau qui opposeront des individus à d'autres individus, des régions à d'autres régions, les zones rurales aux agglomérations urbaines privilégiées et les riches aux pauvres. »

Riccardo Petrella, grand défenseur de l'eau à l'échelle mondiale, fait remarquer que, par définition, l'économie de marché donne à chacun la possibilité de choisir entre divers biens, quelle que soit leur nature, en fonction de critères tels que le prix et la qualité. L'argument qu'on invoque en faveur de la transformation de l'eau en marchandise est le même que celui qui préside à la commercialisation de n'importe quelle babiole : le marché est le lieu le plus propice à la distribution optimale des ressources matérielles et naturelles et à la répartition des richesses. Autrement dit, chaque pays produit ce qu'il fait le mieux, et tous entrent en concurrence sur le marché libre. Résultat : les pays riches commercialisent des technologies, des idées ainsi que des procédés et des moyens de télécommunications, alors que les pays pauvres, où la main-d'œuvre est bon marché, exportent des biens fabriqués par des ouvriers qui travaillent dans des conditions déplorables. Quant aux pays riches en ressources naturelles, comme le pétrole ou l'eau, ils se font « concurrence » pour vendre ces « produits » sur le marché mondial. Pour les partisans de la commercialisation, les lois et les aides gouvernementales relatives à l'exportation sont tout simplement des obstacles à une concurrence « efficace » sur le marché libre.

L'accès à l'eau, cependant, n'est ni une question de choix, ni une façon de produire de la richesse, c'est une question de vie ou de mort. L'eau n'est pas un produit que l'on peut vendre à profit et acheter, comme une paire de chaussures ou une pizza. Pourtant, les sociétés qui ont misé sur l'eau en bouteille commercialisent leurs « produits » de la même manière que les fabricants de gants ou d'automobiles : leur stratégie vise à faire croire au consommateur qu'il a le « choix » entre plusieurs produits. Ce choix est bien entendu illusoire. En outre, l'eau est une ressource trop précieuse pour être exploitée et distribuée selon des principes fondés sur le profit, qui libèrent deux forces redoutables : l'accélération constante de la consommation et l'expansion illimitée des marchés. Toutes les eaux en bouteille proviennent en quelque sorte de la même source qui, contrairement aux marchés, est limitée. Les entreprises qui les commercialisent ne bénéficieront pas toujours de réserves pour approvisionner leurs marchés en perpétuelle expansion. Il n'existe, dans l'écosystème, aucune source de vie comparable à l'eau, mis à part le sol et l'air. L'eau est unique, irremplaçable, indispensable à tout ce qui vit — et elle n'est pas inépuisable. Du simple fait qu'elle est irremplaçable, l'eau est un bien fondamental qui ne peut être subordonné aux lois du marché. Elle est indispensable au fonctionnement de la société dans son ensemble, conclut Riccardo Petrella. Elle est, par conséquent, un bien social et un patrimoine commun essentiel à toutes les collectivités humaines.

Vandana Shiva ajoute que les marchés de l'eau ne garantiront certainement pas l'accès général à cette ressource. Ils n'assureront que l'approvisionnement des riches, en excluant les pauvres et les groupes marginalisés. En raison de l'assujettissement à la dynamique capricieuse du marché déréglementé et « libre », les biens communs sont en passe d'être détruits, et les groupes sociaux les plus désavantagés se voient refuser l'accès à une ressource essentielle à la santé et à la vie.

Il est possible de mettre un terme à ces injustices. Il faut pour cela cesser de transformer l'eau en marchandise et, en s'appuyant sur les principes de protection de l'environnement, reprendre possession de cet élément qui fait partie du patrimoine commun, renforcer la participation de la collectivité dans tout ce qui entoure sa gestion. En Afrique du Sud, des groupes militants ont d'ailleurs souligné un fait capital : à partir du moment où l'eau est considérée comme un bien commun, donc un droit fondamental de l'être humain, elle est fournie à un plus grand nombre de personnes. Et cet approvisionnement se fait de manière beaucoup plus équitable que lorsqu'il est assujetti à une dynamique née de la quête du profit. Par conséquent, un plus grand nombre d'êtres humains sont en meilleure santé et peuvent donc contribuer plus activement au bien public, ce qui entraîne une augmentation de l'activité économique. En outre, la ressource est protégée, puisqu'il n'existe plus de fournisseurs poussés par la nécessité de puiser dans des réserves jusqu'à leur épuisement total. La préservation de l'eau améliore donc la santé de la Terre et permet de maintenir l'équilibre de ses processus écologiques. Or c'est de la santé de la planète que dépend la capacité de cette dernière à supporter l'activité économique responsable et durable qui apportera la prospérité à ses habitants. En d'autres termes, le droit commun à l'eau ne reconnaît pas seulement le droit de tout être humain à l'eau et à la vie, il défend également le bien public. Comme le dit Riccardo Petrella, c'est la raison pour laquelle chaque société dans son ensemble doit assumer les dépenses encourues pour fournir à tous un accès équitable à l'eau. Il s'agit là d'un devoir humain fondamental et d'une condition indispensable à la protection de l'environnement et à une économie durable.

La gouvernance de l'eau

Dans la plupart des sociétés modernes industrialisées, l'être humain s'est détaché du monde naturel. Cette rupture est dramatique, car elle met en péril l'existence même de la planète. La Nature distribue l'eau à sa manière, mais nous n'avons pas respecté la Nature, nous nous sommes au contraire ingéniés à la dompter. Nous détournons et pompons massivement les eaux souterraines et de surface afin de satisfaire nos besoins insatiables. Ce comportement, qui a donné des résultats catastrophiques, est issu d'une vision du monde qui place l'humanité au-dessus de la Nature et de Dieu. Nous avons pu vivre un certain temps sans respecter les lois de la Nature, mais il est clair que ce manque de respect se retourne maintenant contre nous.

Toute nouvelle éthique de la gestion de l'eau doit avant tout chercher à renouer les liens qui unissent l'humanité au monde

naturel, et à redonner à l'eau la place sacrée qu'elle occupe au sein
de la Nature. Les habitants de ce monde doivent comprendre qu'ils
ne sont qu'une espèce parmi bien d'autres, dont la survie dépend
du respect des lois du monde naturel. Au lieu de cela, nous avons
pollué notre patrimoine, à l'opposé de la manière plus respec-
tueuse et logique d'exploiter les ressources que nous devons adopter pour l'avenir. L'espèce humaine ne survivra que si elle protège
et récupère ses lacs, ses cours d'eau et ses nappes souterraines. Pour
ce faire, il est essentiel que ses activités, sociales et économiques,
tendent vers cet objectif.

Pareille éthique exige que l'on reconsidère sous un angle neuf
les questions relatives aux projets de détournement des cours
d'eau, de grands barrages et d'irrigation à grande échelle. L'avenir
de l'eau dépend d'une gestion radicalement différente des réseaux
hydrologiques, basée sur des technologies plus durables, plus efficaces et plus conformes à l'équité, de même que sur des pratiques
agricoles plus respectueuses de l'environnement. Les fermes industrielles, ainsi que les technologies et les produits chimiques qui leur
permettent de fonctionner, doivent disparaître. Plus important
encore, il faut opposer une résistance organisée aux industriels qui
veulent construire, grâce à la technologie de pointe, de gigantesques réseaux destinés à l'exportation de l'eau en vrac aux quatre
coins de la planète, que ce soit par navire-citerne, pipeline, canal ou
détournement de cours d'eau.

Si l'on en croit les partisans de la transformation de l'eau en
marchandise, l'eau qui se jette dans la mer ou nourrit ce qu'un dirigeant d'une entreprise de foresterie a appelé un « milieu sauvage
dégénéré » ne profite ni aux collectivités ni à l'économie. En conséquence, elle n'est plus, pour eux, qu'une marchandise gaspillée. Ce
point de vue résulte de la conviction que toute ressource doit être
commercialisée afin d'augmenter les richesses monétaires. La faille
majeure de ce raisonnement, c'est que les ressources naturelles doivent se renouveller d'elles-mêmes et que l'eau qui se jette dans
l'océan fait partie d'un cycle hydrologique qui assure l'équilibre des

divers écosystèmes de la planète depuis des millénaires. Croire que ces processus peuvent être interrompus ou modifiés de manière permanente et sur une grande échelle, c'est mettre en péril des systèmes qui ont soutenu la vie sur Terre de façon merveilleuse. En transportant de grandes quantités d'eau d'une région du globe à l'autre, nous perturberons les zones de reproduction de nombreux oiseaux, amphibiens et mammifères. Et la surexploitation des aquifères de même que l'endiguement et le détournement des eaux des rivières et des lacs, provoquera l'apparition de nouvelles zones de sécheresse.

Les scientifiques nous ont également avertis que l'extraction d'importants volumes d'eau peut mener à la destruction des écosystèmes. Une baisse du niveau des nappes phréatiques, par exemple, peut entraîner la formation de cavités d'effondrement et le tarissement des puits. Et le transport d'eau en vrac coûterait excessivement cher en énergie. Au Canada, l'une des versions de l'hypothétique GRAND Canal (destiné à détourner de l'eau des rivières qui se jettent dans la baie James) envisageait la construction d'une série de centrales nucléaires tout au long du trajet. Ces installations devaient fournir l'énergie nécessaire à la circulation de l'énorme volume d'eau du canal. Quant aux détournements de cours d'eau et aux grands barrages hydroélectriques existants, ils ont déjà causé des changements climatiques régionaux, réduit la biodiversité, provoqué des contaminations au mercure, saccagé des forêts et détruit des habitats aquatiques et des milieux humides. Les effets écologiques négatifs de tels ouvrages paraissent toutefois bien pâles en comparaison de ceux que pourrait entraîner dans l'avenir la mise en application de technologies permettant le déplacement d'énormes volumes d'eau.

Des études démontrent que l'extraction massive d'eau à un endroit donné n'a pas seulement des conséquences désastreuses sur les écosystèmes environnants. L'expert en eau Jamie Linton souligne à quel point il est important de préserver le cours naturel des rivières et des fleuves afin de ne pas déséquilibrer les écosystèmes côtiers. Et il ajoute : « L'eau qui se jette dans la mer n'est jamais "perdue" [et] les effets cumulés du captage des eaux des lacs, des fleuves et des cours d'eau à des fins d'exportation par navire-citerne auraient de graves conséquences sur les milieux côtiers et marins. » Pour l'écrivain et cinéaste canadien Richard Bocking, qui s'intéresse de près à la question de l'eau, détourner des cours d'eau revient à conclure un pacte avec le diable, comme l'a fait Faust. « Pour produire de l'énergie ou irriguer des terres, nous sacrifions dans une large mesure la vie d'une rivière, de sa vallée et de ses systèmes biologiques, ainsi que le mode de vie des habitants installés le long des berges. Maintenant que nous commençons à connaître le prix à payer pour cinquante années de construction de barrages, nous ne pouvons plus prétendre ignorer les conséquences négatives de ces ouvrages. On ne traite pas les rivières, les fleuves et les lacs comme des systèmes de plomberie. »

Voir dans le dessalement la solution du problème équivaut également à vendre son âme au diable. Bien que cette méthode, appelée à se développer dans les prochaines années, permette d'alimenter certaines collectivités et certains pays, il ne s'agit nullement d'une panacée qui résoudra la crise mondiale de l'eau. Le coût du dessalement est exorbitant et pour l'instant seuls les pays riches sont en mesure de se permettre de telles dépenses. Même si les coûts baissaient, le dessalement nécessiterait toujours d'énormes quantités de combustibles fossiles. Et l'on sait que l'utilisation de ces combustibles contribue au réchauffement de la planète qui menace déjà les sources d'eau douce.

Par ailleurs, le dessalement entraîne la production d'un sous-produit létal. Pour chaque litre d'eau salée traitée, on obtient un tiers de litre d'eau douce et deux tiers de saumure hautement saline. Rejetée dans la mer à température élevée, cette saumure est un facteur majeur de pollution marine. Mais le dessalement d'un peu d'eau de mer n'est rien à côté de la salinisation croissante des eaux souterraines. En toute logique, il serait plus facile de renoncer aux pratiques actuelles qui provoquent la salinisation des ressources d'eau douce que d'avoir recours à des méthodes coûteuses de dessalement qui contribuent aux changements climatiques. Bref, le mauvais usage de technologies hautement perturbatrices est l'une des principales raisons du gâchis face auquel nous nous retrouvons aujourd'hui. Persister dans la même voie ne résoudra pas la crise de l'eau douce.

La répartition équitable de l'eau

Qu'en est-il, par ailleurs, de l'argument humanitaire voulant que, dans un monde où les ressources sont inégalement réparties, les pays riches en eau ont le devoir de partager leurs ressources hydriques avec des régions démunies? Toute éthique de l'eau qui mise sur la durabilité ne peut que reconnaître ce devoir. Les collectivités pauvres en eau vivent presque toutes dans le tiers-monde, celles qui sont riches en eau dans les pays industrialisés où les entreprises et certaines classes sociales ont bâti leur fortune sur la colonisation de contrées qui connaissent aujourd'hui des pénuries d'eau. Comment sortir de ce dilemme? On pourrait retenir l'argument selon lequel les nations bien pourvues sont dans l'obligation morale de partager leur eau avec celles qui en manquent, même si ce partage met à rude épreuve des écosystèmes déjà dégradés, mais il faut aller plus loin et faire la distinction entre les approches à court et à long terme. Que l'on l'examine l'importation de l'eau sous l'angle des populations des régions en pénurie ou sous l'angle des écosystèmes, il faut bien admettre qu'elle n'est pas une solution valable à long terme. L'eau est essentielle à la vie, mais personne ne devrait dépendre de ressources hydriques étrangères dont l'exportation peut à tout moment être interrompue pour des raisons politiques ou environnementales. Il faut également faire la différence entre commercialisation de l'eau et partage de l'eau. Lorsque l'eau est commercialisée, les personnes qui en sont le plus dépourvues sont les moins susceptibles d'en recevoir. L'eau transportée sur de longues distances par des navires-citernes appartenant à des compagnies ne serait destinée qu'aux grosses entreprises riches, l'exportation étant avant tout motivée par un seul objectif : l'augmentation constante de bénéfices. Autrement dit, importer de l'eau par voie maritime pour la fournir exclusivement à des entreprises ne ferait que ralentir la recherche de solutions durables et équitables aux problèmes des pays qui connaissent une pénurie d'eau.

George Wurmitzer, maire de la petite ville de Simitz, dans les Alpes autrichiennes, a bien saisi la différence entre commercialisation et partage de l'eau lorsqu'il s'inquiète de l'exportation de grandes quantités d'eau extraites dans sa communauté. « Venir en aide à une personne assoiffée est un devoir sacré, dit-il. Mais c'est un péché de fournir de l'eau à des gens pour qu'ils puissent laver leur voiture ou tirer leur chasse d'eau. [...] Cela n'a aucun sens et, d'un point de vue environnemental et économique, c'est de la folie. » Comme le fait remarquer Jamie Linton, « le meilleur argument contre l'exportation [commerciale] de l'eau, c'est qu'elle ne supprime pas, mais au contraire entretient la cause principale de la "crise de l'eau", soit la certitude que la demande croissante peut et doit être satisfaite grâce à l'augmentation de l'approvisionnement. Cette idée a provoqué le drainage des lacs, l'épuisement des aquifères et la destruction d'écosystèmes aquatiques partout sur la planète ».

Par contre, si l'on maintenait la gestion de l'eau dans le secteur public, il serait sans doute possible à des pays, en temps de crise, de partager leurs ressources hydriques. Cette solution à court terme devrait être associée à un échéancier précis et à des conditions visant à ce que la région recevant l'eau retrouve le plus rapidement possible son autonomie. Cette distribution d'eau pourrait ainsi encourager la mise en œuvre de programmes de reconstitution de réseaux hydrologiques. Cette solution serait toutefois inapplicable si la privatisation des réserves mondiales d'eau et des systèmes de distribution continuait sur sa lancée. Les entreprises ne permettront jamais l'établissement d'un système non lucratif de transfert d'eau.

Le fossé profond et grandissant entre les pays du Sud et ceux du Nord est à l'origine de la crise. La plupart des États du tiers-monde sont pratiquement incapables de fournir des services d'assainissement décents à leur population et d'empêcher les maladies d'origine hydrique de se répandre. Étant donné qu'il leur est également impossible de dicter les conditions présidant aux investissements de capitaux étrangers, ils n'ont que peu de moyens pour contraindre les industries à mettre fin à des pratiques qui polluent les cours d'eau. Qui plus est, le FMI et la Banque mondiale imposent des types de cultures vivrières et des méthodes d'exportation qui favorisent un mode de culture non durable et avide d'eau. Ces pratiques doivent cesser, tout comme celles, imposées par le Nord, qui obligent les gouvernements du tiers-monde à renoncer à leurs services publics, dont celui de l'alimentation en eau.

Pour combler l'écart entre riches et pauvres et répartir l'eau de façon équitable, il faut que les pays riches partagent leurs ressources financières avec les pays pauvres, non pour renflouer des réseaux non viables à long terme et qui ne servent qu'à remplir les coffres des entreprises transnationales, mais pour aménager des réseaux d'approvisionnement durables. Pour ce faire, les gouvernements doivent prendre des mesures immédiates : annuler la dette des États du tiers-monde ; ramener les normes concernant l'aide aux pays étrangers à leur niveau antérieur (0,7 % du produit intérieur brut) ; et instituer une « taxe Tobin » sur la spéculation financière afin de couvrir les coûts des réseaux et des services d'eau destinés à tous.

Par ailleurs, il faut impérativement s'attaquer à la situation désespérée dans laquelle se trouvent tous les peuples autochtones de la planète. Le droit à l'eau des Premières Nations leur a été enlevé pour des raisons de profit. Les autochtones ont été particulièrement touchés par la construction des grands barrages et par le détournement de cours d'eau, et leurs terres aussi bien que leurs eaux ont été dégradées par la pollution industrielle à grande échelle. Cette situation est d'autant plus grave que, pour ces peuples, l'eau est l'un des fondements de la vie spirituelle ; raison de plus pour respecter et préserver les eaux qui coulent sur leurs terres ancestrales.

L'accès universel à l'eau

À la question de la juste répartition de l'eau est liée celle de la tarification, qui compromet souvent l'accès équitable et universel à l'eau. Dans de nombreux cercles partout dans le monde, on veut donner à l'eau une valeur économique en la tarifant sur la base du recouvrement complet du coût de revient. Comme l'ont fait remarquer, entre autres, les écologistes, dans bien des pays riches, l'eau est tenue pour acquise et souvent gaspillée. Le raisonnement est le suivant : si l'on conférait à l'eau une valeur économique, les usagers seraient davantage portés à l'économiser. De prime abord, il semble que cette démarche soit un bon moyen de préserver la ressource mais, dans le contexte actuel, elle suscite de sérieuses inquiétudes qui méritent d'être prises en considération.

En premier lieu, la tarification exacerbe les inégalités qui sévissent partout sur la planète. Comme on le sait, les pays victimes des pénuries les plus graves sont ceux où vivent les plus démunis de la Terre. Leur faire payer une ressource déjà rare aggraverait les disparités entre riches et pauvres. Par conséquent, la tarification de l'eau accentuera également les divisions entre le Nord et le Sud. Le Nord a du reste tendance à tenir l'explosion démographique du Sud pour responsable du manque d'eau à l'échelle mondiale, et le leitmotiv « on n'a qu'à la leur faire payer » fait dangereusement écho à l'affirmation selon laquelle des prix élevés freineraient sans doute la croissance de la population. Proposition qui fait à son tour écho à une idée tout aussi douteuse, selon laquelle le sida serait une réponse de la « Nature » à la surpopulation du tiers-monde.

Même dans le monde industrialisé, la privatisation de cette ressource limitée mènera tout droit à un système à deux poids, deux mesures, car on y fait la distinction entre ceux qui ont les moyens de payer et les autres. Des millions d'êtres humains se trouveront ainsi contraints d'effectuer un choix entre des services essentiels comme l'eau et les soins médicaux. C'est ainsi qu'en Angleterre, sous le gouvernement Thatcher, les prix élevés de l'eau ont forcé des citoyens à décider, par exemple, de ne plus laver les légumes, de ne plus tirer la chasse d'eau à chaque usage, ou même de limiter douches et bains.

En second lieu, dans le cadre des règles actuelles dictées par les accords commerciaux et certaines institutions financières, comme la Banque mondiale, l'eau tarifée est considérée comme une marchandise privée. Il n'existe qu'un moyen de la mettre à l'abri des onéreux barèmes établis par ces puissantes organisations : faire en sorte qu'elle reste dans le secteur public, autrement dit, décider qu'elle sera fournie et protégée par les gouvernements. Les accords commerciaux de l'OMC et de l'ALENA sont très clairs : si l'eau est privatisée et mise en vente sur le marché libre, elle sera fournie aux consommateurs qui ont les moyens de la payer, et pas nécessairement à ceux qui en ont le plus grand besoin. Une fois que le robinet aura été ouvert, il ne pourra être refermé, car les règles commerciales l'interdisent. De surcroît, selon les dispositions des accords de libre-échange, les gouvernements ne peuvent instaurer un régime à double tarif. C'est le marché qui déterminera le prix de l'eau, et les États, même ceux des pays exportateurs, devront faire payer aux citoyens le prix élevé fixé et imposé par le marché mondial. Les démunis, dans les pays riches comme dans les pays pauvres, souffriront bien sûr de cette injustice.

Il semble néanmoins que la Banque mondiale s'inquiète du sort des pauvres qui n'auront plus accès à une eau devenue inabordable en raison de la privatisation des services. Elle encourage du reste les pays pauvres à subventionner l'eau fournie à leur population. Le Chili, par exemple, a émis des « coupons d'eau », destinés à venir en aide à ses citoyens indigents. Cependant, toute personne qui connaît les problèmes relatifs à l'aide sociale, en particulier dans le tiers-monde, sait bien qu'une charité de cette nature est très rare, et souvent coercitive (il est fréquent, par exemple, que les gouvernements fournissent gratuitement de l'eau aux collectivités qui votent pour le parti au pouvoir). Certes, le droit à l'eau, en tant que droit humain fondamental, est garanti par le Pacte international ayant trait aux droits économiques, sociaux et culturels des Nations Unies. Toutefois, les architectes de cette grande déclaration n'avaient certainement pas imaginé qu'elle s'appliquerait à l'eau.

En troisième lieu, la tarification de l'eau, telle qu'elle est envisagée actuellement, ne favoriserait pas la préservation de la ressource. Il est généralement admis que, dans les centres urbains, la consommation se répartit de la sorte : 65 à 70 % pour l'usage industriel, 20 à 25 % pour l'usage institutionnel et 10 % pour l'usage domestique. Or la plupart des discussions autour de la tarification de l'eau sont axées sur l'usage domestique. Pourtant, il est de notoriété publique que les grandes entreprises, de toute évidence les plus grosses consommatrices, s'arrangent pour ne pas avoir à payer l'eau du tout.

Enfin, dans un système où l'eau sera vendue au plus offrant, qui l'achètera pour la conserver et pour assurer l'avenir de l'humanité et de la planète ? Dans tous les débats portant sur la privatisation et la tarification, on parle très peu de la Nature et des autres espèces. La raison en est que le coût de revient complet du captage et de la distribution de l'eau, qui comprend le coût pour l'environnement, n'a pas été inclus dans l'équation commerciale. Or ces dépenses doivent être prises en compte, et des lois doivent être promulguées, qui régiront la comptabilité de tous ces coûts. Mais si nous perdons la maîtrise des réseaux d'eau publics, nous n'aurons plus de pouvoir législatif pour veiller à la préservation des bassins hydrographiques et des lacs d'eau pure, et pour empêcher ainsi leur possible destruction.

Le dialogue autour de la tarification de l'eau est crucial, mais il doit se poursuivre dans un cadre plus large. Pour être à la fois juste et efficace, toute considération sur le sujet doit tenir compte de trois facteurs : le fossé qui sépare les pauvres et les riches, l'eau comme droit humain et le rôle de l'eau dans la Nature. Si l'eau est vendue, il faut qu'elle le soit en fonction d'un mode de tarification équitable, basé sur la capacité de payer, sur la distribution gratuite pour les usages essentiels et sur un système fiscal juste. Les bénéfices générés par cette tarification doivent ensuite être utilisés pour remédier à des problèmes d'eau ailleurs dans le monde et pour assurer un accès universel à l'eau. Plus précisément, ces profits devraient permettre les améliorations suivantes : la fourniture d'une quantité suffisante d'eau et d'un bon assainissement à tous les habitants de la planète, sans égard pour leur capacité à payer, la protection de l'environnement et la reconstitution des bassins hydrographiques, l'imposition de normes relatives à l'eau salubre, et la réfection des infrastructures défectueuses qui entraînent à l'heure actuelle la perte de grandes quantités d'eau.

Pour instaurer l'universalité de l'accès à l'eau, il faut aussi que les gouvernements promulguent de nouvelles lois et s'attachent à les faire respecter, afin de mettre un terme au gaspillage auquel se livrent les plus grands consommateurs d'eau, soit les méga-entreprises industrielles et les grosses exploitations agricoles. Les gouvernements doivent mettre en place un système fiscal plus équitable, qui leur permettra de récupérer les milliards de dollars en impôt que les sociétés évitent de payer, soit en camouflant une partie de leurs revenus par l'entremise d'abris fiscaux, soit en amenant les élus à réduire ou à supprimer le fardeau fiscal pour attirer les entreprises. Les sommes ainsi récupérées contribueraient grandement à la remise en état des réseaux hydrologiques défaillants de la planète. En conséquence, il est clair que les gouvernements doivent d'abord se concentrer sur les gros consommateurs industriels et agricoles qui privent les collectivités de leur patrimoine pour en tirer profit. À l'ère des fusions et des activités transnationales, il arrive souvent que des biens communs et des services publics, comme la distribution de l'eau, soient transférés à des milliers de kilomètres de leur lieu d'origine. La quête du profit ne justifie toutefois en aucun cas que l'on prive des individus et des collectivités de droits humains inaliénables, comme l'accès à l'eau salubre. Si c'est là le prix de la prospérité, il est beaucoup trop élevé.

La mise en application de ces réformes contribuerait énormément à assurer l'accès universel à l'eau et à un réseau d'assainissement satisfaisant. Mais il ne peut y avoir de réformes que si l'eau est gérée en fonction de l'intérêt public. En revanche, si des gouvernements permettent à des entreprises de mettre le grappin sur des services d'eau et de commercialiser cette ressource, le principe du profit primera sur le bien public. Dès lors, la tarification de l'eau deviendra un instrument du marché, au lieu d'être un outil destiné à sa préservation et à la justice sociale. L'eau est essentielle à la vie, et l'accès universel à cette ressource constitue un droit humain fondamental. Ce droit doit servir de principe de base à une nouvelle éthique de gouvernance de l'eau.

La « paix de l'eau »

Dans un monde où les pénuries d'eau sont de plus en plus fréquentes, les conflits transfrontaliers sont appelés à se multiplier si les humains ne prennent pas conscience de la nécessité d'affronter ensemble ce danger planétaire, bien plus menaçant que tout ce qui peut les différencier. En fait, si l'espèce humaine ne prend pas de mesures immédiates pour s'attaquer à la crise de l'eau, l'espoir de connaître un avenir à l'abri des pénuries s'évanouira. Il faut à tout prix en arriver à une compréhension commune de la Nature et de l'ampleur de la crise pour ensuite appliquer collectivement les mesures qui s'imposent. Si des scientifiques affirmaient, après avoir annoncé qu'une énorme comète fonce vers la Terre, que seule une action mondiale pouvait en modifier la trajectoire, les hommes n'oublieraient-ils pas leurs différences raciales, religieuses, ethniques et socioéconomiques pour parer à la catastrophe? Eh bien, nous en sommes là : comme cette comète, la crise de l'eau menace notre Terre. La catastrophe est imminente, elle n'épargnera personne.

La communauté internationale doit, impérativement, se rassembler autour d'un même objectif, un projet qui ne soit pas dicté par l'impératif du profit, ni financé par la Banque mondiale. Il devra intégrer les valeurs associées à ce bien commun qu'est l'eau, promouvoir sa gouvernance et sa répartition équitable, exiger l'accès universel à l'eau et apporter la « paix de l'eau ». Certaines initiatives positives insistant sur ces valeurs ont déjà été prises, et trois principes ont été élaborés, durant la dernière décennie, à l'occasion de rencontres internationales parrainées par les Nations Unies. Ces principes, sur lesquels pourrait être fondée la manière de gouverner les usages de l'eau, sont les suivants :

- *le principe de la souveraineté territoriale limitée et intégrée*, selon lequel chaque État a le droit d'utiliser les eaux présentes sur son territoire à condition que cette utilisation n'aille pas à l'encontre des intérêts d'autres États ;

- *le principe d'une communauté d'intérêts*, selon lequel aucun État ne peut utiliser les eaux présentes sur son territoire sans consulter d'autres États, cela dans le but d'instaurer une gestion intégrée basée sur la coopération ;

- *le principe de l'usage juste et raisonnable*, selon lequel chaque État a le droit d'utiliser les eaux d'un bassin partagé, s'il s'est vu accorder la propriété et la gouvernance d'une partie juste et raisonnable des ressources de ce bassin.

Si utiles que soient ces principes de base, ils ne peuvent résoudre un certain nombre de problèmes. En premier lieu, la plupart des accords internationaux ou bilatéraux touchant des conflits liés à l'eau portent sur des querelles relatives à des *réseaux d'eau partagés*, habituellement : rivières, fleuves, lacs et, parfois, aquifères. Cependant, les ressources hydriques de certains pays étant de plus en plus limitées, les demandes d'accès à l'eau se trouvant *à l'intérieur des frontières* d'autres pays sont de plus en plus fréquentes. Il s'agit là d'un phénomène nouveau qui demande à être pris en considération.

En second lieu, tous les accords basés sur les trois principes mentionnés plus haut sont conclus entre des États et relèvent d'un type d'ententes que seuls les États peuvent conclure. Mais, dans de nombreux pays, le secteur privé contrôle de plus en plus les droits sur l'eau et sa distribution. Ce changement graduel en faveur de la commercialisation de l'eau prive l'État de ses pouvoirs, qui passent alors aux mains des entreprises. Dès lors, la prise de décisions relatives à l'eau risque de se trouver hors de la portée ou de la compétence des nations souveraines.

Enfin, en vertu de leur puissance et de leurs mécanismes de mise en application des règlements, les institutions commerciales et financières comme l'OMC et la Banque mondiale ont la possibilité de renverser des décisions relatives à l'eau prises par un gouvernement international, y compris l'ONU. Tant que de nouvelles institutions, aux pouvoirs équivalents, ne seront pas créées, les accords internationaux sur l'eau et l'environnement ou sur l'eau et la justice sociale seront impunément transgressés dans l'intérêt du commerce et des investissements mondiaux.

L'humanité se trouve devant un choix : soit elle s'attelle à la tâche, soit elle baisse les bras. Si une action énergique n'est pas entreprise, des millions de personnes périront, et notre Terre finira peut-être même par devenir inhabitable. Par contre, si nous arrivons à saisir, dans toute son ampleur, la nature du danger qui nous menace et à imaginer l'harmonie mondiale qui pourrait résulter de notre lutte pour l'eau douce, nous nous approcherons peut-être plus de cette paix mondiale apparemment insaisissable que de nombreuses personnes ne sont prêtes à le croire.

Les dix principes

Pour préserver les ressources hydriques en voie d'épuisement et éviter de nouveaux conflits, les collectivités de la Terre et tous les ordres de gouvernement doivent travailler de concert, comme ils l'ont fait par le passé lorsqu'il a fallu rebâtir après les grandes guerres. Mais avant de se mettre à la tâche, il faut rapidement réussir à s'entendre sur une série de principes et de valeurs, qui leur serviront de lignes directrices. Les dix principes suivants permettront d'amorcer le dialogue et de procéder aux réformes nécessaires.

1. L'eau appartient à la Terre et à toutes les espèces.
2. Dans la mesure du possible, l'eau doit être laissée là où elle se trouve.
3. L'eau doit être préservée pour les générations futures.
4. L'eau polluée doit être régénérée.
5. L'eau est mieux protégée lorsqu'elle reste dans les bassins hydrographiques naturels.
6. L'eau est un bien public que tous les ordres de gouvernement ont le devoir de préserver.
7. L'accès à de l'eau propre en quantité suffisante est un droit humain fondamental.
8. Les citoyens et les collectivités sont les meilleurs défenseurs de l'eau.

9. Le public doit participer à égalité avec le gouvernement aux décisions concernant la protection de l'eau.

10. Les politiques de mondialisation économique nuisent à la conservation de l'eau.

1. L'eau appartient à la Terre et à toutes les espèces

Sans eau, les êtres humains et toutes les créatures vivantes mourraient. En dépit de cette menace, la société moderne ne respecte plus le rôle sacré de l'eau dans le cycle de la vie. C'est la raison pour laquelle les êtres humains gaspillent et polluent l'eau. Au fil du temps, nous avons fini par croire que nous sommes au centre de l'univers, et non la Nature, et les décideurs se sont empressés d'oublier que l'eau appartient à la Terre, à toutes les espèces et aux générations futures. Ils ont fait fi de ces légataires et n'ont pas défendu leurs intérêts. Malgré notre intelligence et nos accomplissements, nous n'en restons pas moins une espèce animale et, comme les autres espèces animales, nous avons besoin d'eau pour survivre. En revanche, nous sommes la seule espèce capable de détruire les écosystèmes dont nous dépendons, et c'est la voie de la destruction que nous avons empruntée. Pour corriger les erreurs commises, il est essentiel que nous redéfinissions nos liens avec l'eau et reconnaissions sa place essentielle et sacrée dans la Nature. Nous devrons également bien étudier les conséquences de nos décisions sur les écosystèmes. C'est à cette seule condition qu'ils pourront atteindre leur but : la reconstitution des réseaux hydrographiques endommagés et la protection de ceux restés intacts.

2. Dans la mesure du possible, l'eau doit être laissée là où elle se trouve

La Nature a placé l'eau aux endroits où elle devait être. Prélever d'énormes quantités d'eau dans les bassins hydrographiques risque de détruire leur écosystème, ainsi que d'autres, plus éloignés. Le captage intensif de l'eau des lacs, des fleuves et des rivières a des effets désastreux sur les régions avoisinantes et sur les milieux côtiers, aux embouchures des fleuves. Le détournement et l'endiguement de cours d'eau en bonne santé ruinent l'économie des populations riveraines, notamment celle des collectivités autochtones, dont les moyens de subsistance dépendent des torrents, des rivières et des fleuves.

Certes, il est de notre devoir de partager l'eau (et les vivres) en temps de crise, mais ce partage ne constitue pas une solution raisonnable à long terme. Lorsqu'un pays (ou une région) doit compter sur les ressources hydriques d'un autre pays (ou d'une autre région), il (ou elle) se place dans une position précaire. Par ailleurs, les moyens de transport et la technologie moderne ont occulté le fait que l'acheminement de l'eau sur de longues distances n'est ni rentable ni sûr. Si le coût des dégâts environnementaux causés par la construction de barrages, le détournement des cours d'eau et le transport par navire-citerne était pris en compte, on constaterait que le commerce de l'eau à l'échelle mondiale est insensé. L'eau répond à un besoin fondamental, et son importation créerait une relation de dépendance qui n'est souhaitable ni pour l'importateur ni pour l'exportateur. Au lieu de cela, les habitants de la planète doivent évaluer les limites des ressources hydriques et veiller à ne pas les dépasser. Que ce soit au sein de leur région, de leur communauté ou de leur foyer, ils doivent trouver des moyens de satisfaire leurs besoins tout en respectant la place cruciale de l'eau dans la Nature. C'est à cette condition que les bassins hydrographiques et les nappes souterraines se régénéreront. Les mieux nantis pourront ainsi fournir, en temps de pénurie, une partie de l'eau nécessaire aux populations des régions pauvres et lointaines.

3. L'eau doit être préservée pour les générations futures

Chaque génération doit veiller à ce que ses activités ne portent atteinte ni à l'abondance ni à la qualité de l'eau. Il est grand temps que nous modifiions nos habitudes, en particulier celles qui nous poussent au gaspillage. Les habitants des pays riches et, au premier chef, ceux qui vivent dans des régions biogéographiques bien pourvues en eau, doivent changer leurs habitudes de consommation. S'ils ne le font pas, toutes leurs réticences à partager leurs ressources hydriques — surtout si ce partage doit se faire pour des raisons écologiques ou éthiques — seront à juste titre critiquées.

De profonds changements dans nos habitudes préserveraient de façon durable les nappes souterraines, qui seraient ainsi à l'abri d'une extraction dépassant leur capacité de renouvellement. En outre, une partie de l'eau destinée aux centres urbains et à l'agriculture de type industriel doit être rendue à la nature et à des fermes de plus petite taille. Pour ce faire, les gouvernements doivent cesser de subventionner les méga-industries et les grosses exploitations agricoles avides d'eau. En refusant de financer de tels abus et en récompensant ceux qui veillent à la préservation de l'eau, les autorités transmettront un message primordial : les réserves d'eau sont limitées, l'eau ne peut à aucun prix être gaspillée.

De vastes zones abritant des systèmes aquatiques doivent également être préservées, et, dans cette optique, les États doivent s'entendre sur des buts à atteindre à l'échelle mondiale. Les principaux projets de construction de barrages doivent être suspendus jusqu'à ce que de meilleures solutions soient trouvées. Certains cours d'eau détournés doivent pour leur part être libérés afin qu'ils retrouvent leur lit et leur débit naturels. Par ailleurs, tous les gouvernements de la planète doivent prendre les mesures nécessaires pour améliorer les réseaux d'alimentation et d'assainissement vétustes ou défectueux. Les fuites provoquent chaque année la perte d'énormes quantités d'eau, et les conduites en mauvais état sont susceptibles de transporter des organismes porteurs de maladies.

4. L'eau polluée doit être régénérée

Les êtres humains ont, tous ensemble, pollué l'eau de la planète. Il est donc de leur devoir de la régénérer tous ensemble. Si l'eau est aujourd'hui si rare et si polluée, c'est à cause d'impératifs économiques qui encouragent une consommation d'eau débridée et l'utilisation inadéquate de cette ressource. Pareille inconséquence a déjà entraîné l'appauvrissement d'un grand nombre d'aquifères et finira par mettre en péril la santé et la vie de tous les habitants de la planète. La régénération des eaux polluées est une entreprise d'autoconservation. Notre survie et celle de toutes les espèces dépendent de la régénération des écosystèmes naturels.

Partout dans le monde, les États et les collectivités doivent décontaminer les eaux polluées et mettre un terme à la destruction irréfléchie des milieux humides et des réseaux hydrographiques. Des lois, très strictes sur le plan écologique, doivent être promulguées, et leur application sévèrement surveillée, afin de contrôler la pollution de l'eau générée par les effluents agricoles et industriels, ainsi que par les décharges publiques. Rappelons que ces effluents sont la cause principale de la dégradation de l'eau. Les gouvernements doivent rétablir leur autorité sur les industries minière et forestière, dont les activités incontrôlées continuent à saccager les réseaux hydrologiques.

Par ailleurs, la crise de l'eau ne peut être séparée d'autres problèmes environnementaux majeurs, tels que la coupe à blanc et les changements climatiques provoqués par l'homme. La destruction des cours d'eau attribuable à la coupe à blanc endommage gravement les milieux aquatiques. Quant aux changements climatiques, ils provoqueront (et provoquent déjà) des conditions météorologiques extrêmes : inondations de plus en plus dévastatrices, fortes tempêtes, périodes de sécheresse plus longues. Des catastrophes qui feront peser des pressions encore plus fortes sur les réserves d'eau douce. Pour être en mesure de régénérer de tels volumes d'eau polluée, la communauté internationale devra s'engager à

réduire de façon radicale les activités humaines ayant des effets
dommageables sur le climat.

5. L'eau est mieux protégée lorsqu'elle reste dans les bassins hydrographiques naturels

Pour préparer un monde où l'eau ne manquera pas, il faudra
apprendre à vivre en respectant les « régions biogéographiques »,
ou bassins hydrographiques. Ce sont les eaux de surface et les eaux
souterraines d'un bassin hydrographique qui gouvernent quasiment toute la vie d'une région, y compris la faune et la flore. Le
« biorégionalisme » consiste à adopter un mode de vie qui respecte
les contraintes qu'impose la Nature dans une région donnée. Les
bassins hydrographiques constituent d'excellentes bases pour fonder ces pratiques biorégionales.

Examiner la situation sous l'angle des bassins hydrographiques
offre un autre avantage. Le parcours de l'eau ne tient nullement
compte des frontières. La gestion d'une biorégion permettrait de
passer par-dessus les barrières gouvernementales — internationales, nationales, régionales et tribales — qui entravent depuis si
longtemps l'élaboration et la mise en œuvre d'une politique de
l'eau aux quatre coins du monde. Penser en termes d'hydrogra-
phie, et non en termes de politique ou de bureaucratie, permettra
aux responsables de se concerter davantage afin de prendre les
mesures de protection nécessaires.

6. L'eau est un bien public, que tous les ordres de gouvernement ont le devoir de préserver

Étant donné que l'eau, comme l'air, appartient à la Terre et à
toutes les espèces, personne n'a le droit de se l'approprier ou d'en
tirer profit au détriment d'autrui. L'eau est un bien public que les

gouvernements et les collectivités doivent protéger. Autrement dit, l'eau ne doit pas être privatisée, transformée en marchandise, mise en marché ni exportée en vrac à des fins commerciales. Pour éviter cette commercialisation débridée, il faut que les gouvernements prennent des mesures immédiates. Tout d'abord, ils doivent déclarer que les eaux présentes sur leur territoire font partie d'un patrimoine commun, et ensuite promulguer des lois qui protègent ce legs. Ils ne peuvent accepter que l'eau soit l'objet d'un quelconque échange commercial. En outre, l'eau ne doit plus être soumise à des accords internationaux ou bilatéraux portant sur le commerce ou l'investissement. Enfin, il faut que les gouvernements interdisent toute activité commerciale dans les services d'eau de grande envergure.

Il est clair que les gouvernements ont gravement manqué à leur devoir de protéger l'eau, mais il est clair aussi que seules des institutions fonctionnant selon des principes démocratiques réussiront à récupérer et à préserver ce patrimoine. En revanche, si des industries arrivaient à démontrer que l'eau est une marchandise qui doit passer sous contrôle privé, toute décision à son sujet serait alors fondée sur l'impératif du profit. S'il en était ainsi, les citoyens n'auraient plus leur mot à dire sur la façon dont la ressource est utilisée.

Tous les ordres de gouvernement ont le devoir de protéger les éléments du patrimoine commun qui relèvent de leur compétence. Les autorités ne peuvent plus accepter que les ressources hydriques des régions rurales soient détournées vers les centres urbains pour satisfaire les besoins des citadins. À l'échelle municipale et régionale, les autorités responsables d'un bassin hydrographique devraient collaborer pour assurer, sur une vaste étendue, la protection des lacs et des cours d'eau. Les lois nationales et internationales devraient s'appliquer aux entreprises transnationales et mettre un terme à leurs pratiques abusives. Les autorités devraient taxer le secteur privé de manière adéquate pour couvrir les frais de réparation des réseaux de distribution et d'assainissement. Enfin, il est essentiel que tous les gouvernements travaillent de concert pour fixer les objectifs d'une politique mondiale de préservation des milieux aquatiques.

7. L'accès à de l'eau propre en quantité suffisante est un droit humain fondamental

Chaque habitant de cette planète, où qu'il vive, a droit à une eau propre et à un réseau d'assainissement en bon état. La protection de ce droit exige le maintien des réseaux de distribution et d'égouts dans le secteur public, la réglementation de la protection des ressources hydriques et une bonne utilisation de l'eau. C'est le seul moyen de préserver les réserves d'eau propre qui serviront à venir en aide aux populations de régions en pénurie.

En outre, il est vital de se souvenir que les autochtones bénéficient de droits spéciaux inhérents à leurs territoires ancestraux, dont des droits sur l'eau. Ces droits, qui découlent du fait qu'ils sont propriétaires de la terre et de l'eau se trouvant sur leurs territoires, sont enchâssés dans leurs systèmes social et législatif traditionnels. La souveraineté sur l'eau est un élément capital dans le cadre de la préservation de ces droits. D'une manière plus générale, le droit inaliénable des peuples autochtones à l'autodétermination doit être reconnu et codifié par tous les gouvernements.

Enfin, les États doivent instaurer une politique qui pourrait se définir par « Ressources locales d'abord », afin de protéger le droit fondamental à l'eau douce de tous leurs citoyens. Ils doivent voter des lois exigeant que tous les pays, toutes les collectivités et toutes les biorégions protègent leurs sources d'eau et, en cas de pénurie, en cherchent de nouvelles avant de se tourner vers d'autres pays. Mais ils auront fort à faire avant que ces lois ne mettent fin à cette habitude, catastrophique pour l'environnement, qui consiste à déplacer de l'eau d'un bassin fluvial à un autre. La devise « Ressources locales d'abord » devrait être renforcée par un autre mot d'ordre : « Citoyens et petits fermiers d'abord ». Les grosses entreprises agricoles et les industries, en particulier celles qui appartiennent à des sociétés transnationales, devront adopter cette politique, sous peine d'avoir à mettre la clé sous la porte.

Toutes ces recommandations ne signifient nullement que l'eau doit être « gratuite », ou que quiconque peut en abuser. Une politique de tarification garantissant à chaque être humain la quantité d'eau nécessaire à la satisfaction de ses besoins essentiels faciliterait la protection des ressources hydriques ainsi que le droit d'accès universel à l'eau. Le montant d'une « taxe verte » (laquelle serait un bon moyen d'augmenter les revenus de l'État tout en prévenant la pollution et l'épuisement des ressources) et les tarifs réclamés aux grosses entreprises agricoles et aux industries devraient être plus élevés que ceux imposés aux ménages. Les sommes recueillies permettraient de fournir à tous les habitants, sans exception, un service d'alimentation en eau adéquat.

8. Les citoyens et les collectivités sont les meilleurs défenseurs de l'eau

Ce n'est ni le secteur privé, ni les techniques coûteuses, ni même les gouvernements qui sont les plus aptes à assurer la protection de l'eau dans une région. Seuls les habitants d'une localité peuvent évaluer les effets cumulatifs néfastes de la privatisation, de la pollution, de l'extraction des ressources hydriques et du détournement des cours d'eau dans leur région. Seuls les habitants d'une localité peuvent mesurer les conséquences des mises à pied ou de la disparition des petits fermiers quand l'eau tombe sous la coupe de grosses entreprises ou est détournée au profit de lointains usagers. Les communautés locales sont les « gardiennes » de première ligne des lacs, des cours d'eau et des nappes souterraines dont dépendent leur vie et leur subsistance. En conséquence, il faut leur donner le pouvoir politique d'exercer cette fonction avec efficacité.

Les programmes efficaces de remise en valeur des ressources sont souvent le fait d'organisations environnementales. En général, elles sont soutenues par les différents ordres de gouvernement et bénéficient parfois de dons privés. Cependant, pour être abordables, durables et équitables, les solutions aux pénuries d'eau, aussi bien qu'à sa rareté, doivent être élaborées, sur le plan local, par la communauté elle-même. Lorsque ces solutions ne sont pas le fruit du bon sens et de l'expérience de la collectivité, elles ne sont pas viables.

Dans les régions où l'eau se fait rare, les pratiques traditionnelles des autochtones, comme le partage des ressources hydriques et le captage de l'eau de pluie, ont été abandonnées au profit de techniques nouvelles. Néanmoins, ces dernières sont reconsidérées avec attention. Dans certaines régions, les citoyens ont pris la responsabilité entière des services de distribution d'eau et ont ouvert une caisse destinée à recevoir la contribution des usagers. Les fonds recueillis sont utilisés pour fournir de l'eau à tous les membres de la communauté. Il serait opportun d'appliquer cette méthode dans toutes les régions de la Terre où les ressources hydriques sont limitées.

9. *Le public doit participer à égalité avec le gouvernement aux décisions concernant la protection de l'eau*

Si nous voulons vivre sur une planète à l'abri de toute pénurie d'eau, il faudra respecter un principe essentiel : les citoyens doivent être consultés. En outre, les gouvernements doivent leur donner la possibilité de s'engager, sur un pied d'égalité, dans l'élaboration et la mise en application d'une politique de l'eau. Il y a trop longtemps que les institutions économiques internationales, comme la Banque mondiale et l'Organisation de coopération et de développement économiques (ainsi que les bureaucrates chargés des affaires commerciales), sont gouvernées par les grandes sociétés déterminées à défendre leurs seuls intérêts. Même dans les cas — très rares — où elles ont été invitées à la table des négociations, les organisations non gouvernementales (ONG), tout comme les porte-parole des mouvements écologistes, ont été, comme d'habitude, ignorées. Les sociétés titanesques qui subventionnent généreusement des campagnes électorales récoltent souvent des contrats d'exploitation de ressources hydriques. Il est fréquent de voir des groupes de pression du milieu des affaires dicter les clauses des accords et traités commerciaux, que les gouvernements approuvent ensuite. Ces pratiques ont ébranlé la légitimité des gouvernements partout dans le monde.

En conséquence, il faut mettre en place des mécanismes pour que les citoyens, les travailleurs et les représentants de mouvements écologiques collaborent, sur un pied d'égalité, à l'élaboration d'une politique de l'eau. Ils se proclameront ainsi les gardiens et les vrais héritiers de l'or bleu, cette irremplaçable ressource.

10. Les politiques de mondialisation économique nuisent à la conservation de l'eau

L'importance accordée à la croissance illimitée du commerce international, inhérente à la mondialisation de l'économie, est incompatible avec la recherche de solutions aux problèmes que provoque la rareté de l'eau. Conçue pour récompenser les affairistes, souvent dénués de scrupules, la mondialisation neutralise les forces de la démocratie régionale si déterminantes pour assurer à la Terre un avenir délivré des pénuries d'eau. Si l'on accepte le principe voulant que la protection de l'eau soit plus facile lorsqu'on vit sur le territoire d'un bassin hydrographique, on ne peut que balayer l'idée d'un monde de consommateurs formant un marché homogène en perpétuelle expansion.

La mondialisation économique sape les communautés régionales parce qu'elle est basée sur le transfert aisé des capitaux et le vol des ressources locales. De surcroît, la libéralisation du commerce et de l'investissement permet à certaines nations d'abuser de leurs ressources hydriques limitées afin d'obtenir de plus abondantes récoltes pour l'exportation, tandis que d'autres pays vivent au-dessus de leurs moyens en matière de ressources écologiques et hydriques. Ainsi, dans les pays riches, les villes, les grosses exploitations agricoles et les industries poussent comme des champignons au milieu de régions désertiques. Toute société soucieuse de préserver l'eau devrait dénoncer de telles aberrations.

La durabilité des ressources hydriques à l'échelle de la planète dépend, d'abord et avant tout, de l'autonomie des régions. Le seul moyen d'intégrer des politiques de défense de l'environnement sensées aux capacités de production des populations, c'est de bâtir des économies régionales fondées sur les bassins hydrographiques, autrement dit, sur les ressources locales.

Bien que les ressources hydriques mondiales s'amenuisent et que les grosses entreprises travaillent d'arrache-pied afin de tirer des bénéfices considérables de ces ressources devenues rares, il n'est pas trop tard pour renverser la situation. Il est possible d'assurer une répartition équitable de l'eau et un accès universel à cette ressource commune. L'eau peut être sauvée de la convoitise des affairistes déterminés à l'utiliser pour faire fortune. Les citoyens ne peuvent accepter plus longtemps la présence dans leur région de sociétés d'embouteillage qui vident leurs aquifères et disparaissent une fois qu'elles se sont rempli les poches. Ils ne peuvent tolérer plus longtemps la privatisation de leurs réseaux d'alimentation et d'assainissement. Les citoyens les plus durement touchés par les activités des sociétés privées avides d'eau doivent prendre les choses en main afin sauver de la destruction leurs bassins hydrographiques et d'empêcher le secteur privé de s'emparer de leurs réseaux de distribution. Jusqu'à présent, les gouvernements ne se sont pas montrés très efficaces dans la protection d'une ressource dont dépend la vie de leurs électeurs. C'est donc aux organisations non gouvernementales et aux groupes de citoyens de modifier la façon dont l'eau est extraite et distribuée, et de protéger cette source de vie en faveur des générations futures.

CHAPITRE 10

L'AVENIR

*Les citoyens du monde ont le pouvoir et le devoir
de préserver les réserves d'eau douce de la planète*

*C'en est fait, [...] je suis l'Alpha et l'Oméga, le Principe et la Fin; celui qui a
soif, moi, je lui donnerai de la source de vie, gratuitement.*

APOCALYPSE 21,6

À qui les forêts et les terres?
À nous, elles sont à nous.
À qui le bois et le pétrole?
À nous, ils sont à nous.
À qui les fleurs et l'herbe?
À nous, elles sont à nous.
À qui la vache, le bétail?
À nous, ils sont à nous.
À qui les forêts de bambou?
À nous, elles sont à nous.

CHANT DU NARMADA BACHAO ANDOLAN

Ces dernières années, des écologistes, des travailleurs, des militants pour les droits de la personne et contre la pauvreté, des partisans de l'annulation de la dette des pays pauvres et de nombreux autres défenseurs des droits sociaux se sont regroupés à l'échelle internationale afin de remettre à l'ordre du jour politique et économique les questions relatives au bien commun et à la protection de l'environnement. Ces militants ont formé de puissantes alliances en vue de changer non seulement la politique gouvernementale de leur propre pays, mais aussi celle des autres nations du globe. Ils sont déterminés à éliminer ou à réformer les institutions financières mondiales, comme la Banque mondiale, et les accords commerciaux internationaux, comme ceux qu'a mis au point l'Organisation mondiale du commerce. En bref, ces militants entendent bien définir les nouveaux contrats sociaux et écologiques internationaux que les États devront adopter afin de sauvegarder les principes démocratiques et de protéger les citoyens contre la dynamique d'épuisement des ressources hydriques qui anime la nouvelle économie mondiale.

Comme nous l'avons expliqué au chapitre 8, un mouvement international en faveur de la conservation de l'eau a déjà pris racine. Dans maintes collectivités autour du globe, les luttes menées par des citoyens ont mis fin à la privatisation de réseaux locaux de distribution d'eau, arrêté la construction de barrages et donné le coup d'envoi à la régénération de cours d'eau et de milieux humides. Ces victoires sont capitales. Mais il est également devenu indispensable de fonder maintenant une coalition internationale rassemblant des groupes communautaires, des défenseurs des droits de l'Homme, des écologistes, des fermiers, des peuples autochtones, des travailleurs du secteur public et d'autres militants afin de protéger les ressources hydriques mondiales contre le vol et la pollution et de créer un nouveau modèle : une planète à l'abri du manque d'eau.

Le processus a été amorcé. En juillet 2001, sur le magnifique campus de l'Université de la Colombie-Britannique donnant sur l'océan Pacifique, plus de 800 personnes venues de 35 pays ont participé à la première conférence internationale de la société civile en vue d'intensifier la lutte mondiale contre la marchandisation de l'eau. Cette conférence, intitulée « De l'eau pour tous et pour la nature : une tribune pour la conservation et les droits de la personne », était parrainée par le Conseil des Canadiens, une organisation de défense des citoyens. Elle a permis à des militants et à des experts de se réunir pour la première fois à l'écart des gouvernements, de l'ONU et de la Banque mondiale et de partager leurs convictions et leurs projets.

Militants et experts ont pu assister à de multiples débats. Des employés du secteur public ont décrit leurs luttes contre la privatisation de l'eau dans leur pays. Des scientifiques ont partagé leur expertise et se sont engagés à collaborer avec des groupes communautaires. Des écologistes ont expliqué en détail la relation entre la crise mondiale de l'eau et les changements climatiques, les coupes à blanc et d'autres problèmes écologiques. Des spécialistes des droits de l'Homme ont lancé un appel en faveur de l'égalité dans la lutte pour la protection de l'eau et ont rappelé qu'un nombre incalculable d'habitants de la planète se meurent déjà à cause des pénuries d'eau potable. Certains participants ont relaté leur expérience personnelle : petits fermiers uruguayens racontant leur lutte contre des entreprises transnationales qui tentent de s'emparer d'immenses terres riches en ressources hydriques, employés municipaux sud-africains luttant pour exercer le droit à l'eau inscrit dans la Constitution de leur pays.

Deux orientations ont été particulièrement fécondes en cette occasion. D'une part, plusieurs centaines de jeunes ont été réunis afin de s'épauler mutuellement dans leurs luttes et de poursuivre leur campagne dans leur milieu respectif et dans la rue. D'autre part, un atelier sur les questions autochtones, dirigé par le chef Arthur Manuel, de l'Interior Alliance de Colombie-Britannique, a rassemblé des membres des Premières Nations provenant de toutes les contrées de la planète, afin d'élaborer des moyens communs pour défendre leurs droits ancestraux sur l'eau. Cet atelier a mis au point la Déclaration des peuples autochtones à propos de l'eau, qui circule actuellement dans le monde entier.

Un moment très triste a assombri la conférence : l'hommage rendu au leader autochtone colombien Kimy Pernia Domico, qui était censé participer à ce grand événement. Hélas, le 2 juin 2001, Kimy a été enlevé par un groupe paramilitaire sans doute lié au gouvernement colombien ; il est maintenant considéré comme « disparu », et peut-être déjà mort. La conférence lui a été dédiée. L'assemblée s'est remémorée en silence tous les combattants qui ont payé de leur vie la défense de leurs droits à la terre et à une eau salubre et la défense de leurs droits fondamentaux — que certains tiennent pour acquis pendant que des millions d'autres ne peuvent encore les exercer.

Une évidence s'est rapidement imposée : des associations et des groupes souhaitant remédier à la crise de l'eau se sont déjà formés dans de nombreuses régions du monde. Riccardo Petrella, porte-parole de grands intellectuels européens appelant au lancement d'une campagne mondiale en faveur de la protection de l'eau, a partagé avec l'auditoire son merveilleux rêve d'un « contrat mondial pour l'eau ». Le projet Water for All (De l'eau pour tous) conçu par l'organisation américaine Public Citizen, basée à Washington, a été accueilli avec enthousiasme. Les Amis de la Terre et International Rivers Network se sont engagés à soutenir ce nouveau projet, et des citoyens de pays du tiers-monde et de pays industrialisés du Nord se sont ralliés à la formation d'alliances et à la mise au point de stratégies politiques communes.

À la fin de la conférence, l'assemblée a proclamé à l'unanimité que l'eau devait rester un « bien commun » et a inauguré à cette fin le Blue Planet Project, nouveau mouvement international de la société civile axé sur la protection de l'eau partout dans le monde. Les participants ont également approuvé à l'unanimité le Projet de traité sur le partage et la protection des eaux de la planète, dont le texte apparaît au début de ce livre. L'objectif est d'amener tous les

États du monde à signer ce traité. Les dirigeants s'engageraient ainsi à protéger l'eau à titre de bien commun de l'humanité et à gérer en fiducie les réserves mondiales d'eau douce. Il a été convenu que le Projet de traité constituerait un élément clé des exigences que formulerait le mouvement mondial des citoyens dans le cadre des travaux préparatoires du sommet qui s'est tenu à Johannesburg, en Afrique du Sud, en août 2002.

Bien que l'orientation de Blue Planet Project soit avant tout politique — réappropriation de l'eau en tant que bien commun et défense du droit universel à l'eau —, ce mouvement devra de toute évidence aborder les graves problèmes écologiques associés à la rareté de cette ressource. En fait, la préservation et la distribution équitable de l'eau constituent les assises d'un monde exempt de pénurie ainsi que les points d'ancrage du tout nouveau mouvement des citoyens en faveur d'un accès universel à l'eau.

La préservation de l'eau

La crise mondiale de l'eau est grave. L'humanité ne peut se permettre de la négliger. La majorité des dirigeants et des habitants de la planète devront redoubler d'efforts pour mettre en œuvre les politiques et les pratiques susceptibles d'assurer l'avenir de la planète. Les solutions *existent*. Un grand nombre de groupes communautaires, de fermiers, de scientifiques et d'écologistes appliquent actuellement des mesures qui ont déjà fait leurs preuves.

La stratégie la plus importante consiste à préserver les ressources hydriques et à régénérer les eaux polluées. Elle requiert, de la part des citoyens du monde, un changement d'attitude radical à l'égard de l'eau. Autrement dit, les êtres humains doivent cesser de s'imaginer que l'eau est une ressource inépuisable qu'ils peuvent gaspiller afin de satisfaire tous leurs besoins et caprices. Ils vont devoir modifier leurs habitudes et satisfaire ces besoins en fonction des ressources hydriques disponibles. Comme le souligne Sandra Postel, du Global Water Policy Project, l'humanité doit absolument doubler la « productivité » de l'eau, le plus rapidement possible. Autrement dit, tous les habitants de la planète doivent tirer deux fois plus de bénéfice de chaque litre d'eau prélevé dans les cours d'eau, les lacs et les aquifères. Alors, et alors seulement, ils pourront espérer fournir de l'eau aux 8 ou 9 milliards de personnes qui en auront besoin d'ici quelques dizaines d'années. Grâce à certaines techniques éprouvées et accessibles, l'agriculture pourrait réduire sa consommation d'eau de 50 %, l'industrie, de 90 %, et chaque agglomération urbaine, d'un tiers, sans que la production économique ou la qualité de vie en soient le moins du monde sacrifiées.

En général, un Nord-Américain consomme environ 500 000 litres d'eau par an, dont la moitié au moins est gaspillée en raison de ses mauvaises habitudes : il lave beaucoup trop souvent sa voiture, laisse couler inconsidérément les robinets de sa demeure et, quand ces derniers fuient, néglige de les faire réparer. L'être humain n'a besoin que de quelque 10 000 litres d'eau par an pour vivre. Pourtant, dans la seule ville de Toronto, la population tire la chasse d'eau 66 millions de fois par jour. Et en Californie, on dénombre 560 000 piscines. Une réduction sensée de cet immense gaspillage, conjuguée au remplacement des infrastructures défectueuses, se traduirait par la préservation d'énormes volumes d'eau partout dans le monde.

Selon une loi fédérale, toutes les nouvelles toilettes à usage résidentiel vendues depuis 1994 aux États-Unis doivent être conformes à des normes limitant la consommation d'eau. Cette mesure a permis de réduire de 70 % la quantité d'eau utilisée pour les millions de toilettes dans les villes américaines. Dans différentes régions du globe, des municipalités ont épargné jusqu'à 25 % de leurs ressources hydriques après avoir procédé à la réparation des conduites qui fuyaient, à la récupération et au traitement des eaux usées pour l'irrigation urbaine et à l'imposition d'amendes pour gaspillage. Dans la partie ouest de l'Allemagne, par exemple, le recyclage à grande échelle de l'eau utilisée par les industries a débuté dans les années 1970, après l'entrée en vigueur de lois contre la pollution. Cette mesure a donné de si bons résultats que la consommation d'eau à des fins industrielles n'a pas augmenté depuis deux décennies, malgré la forte augmentation du nombre d'usines. Les aciéries américaines, qui consommaient autrefois 280 tonnes d'eau pour fabriquer une tonne d'acier, n'en utilisent plus maintenant que 14 tonnes. D'autres exemples positifs relevés auprès d'industries polluantes laissent présager un avenir meilleur. Mais des lois similaires à celles promulguées aux États-Unis et en Allemagne sont nécessaires pour enrayer à la fois la pollution et le gaspillage de l'eau dont sont responsables les industries minières et de haute technologie.

Pour ce qui a trait à l'agriculture, des spécialistes de l'environnement, comme Sandra Postel et Peter Gleick, ont décrit de façon détaillée les techniques et les pratiques qui permettraient de diminuer la consommation d'eau. Les énormes subventions accordées pour l'irrigation de cultures non durables sur des terres arides doivent être supprimées. Seules les terres riches en eau devraient être utilisées pour les cultures vivrières avides d'eau. En outre, les preuves que l'élevage intensif nuit aux ressources hydriques, aux animaux et aux êtres humains sont de plus en plus nombreuses et indiscutables. Par conséquent, il faut bannir ou du moins réglementer sévèrement ce type d'élevage. Il faut aussi interdire l'usage de pesticides, d'herbicides, d'antibiotiques, de nitrates et d'engrais chimiques — ou exiger que cet usage soit soumis à un contrôle draconien. Les ressources hydriques existantes ne permettent pas une agriculture de type industriel. Il faut donc appeler tous les gouvernements à légiférer pour la contrecarrer. Il faut également créer des programmes internationaux favorisant les cultures et l'élevage à petite échelle.

Partout dans le monde, les pertes d'eau massives attribuables à de mauvaises méthodes d'irrigation pourraient être facilement et considérablement réduites. Il suffit d'avoir recours à des techniques nouvelles et plus efficaces, à une meilleure gestion et à des pratiques agricoles écologiques — dont l'irrigation au goutte-à-goutte et l'utilisation d'arroseurs permettant d'économiser l'eau. Les systèmes d'irrigation au goutte-à-goutte distribuent l'eau directement au pied ou à la racine de la plante, ce qui évite l'évaporation. Cette méthode empêche l'accumulation de sel et favorise les économies d'eau et d'énergie. Elle est efficace à 95 %, puisque la quasi-totalité de l'eau reste à la racine des plantes, alors qu'avec la méthode habituelle, 80 % de l'eau distribuée ruisselle ou s'évapore. À l'heure actuelle, elle n'est employée que sur 1 % des terres irriguées de la planète. Dans ce domaine, il serait donc possible de réaliser d'énormes économies d'eau.

Pour les millions de fermiers et de paysans pauvres du tiers-monde, l'irrigation au goutte-à-goutte et d'autres techniques conçues pour de petites exploitations représentent les seuls moyens d'assurer une distribution d'eau équitable et durable. De ce fait, on considère de plus en plus que la production agricole à petite échelle pratiquée par le cultivateur est un exemple à suivre en matière d'économie d'eau. Les méthodes traditionnelles de captage, comme la récolte des eaux coulant des toits ou à flanc de montagne, se sont elles aussi révélées supérieures à celles mises au point par les pays occidentaux — qui dépendent d'une technologie très coûteuse. À mesure que les dégâts causés par les grands barrages et les détournements de cours d'eau apparaîtront clairement, il deviendra impératif de favoriser des techniques de prélèvement d'eau qui seront efficaces et abordables à petite échelle. Au Népal, par exemple, 70 % de la production agricole par irrigation provient maintenant des Farmer Managed Irrigation Systems (FMIS), qui gèrent les ressources hydriques au profit de la collectivité en faisant appel au savoir et aux pratiques des populations locales. Les fermiers s'inspirent de ce bagage culturel et technique dans toutes les phases du cycle d'irrigation. D'autres pays se tournent vers le système népalais pour résoudre leurs problèmes, la méthode d'irrigation habituelle ayant ruiné bon nombre de leurs fermes.

Conjuguées aux méthodes d'irrigation plus écologiques que nous venons de décrire, les solutions à la crise de l'eau doivent aussi se fonder sur un rejet beaucoup plus ferme des projets de grands barrages et de détournements de cours d'eau. Les rivières et les fleuves qui coulaient autrefois vers la mer doivent être libérés afin que leurs eaux puissent enrichir les bassins hydrographiques, offrir un habitat propice à la vie aquatique et préserver les riches zones de frai aux embouchures. Cette régénération prendra des années, mais la Nature fera sa part si on met fin à la construction de barrages — ce qui s'impose d'autant plus que leur avenir, sur les plans économique et écologique, est déjà incertain. Wendell Berry, écologiste et partisan de l'agriculture à petite échelle, a exposé le problème en ces termes poétiques : « Même si l'homme y a érigé un barrage afin de créer un lac, la rivière demeurera rivière. Elle se maintiendra telle et attendra son heure, comme un animal en cage à l'affût de la moindre ouverture. Tôt ou tard, elle arrivera à ses fins et, comme les falaises anciennes, le barrage sera mis en pièces et emporté par le courant. »

L'homme n'est pas sans savoir qu'en élargissant son horizon de manière à prendre en compte tous les besoins d'un système hydrographique il trouvera les solutions adéquates aux pénuries d'eau. Dans les régions centrales de l'Inde accablées par la sécheresse, la gestion des bassins hydrographiques fondée sur la conservation de l'eau dans les sols a favorisé une hausse de la production agricole et une meilleure alimentation générale. L'ONU a conféré à diverses régions du globe le statut de « réserves de la biosphère », soit des écosystèmes continentaux et côtiers où les bassins hydrographiques doivent être conservés tout en continuant d'être utilisés de façon durable par les habitants. La protection de la Nature et le développement des sociétés humaines dans ces réserves relèvent d'une démarche globale axée sur la coopération locale, régionale et internationale. Dans leur volonté de sauvegarder la mer Morte, Les Amis de la Terre et d'autres organisations exigent que l'ensemble de son bassin soit déclaré « réserve de la biosphère » et inscrit sur la liste du patrimoine mondial établie par l'UNESCO.

En Afrique du Sud, où la croissance démographique est quatre fois plus rapide que le renouvellement des ressources hydriques, le gouvernement a entrepris une expérimentation capitale en matière de gestion de la biosphère, consistant à associer la distribution de l'eau aux besoins des communautés en matière d'emploi. La situation étant désespérée, il est urgent de trouver des remèdes. Un citoyen sud-africain dispose aujourd'hui de deux fois moins d'eau douce qu'en 1960. D'ici cinquante ans, la moitié des cours d'eau du pays seront asséchés. Si les causes de cette situation sont nombreuses, l'une d'elles est clairement d'origine humaine. À leur arrivée en Afrique du Sud, les premiers colons européens, désireux de voir pousser les arbres et les parcs de leur terre natale, se sont mis à semer des graines de pin et d'eucalyptus. Ces arbres, grands consommateurs d'eau, ont graduellement remplacé les plantes locales, et le débit des cours d'eau a commencé à diminuer. Dans le cadre d'un programme national étalé sur vingt ans et baptisé « Travailler en faveur de l'eau », 40 000 Sud-Africains éliminent maintenant de leurs forêts et de leurs prairies les espèces envahissantes. La plupart d'entre eux vivent au sein de collectivités pauvres où le chômage était naguère très élevé. Ces citoyens, qui remettent en valeur leur environnement et exercent leur droit à l'eau douce, nous donnent la preuve que les êtres humains et la Nature peuvent coexister, à condition que les premiers traitent la seconde avec respect.

Le respect de la Nature doit devenir le principal objectif du mouvement mondial pour la préservation de l'eau. Dans un habitat détruit par les coupes à blanc, l'assèchement des milieux humides et l'urbanisation sauvage, les sources d'eau douce ne peuvent que se tarir. Il faut faire de l'adoption de politiques écologiques intégrées la pierre angulaire juridique de l'action de tous les gouvernements. Quant aux êtres humains, ils doivent se fonder sur le principe que l'eau provient de la Nature et doit y retourner. Dans certains cas, cela signifie qu'il sera nécessaire de soustraire aux villes et aux industries agricoles des réseaux hydrologiques surexploités

et de les rendre à la Nature et aux petites collectivités rurales gravement touchées par le manque d'eau.

Enfin, il est indispensable d'obéir à une loi fondamentale de la
Nature : le rythme d'extraction de l'eau provenant d'une nappe
souterraine ne peut dépasser celui de son renouvellement naturel.
Sinon, nos enfants connaîtront une pénurie totale d'eau. En
matière d'eau douce, la loi de la Nature est claire : l'extraction ne
peut excéder le renouvellement. Pourtant, de nombreux gouvernements ne se soucient même pas du volume ni de l'emplacement
des nappes d'eau souterraines, et encore moins de la mise au point
d'une politique de conservation. L'équation est pourtant simple. Il
suffit de songer à une baignoire : si l'eau s'en écoule plus vite qu'elle
ne la remplit, la baignoire finira par se vider.

Une distribution équitable

En 1998, on a célébré partout dans le monde le cinquantième
anniversaire de la Déclaration universelle des droits de l'Homme.
L'adoption de cette déclaration par l'ONU a marqué un tournant
décisif dans le long cheminement effectué par la communauté
internationale pour défendre la primauté des droits de l'Homme et
du citoyen sur toute forme de tyrannie politique ou économique.
Conjuguée au Pacte international relatif aux droits économiques,
sociaux et culturels ainsi qu'au Pacte international relatif aux droits
civils et politiques, la Déclaration universelle des droits de l'Homme
se présente comme la *magna carta* du XXIe siècle. En plus de garantir à toute personne de la planète, sans distinction fondée sur la race,
la religion, le sexe ou tout autre critère, le plein exercice de ses droits
fondamentaux, la Déclaration protège également les droits de
citoyenneté — c'est-à-dire les services et les protections sociales que
chaque individu est en droit de réclamer aux dirigeants de son pays.

Les droits du citoyen se rapportent notamment à la sécurité sociale, à la santé et au bien-être de la famille, et ils incluent le droit au travail, le droit à un logement décent et le droit aux soins médicaux. Les Pactes imposent aux États l'obligation morale et juridique de protéger et de promouvoir les droits de l'Homme et les droits démocratiques mis en relief dans la Déclaration et ils comportent les mesures d'application requises à cette fin. Les droits et les devoirs des citoyens, tels que définis dans la Déclaration, ainsi que les droits et les devoirs des États-nations, tels que définis dans les Pactes, constituent les pierres d'assise de la démocratie dans le monde moderne.

Pourtant, un demi-siècle plus tard, un bon milliard de personnes se voient encore refuser l'exercice d'un des droits fondamentaux garantis dans les Pactes : le droit de disposer d'eau potable. Au cours des cinquante dernières années, les droits du capital privé se sont élargis de façon exponentielle, alors que les droits des pauvres n'ont cessé de régresser sur l'échiquier politique. Ce n'est pas par hasard que l'appauvrissement des ressources hydriques partout dans le monde s'est produit en même temps que la croissance du pouvoir des entreprises transnationales et d'un système financier mondial responsable de la dépossession des collectivités, des peuples autochtones et des petits fermiers. La sécurité hydrique et écologique de la planète et de l'humanité est totalement incompatible avec la vente de l'eau au plus offrant sur le marché libre. Si les citoyens perdent toute emprise sur ce précieux bien commun, ils ne pourront pas non plus instaurer les conditions propices à sa conservation et à son partage équitable.

Les mouvements populaires en faveur de la préservation de l'eau doivent absolument mettre l'accent sur l'instauration de droits fondamentaux sur l'eau pour tous. Cette ferme position exige qu'ils s'opposent avec vigueur à la privatisation des réserves mondiales d'eau douce. Les États doivent comprendre qu'il est de leur responsabilité de protéger les ressources hydriques et de fournir de l'eau à tous les citoyens, car il s'agit là d'un droit fondamental. Certes, il ne faut pas écarter la possibilité que les États facturent la consommation d'eau dans le but d'éviter le gaspillage. Mais cette pratique ne peut relever que d'un système public dont les recettes serviront non pas à enrichir les actionnaires et les PDG, mais à régénérer l'eau, à réparer les infrastructures et à construire des réseaux d'accès universel à l'eau. En matière de tarification équitable, Riccardo Petrella suggère l'adoption des principes directeurs suivants : les collectivités détermineront elles-mêmes leurs besoins en eau ; la tarification n'entrera en vigueur que lorsque les besoins élémentaires de tous les citoyens auront été satisfaits ; les organismes publics, les entreprises privées et les ménages devront verser une somme forfaitaire, dont le montant sera établi en fonction de leurs ressources, à un fonds communautaire pour l'eau ; le prix unitaire par ménage et par entreprise grimpera fortement au-delà d'un seuil de consommation propice à la conservation de l'eau ; enfin, tout usage de l'eau dépassant les limites fixées par une collectivité devra être sanctionné. En outre, les entreprises industrielles et commerciales consommant d'énormes quantités d'eau seront lourdement taxées et ne pourront répercuter cette taxe sur les prix de vente au détail. Aucune entreprise ni aucune collectivité ne pourra non plus acheter de l'eau en vue d'un usage excessif. Ainsi, des villes comme Las Vegas, où d'énormes quantités d'eau sont gaspillées dans les piscines, les fontaines colossales et certains spectacles, ne seraient désormais plus autorisées à surexploiter et à épuiser les ressources hydriques locales à des fins lucratives.

Parallèlement à leur lutte pour un accès et un partage équitables, les mouvements en faveur de la préservation de l'eau doivent se battre pour que les services d'alimentation en eau demeurent dans le secteur public. Mais si ces services ont déjà été privatisés ou que la collectivité a décidé de collaborer avec le secteur privé, les citoyens devront alors veiller à ce que des règles strictes protègent la santé publique, assurent de bonnes conditions de travail au personnel et garantissent une distribution d'eau équitable. Peter Gleick et ses collègues du Pacific Institute for Studies in

Development, Environment and Security proposent, à cet effet, quelques lignes directrices.

Selon ces experts, tout contrat conclu avec une entreprise privée doit garantir un service d'approvisionnement de base en eau gratuit pour tous les membres d'une collectivité ainsi que la protection de l'écosystème de la région. Le mode de tarification doit être juste et clair et inciter les usagers à conserver l'eau en rendant tout gaspillage extrêmement onéreux. Les États doivent maintenir ou instaurer la propriété publique des ressources hydriques et des réseaux de distribution. En ce qui concerne la qualité de l'eau, seuls des organismes publics doivent être habilités à la contrôler et à légiférer à ce sujet. Enfin, tout contrat doit garantir la participation et le droit de regard de la collectivité concernée.

Telles sont les règles draconiennes auxquelles devront se plier tous les acteurs du secteur privé dans l'exploitation des ressources hydriques. Ces règles en amèneront certainement plus d'un à changer de négoce. Par contre, elles encourageront peut-être certaines entreprises à adopter de saines pratiques de gestion de l'eau. En outre, elles pourraient s'appliquer dans certains autres secteurs d'activité.

Dix mesures de conservation de l'eau

Armé de ce large éventail de solutions équitables et écologiques, le mouvement international est maintenant prêt à proposer des mesures favorisant la conservation des ressources hydriques et empêchant leur exploitation à des fins commerciales. Les lignes directrices présentées dans les pages suivantes visent la réalisation de ces objectifs, mais aussi la distribution équitable et durable de l'eau.

1. Rédiger une « convention relative au minimum vital d'eau ».

2. Établir des « conseils locaux de gestion de l'eau ».

3. Préconiser des « lois nationales sur la protection de l'eau ».

4. S'opposer au commerce de l'eau.

5. Soutenir le mouvement de lutte contre les barrages.

6. Résister au Fonds monétaire international et à la Banque mondiale.

7. Défier les barons de l'eau.

8. Examiner la question de l'équité à l'échelle mondiale.

9. Promouvoir le Projet de traité de partage et de protection des réserves d'eau douce de la planète.

10. Appuyer une « convention mondiale relative à l'eau ».

1. Rédiger une « convention relative au minimum vital d'eau »

L'eau est un bien collectif qui appartient aux êtres humains et à la Nature. Toutes les collectivités ont le droit de l'utiliser selon leurs besoins. En conséquence, la société civile doit en premier lieu proclamer que l'eau est un bien public qui doit impérativement être confié à jamais à nos dirigeants élus. En outre, ce bien doit être géré conjointement par les collectivités et tous les ordres de gouvernement.

Par ailleurs, il faut assurer à chaque habitant de la planète un « minimum vital » d'au moins 25 litres d'eau potable par jour, fournie gratuitement, à titre de droit politique et social inaliénable. La distribution de cette eau sera garantie en droit et s'appuiera concrètement sur l'application des trois mesures suivantes : stricte conservation de l'eau définie par des lois, taxation des consommateurs excessifs comme les entreprises agroalimentaires, minières et de haute technologie, et tarification de la consommation abusive d'eau.

Le mouvement doit amener tous les pays du monde à adopter une convention relative au minimum vital d'eau, en vertu de laquelle chaque État s'engagerait à approvisionner en eau tous les citoyens, sans exception. Les États veilleraient à une distribution équitable de l'eau à toutes les collectivités, notamment aux plus pauvres, et à la mise au point de programmes destinés à informer les citoyens sur leur droit constitutionnel à l'eau.

2. Instituer des « conseils locaux de gestion de l'eau »

Les meilleurs défenseurs de l'eau, ce sont les collectivités et les citoyens. Ces derniers sont les mieux placés pour dénoncer les pratiques nuisibles à l'eau dans leur région. Il est d'une importance capitale que ces parties administrent les ressources hydriques sur un pied d'égalité avec l'État. Les collectivités doivent établir des structures de cogestion les associant à des citoyens élus et aux services publics de l'administration de l'eau, afin d'assurer une saine gestion de la consommation d'eau. Les conseils locaux de gestion de l'eau seront chargés de protéger les ressources hydriques, d'examiner les pratiques agricoles et de dénoncer les industries polluantes. Ils encadreront la gestion du bassin hydrographique local et institueront des pratiques favorisant les agriculteurs et la population selon le principe « Ménages et petits fermiers d'abord », et conférant aux collectivités un droit préférentiel à l'eau. Ils parraineront des travaux de recherche indépendants et à financement public sur tous les aspects de la politique de gestion de l'eau. En outre, ils travailleront en collaboration avec les populations autochtones afin qu'elles exercent leur droit à gérer elles-mêmes les ressources hydriques de leur territoire.

Élément plus important encore, les groupes de citoyens pourront s'opposer à la privatisation des services d'alimentation en eau et appuyer le concept de partenariat public-public préconisé par l'Internationale des services publics (ISP). Ce partenariat exigera l'adoption de dispositions permettant d'associer des acteurs du secteur public — municipalités, organismes d'assistance et syndicats de la fonction publique — aux services d'eau en matière de financement ou de restructuration. Ce type de partenariat pourra remplacer le partenariat public-privé, dans le cadre duquel la restructuration des services d'eau ne peut s'effectuer que si l'exploitation des réseaux est confiée à une société privée. Les conseils locaux de gestion de l'eau veilleront à ce que tout partenariat public-public fasse preuve de transparence, soit tenu responsable de sa gestion et assure une distribution équitable de l'eau. Ils superviseront tout contrat conclu entre le gouvernement local et le secteur privé, afin que le contrôle public soit solidement maintenu.

3. Préconiser des «lois nationales sur la protection de l'eau»

Le mouvement en faveur de la protection de l'eau est en droit de réclamer des lois et règlements nationaux sévères visant la préservation des ressources hydriques et garantissant la distribution d'eau à tous les citoyens. Chaque État devra promulguer une loi sur la protection de l'eau qui traitera des questions suivantes :

- *La Convention relative au minimum vital d'eau.* Cette convention assurera à chaque citoyen l'accès à une eau salubre et aux services d'assainissement (voir la mesure 1).

- *La tarification de l'eau.* Cette tarification reposera notamment sur l'application de critères stricts fondés sur l'équité, l'universalité, la surtarification des industries agroalimentaires et autres, ainsi que sur la pénalisation de tout usage abusif de l'eau.

- *Les services publics de distribution et d'assainissement.* Une loi interdira leur cession au secteur privé. Des conditions draconiennes régiront toute participation du secteur privé à un service d'alimentation en eau ou d'assainissement des eaux usées.

- *La préservation de l'eau.* La protection de vastes systèmes aquatiques et la saine gestion des bassins hydrographiques au moyen d'un cadre réglementaire.

- *La conservation de l'eau*, qui implique que des objectifs soient imposés à l'industrie, à l'agriculture et aux municipalités, qu'un programme complet de réparation de l'infrastructure selon un échéancier très précis soit élaboré, et que des limites soient définies concernant le pompage des nappes souterraines.

- *La régénération de l'eau*, qui exigera tout d'abord la décontamination des zones humides et des réseaux hydrologiques pollués. Les questions connexes, telles que les coupes à blanc, le réchauffement de la planète et l'agriculture industrielle feront l'objet d'interventions énergiques des gouvernements.

- *Les dépositaires de l'eau.* Outre les habitants de la planète, les espèces aquatiques et les générations futures sont elles aussi les dépositaires du patrimoine commun. Aucune décision relative à la consommation d'eau ne sera prise sans qu'on ait d'abord analysé les conséquences de cette décision sur l'écosystème, sur les besoins futurs de l'humanité et sur les espèces non humaines.

- *Les normes et analyses relatives à l'eau potable.* À ce sujet, une législation sur le plan national s'impose, qui établira les normes relatives à l'eau salubre que devront respecter toutes les collectivités d'un pays.

- *Les normes relatives à la consommation d'eau des industries agroalimentaires et autres.* Chaque ordre de gouvernement devra s'engager à promulguer et à faire respecter des lois strictes prohibant le rejet des déchets industriels, l'usage de pesticides et le déversement de matières toxiques dans les cours d'eau et les décharges.

• *Une technologie écologique.* Cette technologie favorisera notamment le recours à des sources d'énergie de substitution, comme l'énergie solaire, ainsi que l'adoption de solutions de rechange à la construction de barrages, au détournement de cours d'eau et à l'aménagement d'installations hydroélectriques.

• *Les restrictions sur l'eau embouteillée.* Il s'agit ici de limiter les quantités d'eau puisées, de fixer des normes écologiques, d'imposer aux entreprises une tarification élevée pour l'extraction d'eau et de privilégier les entreprises d'embouteillage locales, qui garantiront la création d'emplois.

4. S'opposer au commerce de l'eau

Le mouvement des citoyens pour la protection de l'eau doit s'opposer vigoureusement à la commercialisation de celle-ci. Puisque l'industrie de l'eau n'en est qu'à ses débuts, une opposition publique massive et une législation sévère pourraient y mettre fin. Il incombe aux États de légiférer afin d'interdire l'exportation commerciale de l'eau en vrac par navire-citerne, sacs scellés ou par tout moyen exigeant le détournement des eaux de surface. Ces lois s'appliqueraient non pas aux ententes traditionnelles régissant les échanges d'eau entre fermiers et collectivités, mais bien au commerce de l'eau à grande échelle qu'effectuent les grandes entreprises.

Il faut aussi que les États réglementent très sévèrement l'industrie naissante de l'eau embouteillée et garantissent la distribution publique d'une eau potable afin que les citoyens ne soient pas obligés d'acheter une eau en bouteille toujours coûteuse. La vente de ressources hydriques à de grosses sociétés d'embouteillage dépossède les fermiers et les collectivités de leur eau et doit donc être réglementée, sinon proscrite.

La société civile doit également considérer la question cruciale du partage de l'eau en temps de crise et encourager un débat public sur le sujet. Elle doit exiger la réalisation d'une étude indépendante portant sur les effets écologiques d'un détournement de l'eau. Les résultats permettront de déterminer le volume d'eau qui, en cas d'urgence, peut être prélevé d'un bassin hydrographique sans porter atteinte à son équilibre.

L'eau en tant que bien, service ou investissement doit être exclue de tout accord de libre-échange déjà conclu, dont celui relevant de l'Organisation mondiale du commerce, l'Accord de libre-échange nord-américain et tous les traités bilatéraux d'investissement. En outre, elle ne peut être l'objet des négociations à venir sur le commerce des services, que ce soit dans le cadre de l'Accord général sur le commerce des services (AGCS) ou de la Zone de libre-échange des Amériques (ZLEA). Les groupes de la société civile engagés dans la défense de l'eau doivent collaborer avec les autres organisations afin de dénoncer la teneur de ces accords et de s'y opposer en bloc si ceux-ci ne sont pas substantiellement modifiés.

5. Soutenir le mouvement de lutte contre les barrages

Il faut que les mouvements civils en faveur de la protection de l'eau douce œuvrent de concert avec des groupes comme International Rivers Network et d'autres qui luttent pour soumettre la construction de barrages à des règles démocratiques. Les responsables de ces mouvements doivent travailler en équipe sur des projets, des stratégies et des campagnes communes. Ils doivent adhérer à la déclaration de l'International Rivers Network faite à San Francisco en 1988 et intitulée « The Position of Citizens' Organizations on Large Dams and Water Resource Management » (« La

Position des organisations de citoyens sur la gestion des grands barrages et des ressources hydriques »). Cette déclaration définit les conditions auxquelles doit être assujettie toute construction de barrage, soit la transparence du processus, la recherche de solutions de rechange écologiques, l'évaluation des effets écologiques, sociaux et économiques de la construction du barrage, l'obligation de rendre des comptes à la population locale, qui dispose d'un droit de veto, l'octroi d'une juste compensation pécuniaire aux personnes déplacées, la protection de l'écosystème, la protection des ressources alimentaires locales, la mise en œuvre de mesures sanitaires et d'hygiène et l'intégration des coûts sociaux et écologiques dans les prévisions économiques. Ces thèmes fondamentaux ont été repris dans le rapport de novembre 2000 rédigé par la Commission mondiale des barrages, rapport que doivent entériner les organisations militant pour la préservation des ressources hydriques.

En 1994, 326 groupes et coalitions de 44 pays ont signé la « Déclaration de Manibeli », ainsi baptisée en hommage à la lutte héroïque menée par les habitants du village de Manibeli, sis dans la vallée de la Narmada, en Inde. Cette déclaration appelait à l'imposition d'un moratoire immédiat sur le financement des grands barrages par la Banque mondiale, jusqu'à ce que celle-ci ait adopté les mesures suivantes : création d'un fonds d'indemnisation pour les personnes déplacées, garantie que tout déplacement forcé d'une population sera assorti de la pleine protection de ses moyens de subsistance et des droits de l'homme, évaluation de tous les grands barrages existants à la lumière de leurs coûts social et écologique, intégration de tous les projets de la Banque mondiale aux plans de gestion détaillés des bassins hydrographiques qu'ont approuvés les collectivités locales, supervision et vérification indépendantes de tous les projets.

6. Résister au Fonds monétaire international et à la Banque mondiale

Des mesures préventives et restrictives de même nature doivent être adoptées à l'égard des projets de privatisation de l'eau parrainés par le Fonds monétaire international (FMI) et la Banque mondiale. À l'heure actuelle, ces organismes favorisent des plans de privatisation de l'eau dans de nombreux pays, avec le plein appui financier de certains États, d'associations d'aide aux pays en voie de développement et de l'ONU. Le mouvement civil pour la protection de l'eau doit exiger l'imposition d'un moratoire sur tous ces plans, en attendant l'entrée en vigueur de conditions strictes assurant une maîtrise publique totale de tous les projets d'approvisionnement en eau dans les États où interviennent la Banque mondiale et le FMI.

Un groupe d'ONG états-uniennes, dont Fifty Years Is Enough, Results, Globalization Challenge Initiative, Center for Economic Justice, Center for Economic and Policy Research, Quixote Center et Essential Action, a ébauché un projet de loi proposant que la Banque mondiale et le FMI ne reçoivent plus de fonds fédéraux américains lorsque leurs plans de privatisation ne garantissent pas à chaque citoyen un minimum vital d'eau. En outre, ce projet de loi appelle à la résiliation des accords qui prévoient la suppression des subventions aux usagers et du financement public des réseaux d'alimentation et d'assainissement. Jan Schakowsky, membre de la Chambre des représentants, a également proposé un amendement à la loi autorisant le Congrès à financer la Banque mondiale et le FMI. Si cet amendement est adopté, les États-Unis ne pourront plus maintenir leur appui aux politiques de la Banque mondiale et du FMI qui privent les pauvres de leur accès à l'eau potable. Dans d'autres pays donateurs, des textes législatifs similaires pourraient être ébauchés.

Enfin, des conditions strictes doivent être imposées à la Banque mondiale et au FMI afin qu'ils supervisent les projets de distribution d'eau dans lesquels ils se sont engagés de pair avec le secteur privé. Comme nous l'avons expliqué précédemment, il est essentiel que de tels projets garantissent des services de base gratuits à tous les citoyens d'une collectivité et veillent à la protection de l'écosystème local. Le mode de tarification doit être clair et transparent. Il faut que les États maintiennent ou imposent la propriété publique des sources d'eau, et seuls des organismes publics seront habilités à évaluer la qualité de l'eau et à appliquer la législation à cet égard. Tout contrat devra stipuler et garantir l'autorité de la collectivité locale sur la gestion de l'eau.

7. Défier les barons de l'eau

Une chose est sûre : les militants ne pourront mener leur lutte à bonne fin tant que les entreprises transnationales exerceront une si forte influence sur les États du monde entier. À l'heure actuelle, les barons de l'eau obtiennent aisément l'approbation et l'appui des États en matière de privatisation et de marchandisation des réserves d'eau douce. Afin de neutraliser ce puissant groupe de pression, la société civile doit mettre au point un éventail de mécanismes destinés à empêcher ces entreprises privées de saccager, dans leur quête incessante de profits, les cours d'eau et les nappes phréatiques.

L'une des premières étapes de la lutte consiste à rassembler des données. Il faut en savoir beaucoup plus sur les barons de l'eau et sur leurs moyens d'infléchir les gouvernements régionaux et nationaux, les médias, l'ONU, l'OMC, le FMI et la Banque mondiale. Plusieurs questions se posent. Quels liens ces sociétés de distribution d'eau entretiennent-elles avec les institutions financières internationales qui leur octroient des fonds publics ? Comment se fait-il que les entreprises tentaculaires du secteur de l'eau embouteillée soient devenues si influentes sur la scène politique ? Comment arrivent-elles à orienter en leur faveur les lois et les réglementations commerciales ?

Sur les plans local et national, les citoyens doivent exiger l'adoption de lois qui régissent et restreignent les activités des géants de l'eau. Conformément à plusieurs pactes des Nations Unies, les États ont non seulement le droit mais aussi le devoir de réglementer les investissements étrangers, afin que ceux-ci s'accordent aux besoins sociaux et écologiques des collectivités locales. Ils doivent aussi légiférer pour que les entreprises ne bénéficient plus d'un accès préférentiel à l'eau ni d'une tarification privilégiée.

De toute évidence, il faut aussi briser l'influence qu'exercent les grandes entreprises sur les gouvernements par le truchement de dons versés aux partis politiques. Il est également impératif de mettre fin à la présence de ces entreprises au sein de la direction d'organismes comme l'OMC et la Banque mondiale. Pour sa part, l'ONU doit cesser de favoriser les conglomérats comme Suez ou Vivendi et défendre à nouveau, comme elle l'avait fait par le passé, la cause des simples citoyens. Quant aux États, ils doivent prélever des impôts plus élevés auprès des entreprises afin de financer les projets axés sur la protection et la distribution équitable de l'eau qui ont été mis en relief tout au long de cet ouvrage. Ils doivent en outre s'unir, peut-être sous la bannière de l'ONU, pour supprimer les abris fiscaux de ces entreprises.

Mais le combat en faveur d'une emprise démocratique sur les entreprises transnationales du secteur de l'eau doit s'intégrer à la lutte plus générale visant à imposer la primauté du droit au capital mondial. Dans cette optique, les citoyens qui œuvrent pour la protection des ressources hydriques éprouveront assurément le besoin de s'allier aux groupes qui exigent une redéfinition des droits et des pouvoirs des entreprises. La campagne menée par ces groupes a pour objectif de rétablir le principe selon lequel c'est la société dans son ensemble qui accorde aux entreprises le droit d'exercer leurs activités et qui a le pouvoir de révoquer ce droit si elles ne se comportent pas en bonnes citoyennes.

8. Examiner la question de l'équité à l'échelle mondiale

Il est impossible d'instaurer une distribution équitable de l'eau sans s'attaquer d'abord aux inégalités sociales à l'échelle planétaire. La mondialisation de l'économie, par exemple, n'est ni juste ni viable du point de vue de la préservation des ressources hydriques, dans la mesure où elle préconise une croissance illimitée. En conséquence, les défenseurs de l'eau doivent collaborer avec les groupes et les organisations qui s'efforcent de combler l'écart entre riches et pauvres et afin de rendre aux citoyens leurs biens communs aux quatre coins du monde. Ils doivent notamment s'unir au mouvement antimondialisation et réclamer la création de nouvelles structures internationales destinées à promouvoir des règles commerciales justes, des accords d'investissement équitables et des conventions relatives aux droits de l'homme et à l'environnement qui soient assorties de solides mécanismes d'application.

Autre point capital : le mouvement pour la protection de l'eau doit veiller au rapprochement des questions écologiques et des questions de justice sociale, ainsi qu'à la coopération entre les organisations qui les mettent en avant. Si ces organisations restent désunies, elles risquent, dans un contexte politique de pénurie, d'entrer en conflit. Déjà, certains écologistes, découragés par leur impuissance à réduire le gaspillage de l'eau, exigent un système de tarification basé sur la récupération intégrale des coûts, sans prendre en considération l'incidence d'un tel système sur les pauvres. Pareille attitude pourrait entraîner une grave scission entre les mouvements écologistes partisans de cette idée et les mouvements luttant contre la pauvreté et pour la défense des droits de l'homme.

Par ailleurs, le mouvement pour la protection de l'eau doit préconiser des solutions radicales afin de rétablir l'équilibre économique entre les pays industrialisés et les pays non industrialisés. En travaillant de concert avec des groupes comme Fifty Years Is Enough, il doit exiger que l'on mette un terme aux « programmes d'ajustement structurel » imposés par la Banque mondiale et le

FMI, qui ont forcé maints États du tiers-monde à renoncer à leurs services publics dans les domaines de la santé et de l'éducation. Il doit également s'associer aux groupes chrétiens œuvrant dans l'esprit du Grand Jubilé de l'an 2000. Conformément au droit canon, le Jubilé a notamment mis l'accent sur la restitution des terres et sur l'effacement des dettes censés être pratiqués tous les cinquante ans. Écrasés par leur énorme dette, de nombreux États du tiers-monde ne peuvent plus consacrer leurs ressources aux services d'hygiène et d'alimentation en eau. Si cette dette était annulée, ils auraient eux aussi la possibilité de faire prospérer leur économie et ne seraient plus forcés de compter sur la charité des États du Nord.

Dans le monde industrialisé, l'aide publique au développement doit être révisée à la hausse afin de correspondre à la norme établie dans le passé, soit 0,7 % du produit intérieur brut. Ces dernières années, la plupart des pays favorables à la commercialisation de l'eau douce ont considérablement réduit leur budget à cette fin.

Enfin, le mouvement doit se joindre aux organisations, en particulier à la coalition dénommée L'Initiative de Halifax, qui militent pour la création d'une « taxe Tobin » dans tous les pays du monde. Cette taxe prélevée sur la spéculation financière permettrait aux États de recueillir des fonds pour financer les services publics d'alimentation en eau et d'assainissement des eaux usées.

9. Promouvoir le Projet de traité de partage et de protection des réserves d'eau douce de la planète

En septembre 2002, des milliers de représentants officiels des gouvernements, du milieu des affaires, de la Banque mondiale et de l'Organisation mondiale du commerce ont convergé vers la verte Sandton, banlieue cossue de Johannesburg, en Afrique du Sud, pour prendre part au Sommet mondial sur le développement durable. L'ironie du choix de ce site n'a pas échappé aux activistes sud-africains. Avec ses hôtels cinq étoiles, ses centre commerciaux rutilants, ses immenses villas, Sandton forme l'épicentre de l'économie de l'Afrique du Sud et offre un contraste saisissant avec le *township* voisin d'Alexandra, qui compte parmi les communautés les plus pauvres du continent. Entre les deux coule une rivière si polluée qu'on a planté sur ses rives des panneaux mettant en garde contre le risque de choléra.

De façon tragique, ce sommet n'a pas réussi à s'attaquer aux problèmes environnementaux criants auxquels l'humanité doit faire face. Plutôt que de fixer des objectifs précis en matière de réduction des combustibles fossiles, d'assainissement des cours d'eau souillés et d'augmentation de l'aide internationale au tiers-monde, le sommet a été détourné par l'idéologie du libre marché, par l'Organisation mondiale du commerce et ses desseins libre échangistes et par les magnats de l'énergie, des services de santé et de l'eau, qui étaient venus à Johannesburg pour profiter des nouveaux PPP (partenariats public-privé), grâce auxquels les pays riches accordent leur aide aux pays en développement à la condition expresse que ceux-ci signent en échange des contrats de service très lucratifs. Des centaines de « partenariats » public-privé ont ainsi vu le jour dans le but de fournir de l'eau et des services d'égouts dans des pays pauvres, selon un modèle qui génère d'importants profits.

Des compteurs ultrasophistiqués avaient été installés sur les conduites d'eau des *townships* les plus pauvres de Johannesburg juste avant la visite que les délégués devaient y effectuer. De l'intérieur de leur autocar climatisé, les politiques et les gens d'affaires n'ont pas entendu les cris de protestation de la horde de chômeurs qui n'avaient pas assez d'argent pour nourrir les compteurs et qui étaient réduits à boire de l'eau polluée. Le World Wildlife Fund, Greenpeace et Oxfam ont émis un communiqué conjoint très sévère, où le sommet était décrit comme une « occasion manquée ».

Toutefois, le mouvement mondial des citoyens en faveur de l'eau était très présent et très organisé à Johannesburg. Grâce à des

séminaires, à des ateliers, à des marches et à des manifestations, la
société civile a exprimé sa forte opposition au rôle croissant que
jouent l'entreprise privée, la Banque mondiale et l'Organisation
mondiale du commerce dans les décisions concernant la gestion
des réserves mondiales d'eau douce. Le projet de traité de partage
et de protection des réserves d'eau douce de la planète, que nous
avons repris au début de ce livre et qui a été soumis par le Blue
Planet Project au sommet de Vancouver en 2001, a servi de fer de
lance à l'action des contestataires au sommet de Johannesburg. Ce
traité se trouve au cœur de la stratégie du nouveau mouvement
pour la défense de l'eau. Il constitue une excellent base pour les
associations et les coalitions qui désirent se lancer en campagne.
C'est à partir de ce traité que des pressions ont été exercées auprès
des gouvernements représentés à Johannesburg, mais, de toute évidence, eu égard aux orientations adoptées par le sommet, il est
grand temps d'augmenter ces pressions.

10. Appuyer une «convention mondiale relative à l'eau»

Comme le souligne clairement le « contrat mondial sur l'eau »,
le mouvement pour la protection de l'eau doit appeler à la création
d'institutions et de mécanismes internationaux voués à la conservation des réserves mondiales d'eau douce. Selon Riccardo Petrella,
il n'existe pour le moment aucune instance mondiale assez puissante pour donner une orientation précise en ce sens et veiller à la
mise en œuvre des conventions existantes. Il n'existe pas non plus
de corpus législatif international qui faciliterait le règlement des
innombrables problèmes écologiques, sociaux et juridictionnels
associés à l'eau.

En conséquence, il est urgent que de nouveaux accords confè-
rent à l'eau le statut de bien commun destiné à être géré en fiducie
publique. Il faut également que prenne forme un nouveau corpus
de lois internationales fondé sur la conservation et la distribution

équitable de l'eau. Une convention mondiale relative à l'eau ayant force de loi devrait :

- adopter le Projet de traité sur le partage et la protection de l'eau douce en tant que bien commun;

- intégrer le droit à l'eau à la Déclaration universelle des droits de l'Homme de l'ONU ainsi qu'aux diverses chartes et conventions relatives aux droits des femmes, des enfants et des peuples autochtones;

- établir, à l'échelle mondiale, des modes de gestion de l'eau adéquats;

- définir les grandes lignes d'un corpus législatif international qui concrétiserait les principes énoncés dans le Projet de traité sur le partage et la protection de l'eau douce en tant que bien commun;

- fixer des objectifs mondiaux favorisant l'accès de tous à l'eau;

- harmoniser les lois nationales relatives à la conservation et à la régénération de l'eau;

- susciter la mise au point de nouveaux traités écologiques juridiquement contraignants en vue de prévenir la pollution et l'exploitation des ressources hydriques;

- amener des parlementaires de tous les pays à trancher les conflits afférents aux ressources hydriques selon les principes de la distribution équitable de l'eau et de « la paix fondée sur l'accès de tous à l'eau ».

De toute évidence, une convention mondiale relative à l'eau entraînerait la formation d'une nouvelle entité internationale permanente, chargée de superviser la réalisation de cet ambitieux programme. La mise sur pied d'une convention de cette nature et d'une entité investie de ce pouvoir dépendait de la souplesse des participants clés au sommet de Johannesburg. Cette importante rencontre aurait pu être le moment idéal pour lancer le processus aboutissant à la création de cette convention. Mais le Projet de traité et la Convention mondiale relative à l'eau doivent également tabler sur deux autres rencontres, soit le Troisième et le Quatrième Forum mondial de l'eau qui auront lieu respectivement à Kyoto, au Japon, en mars 2003, et à Montréal, au Canada, en mars 2006.

Préparer le mouvement mondial des citoyens en vue de défier ce puissant organisme, qui poursuit des objectifs radicalement différents, voilà une perspective redoutable. Il faut pourtant l'envisager sans tarder, dans la mesure où le Forum de Montréal ne laisse au mouvement que quatre ans pour atteindre un objectif capital : changer du tout au tout les priorités actuelles relatives à la gestion mondiale de l'eau. Il faut donc définir dès maintenant les modalités nécessaires au rassemblement, à l'occasion de ces deux sommets, des nombreux groupes partageant les mêmes objectifs, afin d'inscrire les préoccupations et les perspectives du mouvement à l'ordre du jour et de rallier le soutien des délégués à ces sommets, lesquels délégués, dans leur grande majorité, partagent la conviction que l'eau est un bien commun et seraient prêts à se joindre à une campagne des citoyens en ce sens, pour peu qu'ils en aient l'occasion.

Le mouvement doit tout mettre en œuvre, d'ici au Quatrième Forum mondial de l'eau, pour que les États et l'ONU s'associent aux organisations de citoyens pour annoncer l'adoption du Traité sur le partage et la protection de l'eau en tant que bien commun, ainsi que la mise au point de la Convention mondiale relative à l'eau.

« L'avenir appartient à ceux qui croient en la beauté de leurs rêves », a dit Eleanor Roosevelt. Le nombre croissant de citoyens et de groupes, partout dans le monde, qui se sont joints au Blue Planet Project et à d'autres organisations luttant pour un avenir à l'abri des pénuries d'eau croient, eux aussi, à la beauté de leur rêve : la crise de l'eau qui accable aujourd'hui le monde sera à l'origine de la paix mondiale ; les êtres humains s'inclineront un jour devant la Nature et accepteront sereinement les limites qu'elle nous impose ; et tous les habitants de la planète reconnaîtront, grâce à nos efforts collectifs, que les eaux sacrées de la vie sont le patrimoine commun de la Terre et de toutes les espèces et que ce patrimoine doit être préservé pour les générations futures.

Notes

CHAPITRE PREMIER • Alerte rouge

Un certain nombre d'institutions influentes, dont l'ONU, le Worldwatch Institute, le Pacific Institute for Studies in Development, Environment and Security et la Banque mondiale, ont publié des rapports détaillés sur la rareté de l'eau. Nous avons tiré bon nombre de données du rapport de Peter H. Gleick intitulé *The World's Water : The Biennial Report on Fresh Water Resources 1998-1999* et publié à Washington par Island Press. Deux autres rapports contiennent également une foule de renseignements utiles : *L'Inventaire exhaustif des ressources mondiales en eau douce*, dirigé par le professeur Igor A. Shiklomanov et publié par des organismes des Nations Unies, dont le Programme des Nations Unies pour le développement (PNUD), le Programme des Nations Unies pour l'environnement (PNUE), l'UNESCO et l'OMS, et celui de 1997 publié par la Commission du développement durable de l'ONU. L'organisation néerlandaise Ecological Management Foundation, créée par Allerd Stikker, a elle aussi produit un document très utile intitulé *Water Today and Tomorrow*, publié en février 1998 dans la revue *Futures* par Pergamon Press (vol. XXX, nº 1).

Axé sur l'environnement, le numéro spécial du magazine *Time* publié en

novembre 1997 constitue lui aussi un excellent dossier, de même que le
numéro spécial de *National Geographic* sur l'eau douce en Amérique du Nord
qui a été publié en 1993 et qui s'intitule *The Power, Promise, and Turmoil of
North America's Fresh Water*. Le 8 décembre 1998, le *New York Times* a publié
un excellent article de fond portant sur l'eau et signé par William K. Stevens.
Pour sa part, Lester R. Brown, du Worldwatch Institute, a décrit la crise en
Chine dans *Who Will Feed China? Wake-Up Call for a Small Planet*, ouvrage
publié en 1995 par W.W. Norton, ainsi que dans le numéro de juillet 1998 du
magazine *World Watch*.

La scientifique et naturaliste canadienne Evelyn C. Pielou dispense une
foule de renseignements sur l'eau dans son livre *Fresh Water*, publié en 1998
par University of Chicago Press. Michal Kravčík et son équipe de scientifiques, de l'ONG People and Water, ont fait de même dans un petit livre révo-
lutionnaire intitulé *New Theory of Global Warming*. Ce livre, publié en 2001,
est une version anglaise abrégée d'une étude approfondie parue à l'origine en
Slovaquie. Dans son ouvrage de 1966, *The Lion*, Robert S. Strothers avait prédit la crise de l'eau qui allait frapper la ville de Mexico. Par la suite, Linda Die-
bel l'a décrite dans une série d'articles publiés en mai 1999 dans le *Toronto
Star*. Enfin, l'ouvrage de Marq de Villiers, *L'Eau*, publié en 2000 par
Solin/Actes Sud/Leméac (traduit de l'anglais par Olga Abeillé et Antonina
Roubichou-Stretz), traite de façon remarquable des divers problèmes liés à la
rareté de l'eau.

CHAPITRE 2 • Planète en danger

Tous les chercheurs et scientifiques qui approfondissent les questions
associées aux pénuries d'eau doivent énormément à Sandra Postel, du Global
Water Policy Project, à Amherst (Massachusetts). Son œuvre étant abondante, nous attirons l'attention des lecteurs sur trois de ses publications : deux
ouvrages publiés par W.W. Norton, *Last Oasis : Facing Water Scarcity* (1992)
et *Pillar of Sand : Can the Irrigation Miracle Last?* (1999), et un article publié
en 1996 par le Worldwatch Institute, *Dividing the Waters : Food Security, Eco-
system Health, and the New Politics of Scarcity*. Signalons également les remarquables écrits de Janet N. Abramovitz et notamment un article sur la préservation de l'eau douce, que l'on trouve dans *L'État de la planète 1996*, publié à

Paris par Économica (traduction française de Henri Bernard de *State of the World, 1996*, publié sous l'égide du Worldwatch Institute).

The Nature Conservancy a publié plusieurs textes recueillis dans ses bureaux d'Arlington (Virginie). Parmi ces textes, deux nous ont été particulièrement utiles : *Rivers of Life : Critical Watersheds for Protecting Freshwater Biodiversity* (1998) et *Troubled Waters : Protecting Our Aquatic Heritage* (1996). Elizabeth May, du Sierra Club du Canada, a rédigé un compte rendu très précis de la destruction des forêts canadiennes et des dangers de la coupe à blanc dans son livre intitulé *At the Cutting Edge : The Crisis in Canada's Forests* et publié à Toronto par Key Porter Books en 1998. En ce qui concerne les dernières forêts denses du monde, le PNUE a produit en août 2001 un rapport fort intéressant : *An Assessment of the Status of the World's Remaining Closed Forests*. Au sujet des changements climatiques, Simon Retallack et Peter Bunyard ont réalisé, en mars 1999, un remarquable numéro spécial de *The Ecologist*. Et en ce qui concerne les conséquences de la transformation économique du Chili, l'Institut d'écologie politique de ce pays a diffusé en 1996 de précieuses données dans une publication intitulée *The Tiger without a Jungle : Environmental Consequences of the Economic Transformation of Chile*.

Plusieurs organisations et publications nous ont fourni des détails importants sur la crise des Grands Lacs ; nous ne les en remercierons jamais assez. En 1997, la Canadian Environmental Law Association et Great Lakes United ont publié *The Fate of the Great Lakes : Sustaining or Draining the Sweetwater Seas ?* La Commission mixte internationale a elle aussi publié de nombreuses études sur la question. Il faut souligner son rapport de février 2000 : *Protection of the Waters of the Great Lakes : Final Report to the Governments of Canada and the United States*. L'écrivain et chercheur écologiste Jamie Linton a effectué, pour la Fédération canadienne de la faune, une excellente étude que la Fédération a publiée en 1997 sous le titre *Beneath the Surface : The State of Water in Canada*.

Au sujet des marais, Sally Deneen a recueilli une multitude de données qu'elle a divulguées dans un article publié en décembre 1998 par *E Magazine* et intitulé « Paradise Lost : America's Disappearing Wetlands ». Enfin, Mark Ritchie, de l'Institute for Agriculture and Trade Policy, à Minneapolis, et David Brubaker, du Center for a Livable Future de l'Université Johns Hopkins (Maryland), ont effectué des études remarquables sur la question des exploitations

agricoles de type industriel. Ce travail énorme a apporté de précieux renseignements aux chercheurs.

CHAPITRE 3 • Mourir de soif

Anne Platt, du Worldwatch Institute, nous a expliqué de quelle manière
l'eau transporte des organismes porteurs de maladies. Son texte intitulé
Water-Borne Killers, publié en mars 1996 par l'institut, nous a été particuliè-
rement utile. Il en a été de même de *Drinking Water and Disease : What Health
Care Providers Should Know,* publié en 2000 par l'organisation américaine
Physicians for Social Responsibility, et de *Waterproof : Canada's Drinking
Water Report Card,* rapport rédigé en 2001 par le Sierra Legal Defence Fund
du Canada.

Klaus Topfer, du PNUE, a sonné l'alarme sur les pénuries d'eau lors de
son discours à la Conférence internationale sur l'eau et le développement
durable, en mars 1998. Nous nous sommes également appuyés sur le dernier
rapport annuel du PNUD, le *Rapport mondial sur le développement humain
2001,* qui offre un indicateur de développement humain en fonction de divers
critères, dont l'accès à l'eau potable. Sur la crise de l'eau en Afrique du Sud,
nous avons eu recours à diverses sources de renseignements, dont le bilan établi en 2000 par Patrick Bond et Greg Ruiter, *Drought and Liquidity : Water
Shortages and Surpluses in Post-Apartheid South Africa,* pour le compte du
Human Sciences Research Council, à Pretoria.

Le long article de Jacques Leslie : « Running Dry : What Happens When
the World No Longer Has Enough Fresh Water ? », paru dans le numéro de
juillet 2000 du *Harper's Magazine,* nous a été très utile lui aussi. C'est Jacques
Leslie qui, en 1996, avait rapporté une déclaration de Colin Powell, chef
d'état-major interarmées, révélant que, pendant la guerre du Golfe, les États-
Unis avaient envisagé de bombarder les barrages situés sur le Tigre et sur
l'Euphrate au nord de Bagdad, mais avaient reculé devant le nombre élevé de
victimes potentielles. En juin 1998, le *Harper's Magazine* a publié sur le sujet
un excellent article rédigé par Wade Graham et intitulé « A Hundred Rivers
Run through It : California Floats Its Future on a Market for Water ». La Campaign for Responsible Technology, à San Jose, et la Silicon Valley Toxics Coali-

tion ont été pour nous de bonnes sources de renseignements sur le secteur de la haute technologie en Californie et ailleurs dans le monde. Pour leur part, The Interior Alliance of British Columbia et le Conseil des Canadiens ont produit en 2001 un rapport très intéressant sur l'eau et les Premières Nations sous le titre de *Plus rien n'est sacré : la menace croissante qui guette l'eau et les peuples autochtones.*

Un grand nombre de documents traitent des répercussions de la construction de barrages aux quatre coins du monde. Nous avons trouvé une foule de renseignements dans le rapport final de la Commission mondiale des barrages paru en novembre 2000, *Barrages et développement : un nouveau cadre pour la prise de décisions.* En outre, des scientifiques de renommée mondiale nous ont fourni une matière abondante dans le rapport de novembre 1999 publié par l'Union mondiale pour la Nature et intitulé *Large Water Impacts on Freshwater Biodiversity.* Par ailleurs, nous désirons rendre hommage au travail extraordinaire réalisé par International Rivers Network (IRN) et le directeur de ses campagnes d'information, Patrick McCully, auteur de l'ouvrage intitulé *Silenced Rivers : The Ecology and Politics of Large Dams* (édition mise à jour et augmentée, Londres et New York, Zed Books, 2001). Ce texte peut être qualifié d'indispensable. L'IRN publie tous les deux mois la *World Rivers Review.*

CHAPITRE 4 • Tout est à vendre

La structure de ce chapitre nous a été inspirée par différentes sources. Dans son introduction au livre *Le Procès de la mondialisation*, traduit de l'anglais par Thierry Piélat et publié en 2001 par Fayard, Jerry Mander définit les éléments et les forces à la base de la mondialisation économique. Le Consensus de Washington est décrit dans le livre de Maude Barlow et Tony Clarke intitulé *La Bataille de Seattle. Sociétés civiles contre mondialisation marchande* (traduit par Jean-Pierre Bardos, Paris, Fayard, 2002). L'analyse de la Commission trilatérale résulte de la lecture de trois ouvrages, soit *The Integrated Circus : The New Right and the Restructuring of Global Markets,* de Patricia Marchak (Montréal et Kingston, McGill University Press et Queen's University Press, 1993), *When Corporations Rule the World,* de David Korten (West Hartford et San Francisco, Kumarian Press et Berrett-Koehler, 1995), et *Main basse sur le Canada, ou La tyrannie de la grande entreprise,* de Tony Clarke (traduit par Florence Bernard, Montréal, Boréal, 1999). Les statistiques relatives aux 200 plus grosses entreprises transnationales du monde, établies par l'Institute for Policy Studies, figurent dans *Field Guide to the Global Economy,* de Sarah Anderson, John Cavanagh et Thea Lee (New York, The New Press, 2000). Quant à la citation de John McMurtry, elle est tirée de son article « The Meta Program for Global Corporate Rule », publié en juin 2001 dans *The CCPA Monitor,* le magazine mensuel du Canadian Centre for Policy Alternatives (Centre canadien de politiques alternatives).

Dans la section intitulée « La Nature-marchandise », nous nous référons à l'ouvrage de Herman E. Daly et John B. Cobb, *For the Common Good : Redirecting the Economy toward Community, the Environment and a Sustainable Future* (Boston, Beacon Hill Press, 1989). La thèse relative à la mondialisation que soutiennent ces auteurs est analysée dans l'ouvrage de William Greider intitulé *One World Ready or Not : The Manic Logic of Global Capitalism* (New York, Simon & Schuster, 1997, p. 451-459). Les remarques de Vandana Shiva ont été puisées dans son livre *Le Terrorisme alimentaire : comment les multinationales affament le tiers monde* (traduit de l'anglais par Marcel Blanc, Paris, Fayard, 2001). Les exemples concernant la marchandisation de l'eau en Inde et la notion de « ressource collective » ont été pris dans *License to Kill ?,* publié en mars 2000 par la Research Foundation for Science, Technology and Ecology, à New Delhi. C'est principalement dans l'étude menée par David Hall pour le Public Service International Research Unit (PSIRU), de l'Université de Greenwich, en Grande-Bretagne, que nous avons trouvé les données sur la privatisation des services publics. Le petit livre de David Hall, *Water in Public Hands : Public Sector Management – A Necessary Option,* publié par Public Service International (Internationale des services publics) en juillet 2001, contient les données que nous avons utilisées pour illustrer le modèle de « partenariat public-privé » (PPP). La citation relative au type de financement fourni par la Banque mondiale est extraite du texte de David Haarmeyer et Ashoka Mody intitulé *Tapping the Private Sector : Approaches to Managing Risk in Water and Sanitation,* accessible sur le site Internet de la Banque mondiale (www.worldbank.org).

Les données sur la spéculation financière en rapport avec l'eau ont été collectées par Maude Barlow pour la rédaction de son petit livre, *Blue Gold,* publié en 2000 par l'International Forum on Globalization. L'analyse du projet élaboré par Cadiz Inc. ainsi que les propos de Tony Coelho et de Keith Brackpool à ce sujet proviennent d'une série de documents rédigés pour la Campaign to Stop the Mojave Water Grab, campagne lancée près de Los Angeles. Les arguments contre la pertinence économique et écologique du projet de Cadiz sont résumés dans le rapport intitulé *Desert Report*, publié en février 2001 par le Sierra Club. L'histoire du pari gagné par George Soros au détriment de John Major est rapportée dans le texte de Richard Barnet et John Cavanagh intitulé « Electronic Money and the Casino Economy » et publié dans *Le Procès de la mondialisation*. Les statistiques sur l'investissement étranger direct proviennent du *World Investment Report* de 1996 publié par l'ONU, et les chiffres sur la croissance des exportations et du commerce mondial, de sources diverses du FMI, dont *World Economic Outlook* (octobre 1997), *Financial Statistics Yearbook* (1997) et *International Financial Statistics* (1998). L'article de Simon Retallack, « The Environmental Cost of Economic Globalization », publié dans *Le Procès de la mondialisation*, nous a été très utile pour décrire les conséquences écologiques de la concurrence internationale. Nous y avons trouvé les données sur les exportations de produits agricoles à partir des pays du tiers-monde. Les renseignements sur les réductions et les exonérations d'impôt au Texas et sur les subventions accordées à l'industrie de l'informatique, grande consommatrice d'eau au Nouveau-Mexique, proviennent de la plaquette *Blue Gold*, publiée par l'International Forum on Globalization. L'analyse de l'« État au service de la sécurité des entreprises », de même que les idées défendues par Ursula Franklin, figurent dans *Main basse sur le Canada, ou La tyrannie de la grande entreprise*.

CHAPITRE 5 • Les barons de l'eau

Ce chapitre est largement inspiré d'une étude préparée par Gil Yaron pour le Polaris Institute, à Ottawa, et intitulée *The Final Frontier : A Working Paper on the Big 10 Global Water Corporations and the Privatization and Corporatization of the World's Last Public Resource* (mars 2000, accessible sur le site www.polarisinstitute.com). Ce travail sur les plus grosses sociétés du secteur de l'eau a été mis à jour au Polaris Institute par Darren Puscas. On peut consulter ce nouveau document sur le site Internet www.polarisinstitute.org. L'histoire de la privatisation des services d'alimentation en eau et d'assainissement des eaux usées à Buenos Aires, qu'a réalisée un consortium dirigé par Suez, est relatée dans deux textes rédigés par David MacDonald et Alex Loftus, soit *Lessons from Argentina: The Buenos Aires Water Concession*, publié par le Municipal Services Project, de l'Université Queen's, à Toronto, et « Of Liquid Dreams: A Political Ecology of Water Privatization in Buenos Aires », paru dans *Environment and Urbanization* (vol. XIII, n° 2, octobre 2001). Nous tenons à les remercier pour ce travail. Nous nous sommes aussi inspirés de l'article de Shawn Tully intitulé « Water, Water Everywhere » et publié dans le numéro du 15 mai 2000 de *Fortune*. Notre analyse des tendances à l'œuvre dans l'industrie mondiale de l'eau (« Le filon bleu ») est inspirée de l'article « The Rising Tide of Water Markets », paru dans la revue *Global Water Intelligence* en août 2000.

Les portraits des deux géants mondiaux dans le secteur de l'eau, intitulés « Les conquêtes de Suez » et « L'empire de Vivendi », sont issus des profils de ces sociétés établis par Darren Puscas, du Polaris Institute. Ces descriptions sont accessibles sur le site Internet www.polarisinstitute.org. On peut obtenir le texte inédit de Jean-Philippe Joseph, intitulé « Vivendi : anatomie de la pieuvre » (janvier 2001), en le lui réclamant par courrier électronique à l'adresse : jeanphi@altern.org. On peut aussi se procurer une description d'Enron en tant que fournisseur de services multisectoriel (comprenant la société Azurix, spécialisée dans le secteur de l'eau), préparée par Darren Puscas sur le site www.polarisinstitute.org. Pour mieux comprendre le parcours d'Azurix, on peut en outre lire l'article « Enron Ponders Its Next Move », publié par *Global Water Intelligence* en septembre 2000. L'analyse de RWE correspond à celle publiée dans *The Final Frontier*, et le profil de cette société est offert sur le site www.polarisinstitute.org. Les renseignements sur la récente acquisition de Thames Water par RWE, de même que ceux relatifs aux fuites d'eau et aux questions connexes, proviennent de rapports accessibles sur Internet, notamment à partir du site de Lexis-Nexis. Il en est de même des données sur les activités de SAUR dans le secteur de l'eau, qui proviennent du profil de Bouygues accessible sur le site www.polarisinstitute.org et de textes plus récents publiés sur Internet.

Les faits relatifs aux activités de Suez à La Paz, en Bolivie, proviennent du texte rédigé par Kristin Komives, *Designing Pro-Poor Water and Sewer Concessions: Early Lessons from Bolivia* (Private Participation in Infrastructure

Group at the World Bank, 1999, p. 30-34). Ceux concernant les activités de cette société au Royaume-Uni sont extraits de « South West, North West Water Score Lowest for Quality in England, Wales » (AFX News, 7 juillet 1999), document que l'on peut consulter à partir du site de Lexis-Nexis. Quant aux activités de Suez à Potsdam, en Allemagne, elles ont été décrites par le PSIRU en 1998 (www.psiru.org/news/ 4193.htm). Les licenciements effectués par Aguas Argentina sont mentionnés dans l'article de Daniel Cieza intitulé « Argentine Labour : A Movement in Crisis », paru dans la revue *NACLA Report on the Americas* (vol. XXXI, n° 6, 1998, p. 23), et dans celui de David MacDonald et Alex Loftus, « Of Liquid Dreams » (*Environment and Urbanization,* vol. XIII, n° 2, octobre 2001, p. 195-196). Les données sur les privatisations à Jakarta ont été puisées dans deux numéros du journal indonésien *The Jakarta Post* (18 septembre 1998 et 13 mai 1999).

La majeure partie de la section intitulée « Un fiasco privatisé » est inspirée de *The Final Frontier,* de Gil Yaron, et de diverses publications du PSIRU. L'affaire de Suez à Grenoble, par exemple, est traitée dans un document rédigé par David Hall et Emanuele Lobina pour le PSIRU et intitulé *Private to Public : International Lessons of Water Remunicipalization in Grenoble, France.* Les conflits concernant Vivendi dans les villes françaises d'Angoulême et de Saint-Denis sont rapportés dans *Water in Public Hands* (juillet 2001) et « Privatization, Multinationals and Corruption », paru dans *Development in Practice* (vol. IX, n° 5, p. 539-556), deux textes signés David Hall.

Les activités de Vivendi à Porto Rico ont été décrites par Interpress (les 16 août et 16 septembre 1999) et dans la plaquette de David Hall, *Water in Public Hands* (p. 10), ainsi que dans deux articles parus dans *The Black World Today* : « Water Company Nears Collapse », de Carmelo Ruiz-Marrero (26 mai 2001), et « Puerto Rico : Water Company near Collapse » (28 mai 2001). L'histoire de la coentreprise constituée à Nairobi par Sereuca Space, Vivendi et Tandiran a été relatée dans deux articles de Peter Munaita parus dans *The East African* : « French Water Deal to Cost Kenyans \$25 M » (7 août 2000) et « Government Halts Vivendi, NCC Water Project » (20 août 2001). Les problèmes d'Azurix à Bahia Blanca sont exposés en détail dans « Argentine City Says Tap Water Is Toxic » (*U.S. Water News Online,* mai 2000) et « Azurix Water Bugs Argentina » (*Houston Business Journal,* 5 mai 2000). D'autres renseignements sur les activités de cette société en Argentine sont donnés dans « BA Governor to

Request End to Waterworks Contract – Argentina » (*Financial Times Information* 15 janvier 2000), « BA Government Softens Line on Azurix – Argentina » (*Business News Americas*, 19 janvier 2001), « Argentina/Companies – Another Blow for Azurix » (*Financial Times Energy Newsletters – Global Water Report*, 23 février 2001), et « Enron's Azurix to Rescind Buenos Aires Province Water/Sewage Contract » (*AFX European Focus*, 7 septembre 2001).

On trouvera des données sur Bechtel, Enron et d'autres sociétés ayant des activités au Royaume-Uni dans « Worst U.K. Polluters Include Enron, Vivendi, Suez-Lyonnaise », sur le site www.psiru.org/news/3437.htm, « U.K. Environment Agency, "Names and Shames" Worst Corporate Polluters » (juin 1999), sur le site www.ukenvironment.com/ corporaterespons.html, et à partir de la base de données ERNS du Service de protection de l'environnement américain, http://d1.rtknet. org/ern/fac.php (dernière mise à jour en date du 17 décembre 1997 ; entrer ENRON ou BECHTEL dans la case « Discharger »).

Le rapport de la Banque mondiale sur le processus de privatisation en général est décrit dans le texte de Susan Rose-Ackerman, « The Political Economy of Corruption : Causes and Consequences », World Bank Public Policy for the Private Sector, note nº 74 (Washington (D.C.), Banque mondiale, 1996). La démonstration de l'efficacité des sociétés publiques chiliennes spécialisées dans les services d'alimentation en eau et d'assainissement des eaux usées se trouve dans le rapport *Private Sector Participation in the Water Supply and Wastewater Sector : Lessons from Six Developing Countries* (Washington (D.C.), Banque mondiale, 1996). La description de ces services publics à São Paulo figure dans *Water in Public Hands*, de David Hall (p. 17).

CHAPITRE 6 • Le cartel de l'eau

Ce chapitre est lui aussi fondé sur des textes provenant de sources très diverses. Les renseignements donnés par Terrence Corcoran et d'autres journalistes sur la possible création d'un cartel mondial de l'eau sont tirés de plusieurs numéros de février 1999 du *National Post*. L'article de Robert Kaplan intitulé « Desert Politics », dont nous citons un passage, a été publié dans le numéro de juillet 1998 du magazine mensuel *The Atlantic Monthly*. Les renseignements sur la construction de pipelines d'eau en Turquie, en Écosse et en Australie ont été recueillis dans la presse, puis résumés dans la plaquette de Maude Barlow, *Blue Gold* (p. 22-23), publiée par International Forum on Globalization. Le projet de construction de pipelines destinés au transport de l'eau en Libye, planifié par le colonel Kadhafi et confié à un conglomérat sud-coréen, est exposé dans le livre de Marq de Villiers intitulé *L'Eau* (Solin/Actes Sud/ Leméac, 2000, p. 194-198). L'utilisation de superpétroliers pour le transport de l'eau en vrac dans diverses régions bordant le Pacifique est expliquée dans le document de Richard C. Bocking intitulé « Water Export and the Multilateral Agreement on Investment » et présenté, en octobre 1998, au Comité parlementaire spécial de Colombie-Britannique chargé d'examiner l'Accord multilatéral sur l'investissement (AMI). Richard C. Bocking est un cinéaste et un écrivain canadien qui s'intéresse beaucoup, entre autres, aux questions écologiques. Il a notamment écrit l'ouvrage *Mighty River : A Portrait of the Fraser* (Vancouver, Douglas & McIntyre, 1997). L'*Alaska Business Monthly* est une précieuse source d'information sur les projets d'exportation d'eau à partir de Sitka, en Alaska, et sur les activités connexes d'entreprises comme Global H_2O et World Water. Les propos de Fred Paley et les références aux limites imposées par le *Jones Act* sont tirés de l'article de Will Swagel, « Exporting Alaska's Water », paru en novembre 1998 dans l'*Alaska Business Monthly.*

Le contexte politique du projet Grand Canal a été exposé dans l'ouvrage de Robert Chodos, Rae Murphy et Eric Hamovitch intitulé *Selling Out : Four Years of the Mulroney Government* (Toronto, James Lorimer, 1988, chapitre 2 : « Resources : Redesigning God's Plan »). Quelques années auparavant, une analyse de semblables projets d'exportation d'eau du Canada vers les États-Unis avait été présentée par Richard C. Bocking dans un livre intitulé *Canada's Water : For Sale ?* (Toronto, James Lewis and Samuel, 1972). Les données de base sur la NAWAPA proviennent des ouvrages *Selling Out,* de Robert Chodos, Rae Murphy et Eric Hamovitch, et *L'eau,* de Marq de Villiers. L'histoire de la technologie émergente des sacs scellés a été relatée dans l'article « Oceanic Answer », publié en février 2000 dans *Water 21,* le magazine de l'International Water Association. Les autres données sur des sociétés comme Aquarius et Nordic Water Supply ont été obtenues à partir de Lexis-Nexis entre le 1er janvier et le 31 mai 2001. Les renseignements relatifs aux techniques conçues ou envisagées par Medusa et Terry Spragg sont tirés de l'article de *Water 21* cité précédemment.

Sur la question de l'eau embouteillée, l'un des meilleurs rapports existants est *Bottled Water : Pure Drink or Pure Hype?*, publié en mars 1999 à la suite d'une étude approfondie effectuée par le Nation Research Defense Council des États-Unis. Dans la section consacrée à l'eau embouteillée, toutes les citations, dont celle d'un ancien président-directeur général de Perrier, proviennent de ce rapport. Les chiffres relatifs au volume annuel d'eau embouteillée et les autres précisions sont tirés du rapport d'étude intitulé *Bottled Water : Understanding a Social Phenomenon*, étude réalisée pour le compte de la World Wildlife Federation et publiée en mai 2001. Les articles de Martin Mittelstaedt parus dans le *Globe and Mail*, « Canada's Giving Away Its Precious Water » (21 septembre 1999) et « Bottled Water Gushing South but Canada Gets Little in Return » (22 septembre 1999), nous ont fourni une information générale utile sur l'accès des sociétés productrices d'eau embouteillée aux ressources hydriques canadiennes. Des données plus récentes au sujet de l'industrie de l'eau embouteillée sont incluses dans un article intitulé « Multinationals Tap into the Bottled Water Market » (7 juin 2001), obtenu par l'intermédiaire de Centaur Communications Ltd. (*Marketing Week*) via Lexis-Nexis. La concurrence entre PepsiCo et Coca-Cola sur le marché de l'eau embouteillée est fréquemment traitée dans les journaux et magazines spécialisés en commerce et finance. L'Information Access Company de Thomson Corporation fournit des rapports sur la répartition des parts de marché dans l'industrie de l'eau embouteillée. Ainsi, nous avons consulté le rapport du 12 février 2001 pour connaître les parts de marché d'Aquafina et de Dasani. En ce qui concerne les campagnes publicitaires de Coca-Cola et de Pepsi relatives à l'eau embouteillée, il faut lire l'article publié par Reuters le 25 mai 2001 : « Coke, Pepsi Ready for Summertime Battle », qui fait le point sur la question. L'article « Just Say No to H_2O (Unless It's Coke's Own Brew) » paru dans le *New York Times* du 2 septembre 2001 apporte, pour sa part, une information plus récente sur les stratégies de commercialisation élaborées par Coca-Cola pour son eau Dasani. On peut également consulter l'article « Water, Water Everywhere : Coke, Pepsi Unleash Flood of Ad Muscle » publié dans *The Atlanta Journal-Constitution* le 12 juillet 2001. Le rapport de la FAO sur le secteur de l'eau embouteillée est repris dans le livre de Michael Latham intitulé *Human Nutrition in the Developing World* (FAO Food and Nutrition Series n° 29, Food and Agricultural Organization, chapitre 31 : « Beverages and Condiments »).

L'ouvrage de Mark Pendergrast intitulé *For God, Country and Coca-Cola* (2ᵉ édition, New York, Basic Books, 2000) présente une analyse récente de la société Coca-Cola. Certains des renseignements donnés dans la section « L'eau de "Coke" » proviennent de ce livre. La stratégie de Coca-Cola consistant à utiliser des sachets de minéraux est résumée dans un article du *Wall Street Journal*, « The Real Thing : Coke to Peddle Brand of Purified Bottled Water in U.S. » (3 novembre 1998). Les propos de l'ancien PDG de Coca-Cola, Roberto Goizueta, sont tirés de l'ouvrage de Mark Pendergrast. La question de l'effet déshydratant des boissons gazeuses, constaté par le professeur Marion Nestle, a été brièvement traitée dans un article de la *Tufts University Health & Nutrition Letter* datant de juillet 1998. En Inde, selon le National Council for Applied Economic Research, basé à New Delhi, la grande majorité des boissons non alcoolisées sont consommées par les personnes à revenus faibles (ou moyens) qui habitent dans les petites villes ou les villages, et non par de riches citadins. Les activités de Coca-Cola au Guatemala sont décrits dans le livre de Henry J. Frundt : *Refreshing Pauses : Coca-Cola and Human Rights in Guatemala* (New York, Praeger Publishers, 1987). L'histoire des poursuites judiciaires intentées contre Coca-Cola et des embouteilleurs franchisés en Colombie a d'abord été relatée par la British Broadcasting Corporation le 20 juillet 2001, avant d'être l'objet de plusieurs bulletins d'information. Le rapport de Ralph Nader sur les accusations de racisme lancées contre Coca-Cola concernant sa politique d'emploi a été reproduit dans le numéro du 29 juillet 2001 du *San Francisco Bay Guardian*.

En ce qui concerne les réserves d'eau douce disponibles dans le monde, les études les plus approfondies à ce jour ont été dirigées en Russie par Igor Shiklomanov, à l'Institut national d'hydrologie de Saint-Pétersbourg, dont il est le directeur. Les statistiques relatives aux sources d'eau douce figurant dans la dernière section du chapitre ont été établies par Igor Shiklomanov et reprises dans le livre de Peter Gleick intitulé *Water in Crisis : A Guide to the World's Fresh Water Resources* (New York, Oxford University Press, 1993). Le volume total des ressources mondiales demeure cependant inconnu, puisque les eaux de nombreuses zones marécageuses et les eaux souterraines des régions à pergélisol n'ont pas encore été prises en compte.

CHAPITRE 7 • Connexions mondiales

L'histoire d'Oscar Olivera à Cochabamba a été relatée dans de nombreux articles, dont celui de Jim Schultz, « Bolivia's Water War Victory », paru dans le *Earth Island Journal* (vol. xv, n° 3, automne 2000). La section « Puissants lobbies » est grandement inspirée du chapitre 7 de *The Final Frontier*, intitulé « Priming the Pump: Corporate Lobbies and Water Privatization » (www.polarisinstitute.com) ; ce chapitre traite des diverses associations dans le secteur de l'eau et contient de l'information trouvée aussi bien sur les sites Internet que dans les rapports imprimés de ces associations. L'article de Fay Hansen, « Working with International Finance Institutions », publié dans le *Business Credit Magazine* de la National Association of Credit Management en mai 2001 (p. 55-59), donne un aperçu intéressant du rôle joué par les principales institutions financières internationales, en particulier les deux grandes sections de la Banque mondiale, la BIRD et la SFI, et ses banques régionales affiliées, la BERD et la Banque asiatique de développement. Le rôle joué par le FMI dans la privatisation de l'eau et dans la politique de récupération des coûts de certains pays est expliqué dans le volume II, n° 4, printemps 2001, de *News & Notices*, publié par Global Challenge Initiative (document également accessible sur Internet à l'adresse www.globalchallenge.org). Les rapports entre les gouvernements, l'industrie de la construction de barrages et la Banque mondiale sont mis en lumière dans un rapport intitulé *Dams Incorporated : The Record of Twelve European Dam Building Companies*. L'étude a été menée par l'équipe de recherche de The CornerHouse au Royaume-Uni et publiée par la Swedish Society for Nature Conservation (février 2000). L'information sur le projet d'aménagement hydroélectrique des hautes terres du Lesotho et sur l'épidémie de choléra en Afrique du Sud provient du rapport *Watching the World Bank in South Africa*, publié par l'Alternative Information and Development Centre, au Cap.

La section « Le commerce mondial » est inspirée de plusieurs sources. *The World Trade Organization : A Citizens' Guide*, de Steven Shrybman (Ottawa, Canadian Centre for Policy Alternatives et James Lorimer, 1999), *Whose Trade Organization : Corporate Globalization and the Erosion of Democracy*, de Lori Wallach et Michelle Sforza (Washington, Public Citizen, 1999), et *Invisible Government – The World Trade Organization : Global Government for the New Millennium?*, de Debi Barker et Jerry Mander (San Francisco,

International Forum on Globalization, 1999), contiennent des analyses approfondies de l'OMC. Le quatrième chapitre de l'ouvrage de Maude Barlow et Tony Clarke, *La Bataille de Seattle*, donne également des renseignements sur cette organisation. *GATS : How the World Trade Organization's New "Services" Negotiations Threaten Democracy*, de Scott Sinclair (Ottawa, Canadian Centre for Policy Alternatives, 2000), présente des idées intéressantes sur l'AGCS. Deux autres textes de Steven Shrybman, « A Legal Opinion Concerning Water Exports Controls and Canadian Obligations under NAFTA and the WTO » et « Water and the GATS : An Assessment of the Impact of Services Disciplines on Public Policy and Law Concerning Water » (qu'il est possible d'obtenir par l'intermédiaire du Conseil des Canadiens), fournissent un autre point de vue sur les règles commerciales touchant à la privatisation et à l'exportation de l'eau. En ce qui concerne la section « Blocs régionaux », le document de Maude Barlow, *The Free Trade Area of the Americas* (publié par le Conseil des Canadiens en mars 2001) et le rapport de Marc Lee, *À l'intérieur de la forteresse : les enjeux des négociations sur la ZLEA* (publié par le Centre canadien de politiques alternatives en avril 2001) constituent tous deux des analyses utiles.

La section « Traités d'investissement » est fondée sur l'analyse des traités bilatéraux d'investissement (TBI) et de l'Accord multilatéral sur l'investissement (AMI) effectuée jusqu'à présent. L'article de Michelle Swenarchuk, « The MAI and the Environment », publié dans *Dismantling Democracy*, de Andrew Jackson et Matthew Sanger (Ottawa, Canadian Centre for Policy Alternatives et James Lorimer, 1998), expose certaines idées initiales à propos des TBI. Le livre de Tony Clarke et Maude Barlow, *MAI : The Multilateral Agreement on Investment and the Threat to Canadian Sovereignty* (Toronto, Stoddart, 1997), offre quant à lui une vue d'ensemble de l'AMI tel qu'il a été proposé et des effets qu'il aurait eus s'il avait été ratifié, et non rejeté, en 1998. Cependant, il est à noter que l'on s'efforce maintenant de relancer les négociations à propos de l'AMI, par le truchement de l'OMC.

CHAPITRE 8 • La riposte

L'histoire de la lutte menée dans la vallée de la Narmada, en Inde, est tirée en grande partie de rapports rendus publics par l'International Rivers Network aux États-Unis. Nous nous sommes basés, par exemple, sur l'article de Patrick McCully, « A Stream of Consciousness : The Anti-Dam Movement's Impact on Rivers in the 20th Century », paru dans l'*Encompass Magazine* (vol. IV, n° 5, juin-juillet 2000). Par ailleurs, nous nous sommes aussi inspirés du livre de Arundhati Roy, *Le Coût de la vie* (traduit de l'anglais par Claude Demanuelli, Paris, Gallimard, coll. Arcades, 1999). Les campagnes menées en faveur du retour au secteur public des réseaux de distribution et de traitement de l'eau de Cochabamba, en Bolivie, et de Grenoble, en France, ont été décrites dans un article d'Emanuele Lobina, « Water Privateers, Out ! », publié dans l'un des magazines de l'Internationale des services publics, *Focus* (Public Service International, n° 2, juin 2000). Des renseignements concernant la reprise de la SEMAPO par ses employés et par les habitants de Cochabamba sont également fournis dans l'article de Jim Shultz « Bolivia's Water War Victory », paru dans le *Earth Island Journal*, ainsi que dans la plaquette de Maude Barlow, *Blue Gold*, publiée par l'International Forum on Globalization. Le texte de Monique Bouchard, « Our Fight for Grenoble Public Water Service » (non publié), contient des idées très intéressantes sur l'affaire de Grenoble. La section intitulée « La lutte contre la privatisation » a été rédigée à partir de nombreux documents. Les renseignements sur la lutte menée en Afrique du Sud ont été glanés durant un voyage d'étude effectué en mai 2001. La Déclaration d'Accra sur le droit à l'eau est publiée sur le site d'un réseau d'associations françaises mobilisées sur la question des institutions financières internationales (IFI), dont l'adresse électronique est www.globenet.org/ifi/dossiers/services/eau/accra.htm. L'histoire du mouvement de protestation en Uruguay est essentiellement fondée sur une entrevue avec Adriana Marquisio, déléguée à la table de coordination des sociétés publiques de la Federación de Functionarios de Obras Sanitarias del Estado, le 7 juillet 2001. Les luttes menées contre American Water Works Company aux États-Unis sont mentionnées dans le rapport annuel de 2001 du SCFP (Syndicat canadien de la fonction publique) sur la privatisation, intitulé *Les profits contre la démocratie : le peuple canadien paie le prix de la privatisation.*

La bataille contre Perrier et l'exportation de l'eau embouteillée dans le Wisconsin est relatée dans le magazine *Time* du 25 septembre 2000. Le compte rendu de celle engagée par Michigan Citizens for Water Conservation contre Perrier a été établi à partir des lettres et des requêtes adressées au gouvernement du Michigan. Le rapport ayant trait à l'éventuel captage des eaux sur les territoires autochtones à des fins d'exportation, effectué pour le compte du gouvernement canadien, a fait l'objet d'un compte rendu diffusé par l'agence de presse multimédia La Presse canadienne, le 23 août 2001. La section « La qualité de l'eau » a elle aussi été rédigée à partir de plusieurs sources. Le rapport de la coalition qui lutte contre l'Occidental Petroleum Corporation en raison des activités de cette société à Caño Limón, en Colombie, est présenté dans *Blood of Our Mother : The U'Wa People, Occidental Petroleum and the Colombian Oil Industry* (publié par Project Underground, Berkeley (Californie), 1998). L'article de Dale L. Watson, « Fresh Water Oil Fields : The Ultimate Bulk Water Export », qui n'a pas été publié, résume la lutte engagée en Alberta, au Canada, contre l'usage intensif de l'eau dans l'exploitation des gisements de pétrole. Le magazine *Global Pesticide Campaigner*, publié par Pesticide Action Network North America (www.panna.org), donne régulièrement de l'information sur les campagnes menées contre l'utilisation de pesticides chimiques dans l'agriculture qui contaminent les ressources hydriques. La grande bataille judiciaire lancée par la Water Keeper Alliance contre l'élevage porcin industriel aux États-Unis est rapportée dans le numéro d'hiver de 2001 de la revue *Animal Welfare Institute Quarterly*. Quant à la campagne en faveur d'un réseau public de production d'eau potable et d'épuration des eaux usées qui a été entamée à Kamloops (Colombie-Britannique), elle est relatée dans le rapport de 2001 du Syndicat canadien de la fonction publique, *Les profits contre la démocratie*.

Dans la section « Sauver les cours d'eau », l'information relative à l'alliance d'Ecotrust et des Haislas dans la vallée de la Kitlope, à la création de l'association Applegate Partnership en Oregon et à la remise en valeur de la rivière Trinity dans les environs d'Hayfork (Californie), a été glanée dans le numéro d'automne de 1997 de la revue *Yes! A Journal of Positive Futures*. La campagne visant le démantèlement d'un barrage sur la rivière Kennebec (Maine) a été soulignée dans le numéro du 2 juillet 1999 de l'*Ottawa Citizen*. La manière dont s'organisent les « collectivités de captage » en Afrique australe est décrite dans l'ouvrage de Lori Pottinger, *River Keepers Handbook : A Guide to Protecting Rivers and Catchments in Southern Africa* (publié par International Rivers Network en 1999). La section « La croisade contre les barrages » — en particulier les passages relatifs à l'arrêt de la construction de barrages sur le Danube, en Hongrie, et au démantèlement de barrages aux États-Unis — est inspirée de l'article de Patrick McCully, « A Stream of Consciousness », paru dans l'*Encompass Magazine* (vol. IV, n° 5, juin-juillet 2000). Les efforts déployés contre la construction des barrages de Chixoy, au Guatemala, et de Pak Mun, en Thaïlande, ont été relatés par

Karen Levy dans le numéro de décembre 2000 de la *World Rivers Review* (vol. XV, nº 6, p. 12-15).

CHAPITRE 9 • Notre position

Bien que nous ne soyons pas d'accord avec les idées avancées par la plupart de ses auteurs, qui sont favorables à la privatisation de l'eau, nous avons lu le livre publié sous la direction d'Ariel Dinar, *The Political Economy of Water Pricing Reforms*, coédité par Oxford University Press et la Banque mondiale en 2000. Par contre, nous avons repris bien des idées défendues par l'Internationale des services publics ou dans les publications de cette fédération syndicale, comme le petit ouvrage de David Hall intitulé *Water in Public Hands* (juillet 2001). Le magazine *World Water Watch : The Magazine of the Freshwater Environment* (qui n'est malheureusement plus publié) nous a lui aussi permis de découvrir maints arguments pour et contre la privatisation. « Boiling Point : Water Security in the 21st Century », d'Eric Gutierrez, de l'Institute for Popular Democracy aux Philippines, nous a proposé un autre regard sur la question. Ce texte a été rédigé par l'auteur à l'occasion de la conférence que l'ONG britannique WaterAid a tenue en septembre 1999.

À la fin d'août 2001, Philip Lee, du *Ottawa Citizen*, a proposé des solutions diverses pour résoudre les problèmes de l'eau. Durant l'été 2001, Patrick Bond, de l'Université de Witwatersrand à Johannesburg, a écrit un excellent article intitulé « Valuing Water beyond "Just Price It" : Costs and Benefits for Basic Human and Environmental Needs » (que l'on peut consulter sur Internet à l'adresse www.isodec.org.gh/Papers/valuing-water.pdf). Enfin, nous désirons remercier tout spécialement Vandana Shiva, de la Research Foundation for Science, Technology and Ecology à New Delhi, pour ses nombreux livres et publications concernant les biens communs. Dans ce chapitre, nous nous sommes inspirés en particulier de son article de juillet 1999 intitulé « The Politics of Water : Water as Commons or Water as Private Property ».

CHAPITRE 10 • L'avenir

Après avoir entendu le chant des militants du Narmada, Bachao Andolan,

Patrick McCully l'a traduit en anglais pour l'insérer dans son ouvrage : *Silenced Rivers*. En ce qui concerne la rédaction de ce chapitre, nous devons beaucoup à notre collègue Riccardo Petrella. En collaboration avec le Water Manifesto Project — mouvement mondial en faveur de la protection de l'eau, basé en Italie —, Riccardo Petrella mène une lutte acharnée afin que les services d'eau demeurent publics. Nous citons en particulier des passages de son ouvrage intitulé *Le Manifeste de l'eau : pour un contrat mondial* (Bruxelles, Labor, coll. La Noria, 1998). Le texte de Sandra Postel sur la gestion durable de l'eau, publié dans *L'État de la planète 1996* (du WorldWatch Institute), constitue lui aussi un excellent travail. Pour leur part, Peter H. Gleick, Gary Wolff, Elizabeth L. Chalecki et Rachel Reyes, du Pacific Institute, ont rédigé un important rapport, *The New Economy of Water : The Risks and Benefits of Globalization and Privatization of Fresh Water*, paru en février 2002. Nous les remercions de nous en avoir fourni un exemplaire avant publication.

Dans de nombreux pays, Les Amis de la Terre s'efforcent de mettre en œuvre, sur le terrain, des solutions à la crise de l'eau. Leur travail de même que leurs recherches méritent d'être soulignés. Le film *Earth on Edge,* mettant en vedette l'animateur de la chaîne PBS Bill Moyers et produit par le World Resources Institute, a constitué une excellente source d'information sur les moyens adoptés en Afrique du Sud pour remédier à la crise qui y sévit. Nous avons aussi évoqué les résultats d'un séminaire international sur les petites exploitations agricoles qui a eu lieu en mars 2000 à Katmandou, au Népal. Le compte rendu de cette réunion a été publié sous le titre de *Challenges to Farmer Managed Irrigation Systems.*

Il est à signaler que, contre toute attente, un rapport du Programme des Nations Unies pour le développement et de la Banque mondiale intitulé *Learning What Works : A 20-Year Retrospective View on International Water and Sanitation Cooperation*, publié en 1999, a sévèrement critiqué les énormes projets envisagés et vivement recommandé une série de mesures applicables à petite échelle, ainsi que le contrôle de l'eau par les collectivités locales. Enfin, il faut rendre hommage à ceux qui mènent une campagne au sein du Congrès américain en faveur de lois qui mettraient un terme à la promotion de la privatisation de l'eau qu'ont entreprise de grandes institutions financières comme le Fonds monétaire international et la Banque mondiale.

Index

TABLE DES MATIÈRES

Imprimé en Espagne, par LIBERDUPLEX (Barcelone)
HACHETTE LITTÉRATURES – 31, rue de Fleurus – 75006 PARIS
Collection n° 25 – Édition 01
Dépôt légal : 85065-06/07